一笑

古龍自署

盛期之風貌

臥龍生作品 帶動武俠風潮

《飛燕驚龍》開一代武俠新風

《飛燕驚龍》(1958)爲臥龍生成名作，共48回，約120萬言。此書承《風塵俠隱》之餘烈，首倡「武林九大門派」及「江湖大一統」之說，更早於香港武俠巨匠金庸撰《笑傲江湖》(1967)所稱「千秋萬世，一統」達九年以上。流風所及，臺、港武俠作家無不效尤；而所謂「武林盟主」、「江湖霸業」等新提法，竟成爲社會大眾耳熟能詳的流行術語了。

《飛燕》一書可讀性高，格局甚大。主要是寫江湖群雄爲覬覦傳說中的武林奇書《歸元秘笈》而引起一連串的明爭暗鬥；再以一部假秘笈和萬年火龜爲餌，交插敘述武林九大門派（代表正派）彼此之間的爾虞我詐，以及天龍幫（代表反方）網羅天下奇人異士而與九大門派的對立衝突。其中崑崙派弟子楊夢寰偕師妹沈霞琳行道江湖，卻如夢似幻地成爲巾幗奇人朱若蘭、趙小蝶之絕世武功技驚天龍幫，而海天一叟李滄瀾復接連敗於沈霞琳、楊夢寰之手；致令其爭霸江湖之雄心盡泯，始化解了一場武林浩劫云。

在故事佈局上，本書以「懷璧其罪」（與真、假《歸元秘笈》有關）的楊夢寰屢遭險難，卻每獲武林紅妝垂青爲書膽(明)，又以金環二郎陶玉之嫉才害能，專與楊夢寰作對(暗)爲反派人物總代表。由是一明一暗交織成章，一波未平，一波又起，極盡波譎雲詭之能事。最後天龍幫冰消瓦解，陶玉帶著偷搶來的《歸元秘笈》跳下萬丈懸崖，生死不明，卻予人留下無窮想像空間。三年後，作者再續寫《風雨燕歸來》以交代陶玉重出江湖，爲惡世間，則力不從心，當屬狗尾續貂之作。

在人物塑造方面，臥龍生寫男主角楊夢寰中看不中用，固然乏善可陳，徹底失敗；但寫其他三名女主角如「天使的化身」沈霞琳聖潔無瑕，至情至性，處處惹人憐愛；「正義的女神」朱若蘭氣質高華，冷若冰霜，凜然不可犯；「無影女」李瑤紅則刁蠻任性，甘爲情死等等，均各擅勝場。乃至寫次要人物如「賓中之主」海天一叟李滄瀾之雄才大略，豪邁氣派；玉簫仙子之放蕩不羈，爲愛痴狂；以及八臂神翁聞公泰之老奸巨猾，天龍幫軍師王寒湘之冷傲自負等，亦多有可觀。

與

武俠小說

摘自 葉洪生、林保淳著
《台灣武俠小說發展史》

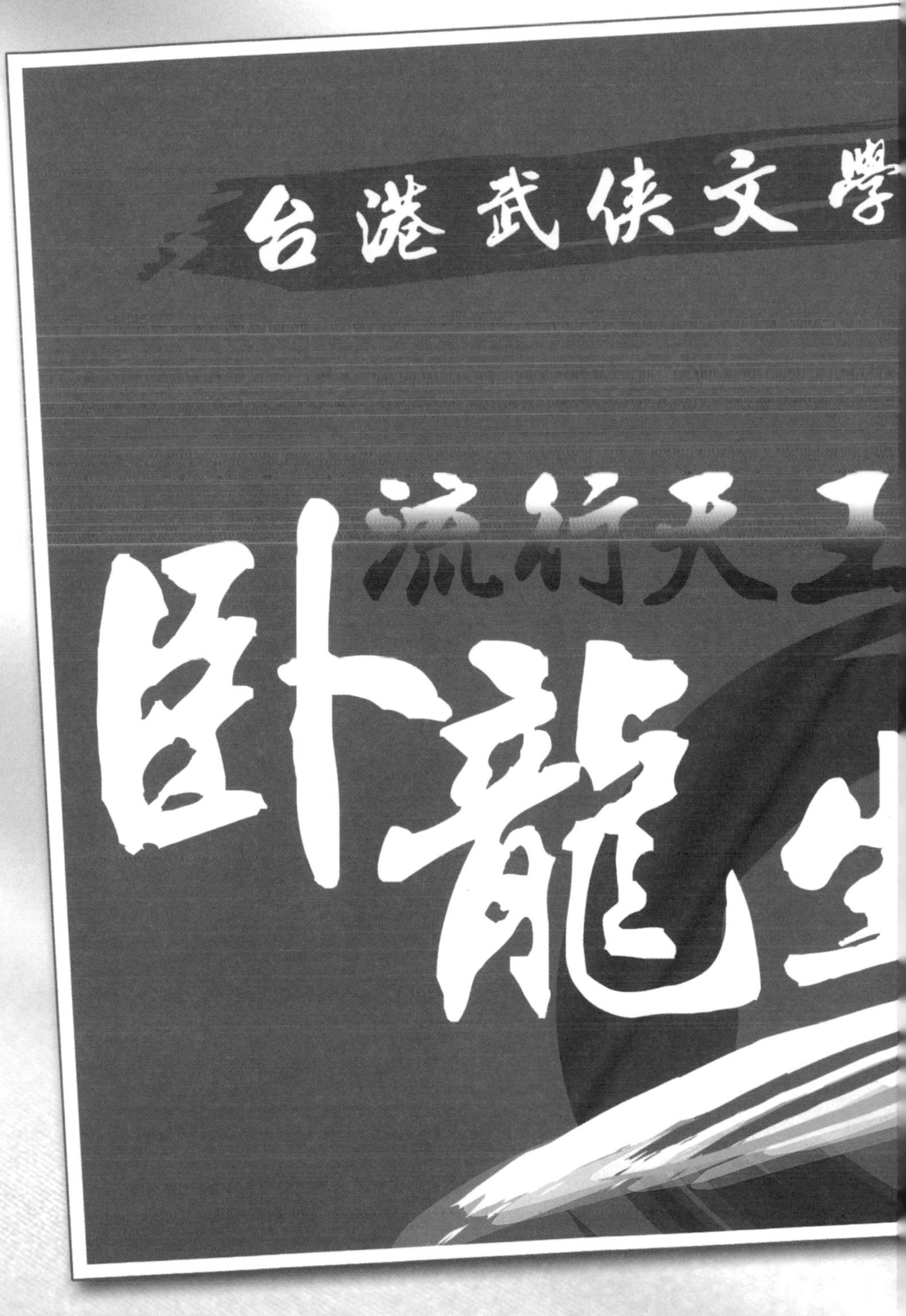
台港武俠文學
流行天王
臥龍

臥龍生是台灣最著名的武俠小說作家之一，自然也是海外新派武俠小說家中的重要一員。

在台灣武俠小說界，臥龍生曾獨領風騷被稱為「台灣武俠泰斗」。後來司馬翎、諸葛青雲脫穎而出，才與臥龍生並稱台灣俠壇的「三劍客」。那時候古龍還默默無聞。後來古龍名氣漸大，躋身高手之林，與「三劍客」合稱「台灣武俠小說四大家」，但臥龍生仍是深受讀者歡迎的武俠小說作家。

陳墨

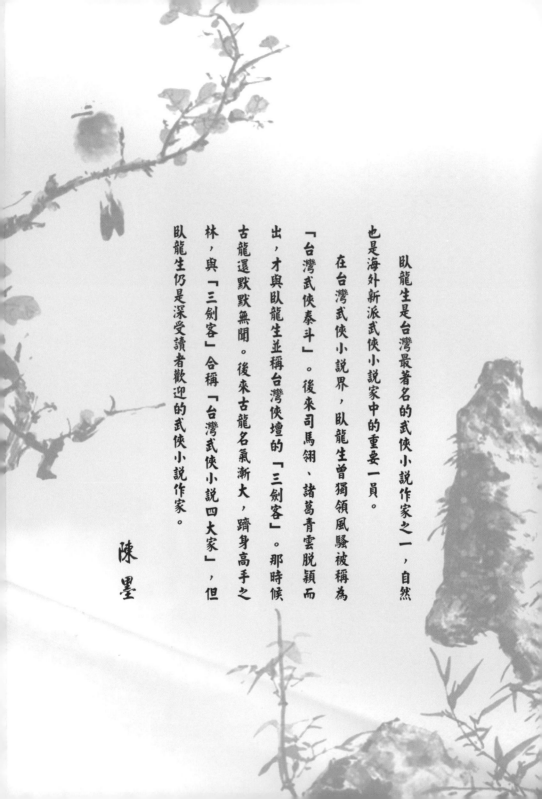

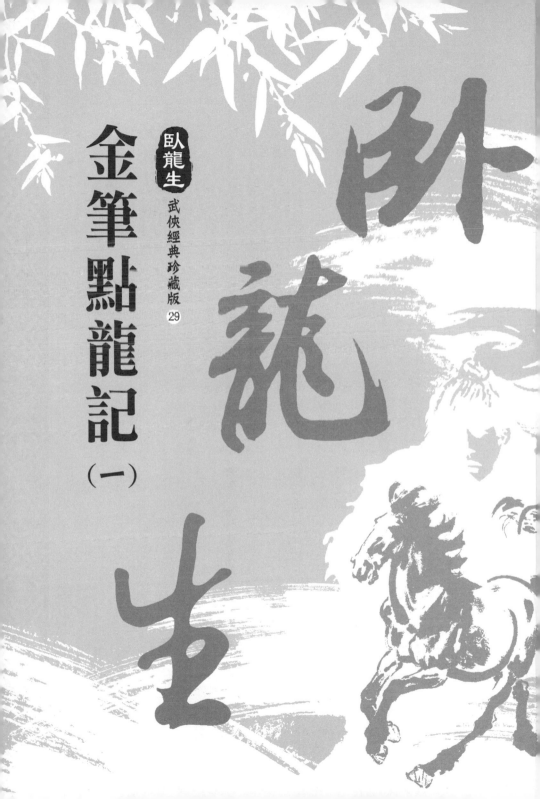

金筆點龍記

（一）

臥龍生

武俠經典珍藏版 29

臥龍生

臥龍生精品集㉙

金筆點龍記（一）

目錄

【導讀推薦】

臥龍金筆，點的是甚麼龍？

知名評論家
秦懷冰

在臥龍生的作品中，《金筆點龍記》堪稱是既承先啟後、又峰迴路轉的一部力作。在這部作品中，臥龍生保留了他全盛時期最被武俠文壇肯定的長處：擅於「說故事」，尤擅於抒寫若干熱鬧緊湊的情節、營造某些奇詭百出的懸念，來吸引讀者一路追讀下去；但另一方面，或許是受到古龍崛起，以「新派武俠」的創作風格受到各方矚目的影響，臥龍生也開始進行自覺的調整與擴充，試圖進一步發掘所謂「俠義精神」的內在涵義。

江湖世界　重心迴轉

亦即，在寫出了多部受當時讀者喜歡的作品，也在武俠創作界建立了一定程度的口碑之後，臥龍生顯然想要從事他創作生涯中的重大突破。眾所周知，在此之前，臥龍生的作品非常著重於刻畫風華蓋世、才慧敻絕的女性人物在江湖世界的關鍵功能；相形之下，男性俠士縱然武功出眾、勇烈超群，亦往往只是嬌艷紅花旁邊的碩大綠葉，作為陪襯而已。從《飛燕驚龍》到《翠袖玉環》，一連串以美女意象作為書名的作品，如實地表述了臥龍生凸顯女性、歌頌女性的內心傾向。

但在《金筆點龍記》中，這一傾向明顯開始淡化，江湖世界的重心轉回到刀鋒相對、劍尖相向的權力之爭與恩仇之判，而男性人物的份量開始大幅增加；同時，臥龍生開始藉由小說情節的推展，從不同的層次與角度來探索「俠義」二字的真諦，而不再只置重點於懸念的營造或態勢的突變等刻意吸引讀者的類型小說之技巧。更加難能可貴的是，為了使探索俠義真諦的寫法仍能緊扣讀者的追讀興趣，作者對這部作品的布局與結構下了大功夫，從而使它成為臥龍生在創作高峰期最顯得神完氣足、也最能首尾照應的一部代表作。

布局結構　大異往昔

對臥龍生作品較熟悉的評論者大多認為，由於經常不忘製造出人意料的詭變與懸念，他筆下的情節往往一再岐出、分岔，有時節外生枝，枝外又生節，以致漫漶而不可收拾，結尾時便不得不「倏然而止」，只顧到大局而對枝節事件籠統略過。但在本書中，臥龍生展現了他作為當時武俠小說界扛鼎者之一的內省與功力，娓娓寫來，固仍曲折多致，但布局之精密、結構之完善、伏筆之迴應，卻令人刮目相看。

尤其，在營造緊湊生動的武俠情節之餘，猶能對於「俠」與「儒」的辯證互補關係給予頗具說服力的闡發，實不失爲名家手筆。

開篇之初，男主角俞秀凡只是一名手無縛雞之力的書生，寄居破廟，準備應考。眼見有人身受重傷卻仍遭到多名強橫霸道之輩的殘酷圍捕及追殺，一時胸臆間熱血上湧，抵死也要維護那個遭難落魄的江湖人，以致捲入了他完全想像不到的武林風暴。

從這樣平淡中隱含悲情的起筆式看來，臥龍生在試圖調整寫作模式的同時，也有意回到傳統武俠創作的源流，重新汲取資源，並賦予新意；因爲，這樣的起筆式，會引人聯想到前代武俠名家如王度廬、白羽、鄭證因等人的經典作品中，駭人聽聞的江湖故事也常以平淡中隱含難以索解之誕的突兀事件開端。

俞秀凡不惜奮勇捨身拯救無一面之緣的落難者，展現了他不畏強梁的俠義情懷。被拯救的艾九靈其實是一代大俠，其時雖然自身難保，但他目睹俞的俠氣與義行，已一心要將俞秀凡培養成未來的武林棟樑之才。乍看下，這是傳統武俠的常見套路，臥龍生不過是以他擅於編織故事、穿插角色、渲染衝突的長才，寫得比傳統武俠更引人入勝而已。

但實質上，隨著情節的鋪展，讀者將會發現：開場時追殺艾九靈的綠衣麗人（五毒夫人），被艾九靈指派協助俞秀凡的精靈少年（桃花童子），乃至諸多在俞秀凡左近出沒的各路人馬，其實均非泛泛之輩，他們都是整個故事的有機組成部分，以各種匪夷所思的手段一步步將俞引入到武林風暴的核心。然後，企圖控制各大門派、獨攬江湖霸業的「造化城堡」逐漸浮現，真相是，俞秀凡不啻以一人之力悍然在與武林最大霸主對立抗衡。

步步驚魂　撲朔迷離

當然，爲了使俞秀凡能夠在短期間從不會武術的書生蛻變爲脫穎而出的高手，艾九靈必須安排他拜見某些僻居世外的奇人異士，而俞也必須發揮他先前並不自覺的特殊潛能。就像現今風行全球的「武打升級類」電玩遊戲一般，當艾九靈消失不見之後，初出茅廬的俞秀凡必須一場場、一級級面對挑戰，克敵致勝，以證明他在步步驚魂的酷烈江湖中自有生存能力。這其間，便是作者發揮呼風喚雨的筆力將故事推展得緊湊熾烈的抒寫空間，而臥龍生表現得遊刃有餘實自意料中事。

俞秀凡藝成之後幾乎席不暇暖，幾次三番出生入死，才得以闖入江湖上人人聞之色變的造化城，且以他的風采與機智贏得城中超級美女水燕兒的傾心。但隨即發現「造化城主」的身分撲朔迷離，其身外化身之多令人防不勝防。猶有甚者，城中的「十方別院」竟是羈縻及囚禁天下英雄的詭異場所，少林、武當、峨嵋、青城等九大門派的特級高手皆有側身於此者。俞幾經鬥智鬥力，幸未落敗，然也毫無過關斬將而直搗黃龍的把握。詭譎的是，城主居然肯讓俞全身而退，條件是要他同意去搏殺艾九靈。

這當然是一個明暗兼具的圈套，至此，雙方都摸到了對方的底細，行將圖窮匕現。然而，俞爲了解救受困於十方別院的各派高手，還要風塵僕僕，四處與對手周旋，更在少林寺目睹真假方丈、前輩高僧等人連續三次怵目驚心的叛逆事件，所幸俞在危急時出手，始能穩住局面，使少林寺「叛變風暴」不致逆轉江湖大局。此時，他儼然成爲江湖矚目的焦點。造化城主盯緊他，目的是逼出艾九靈，一舉殲滅，以除卻心腹大患；但事實上，艾亦是要透過俞秀凡誘出造化城主，了了雙方長期糾纏的恩怨。

金筆點龍　回到原點

攤牌時刻，謎底揭曉，原來城主與艾九靈本爲同門師兄弟，前者叛門逆師，企望獨霸江湖，後者心存仁慈，對決時手下留情，卻因而落敗，並遭到殘酷追殺。在俞秀凡引出造化城主後，雙方人馬終於再度對決，而城主當年以卑劣的詐欺手段引誘璇璣宮公主金玉蓉，奪取珍寶秘笈而使武功修爲得以更上層樓的秘辛，也終告曝光。但決戰之際，包括艾九靈在內仍無人能抵敵造化城主，關鍵時刻，又是俞秀凡挺身而出，捨身取義，與城主鬥到兩敗俱傷，而得以收拾殘局。

於是，失去全部內力，並且已不可能重練武功的俞秀凡，至此又謫落塵間，成爲一個平凡而正派的書生，飄然而去。群豪在感動之餘，一時間「齊步相隨，凝目望去，只見俞秀凡長衫飄飄，在落日晚風中，是那樣輕逸。」短短兩年時光，俞秀凡以他的英風俠氣，照亮了充斥著弱肉強食、權謀詐僞的江湖世界；如今，他失去了武功，回到了原點，仍是一個胸懷正義感的文弱書生；然而，誰又能說，如此回到原點的書生不是一位頂天立地的、可歌可泣的「儒俠」？

《金筆點龍記》的最終，亦不啻是江湖世界回到了原點，那麼，洋洋數十萬字的武俠故事究竟點了甚麼龍？明眼人應可看出：臥龍生在此書中透過俞秀凡的遭遇和行徑，而一再反覆詮述的俠義精神、俠義理念，其實，就是艾九靈的金筆所要點出的「龍」！

一　步步驚心

十年寒窗無人問，一舉成名天下知。

省試期近，莘莘學子分由四鄉縣鎮趕集省城，準備大顯身手，進而問鼎京試，一舉成名。

爲了讀書方便，有錢的富家弟子，可以租一幢大宅獨院秉燭夜讀，使那朗朗讀書聲，不致驚擾到四鄰，但大多數小康、貧寒之家的弟子，都是借讀於寺、觀、庵、祠，一則取其寧靜，一則也可節約一些用度。

縱然是寒門弟子，也都帶著足夠的川資。

可憐天下父母心，爲籌措一筆盤纏費用，父趕苦工，母加夜紡，做父母的，多受了無數勞苦，也要設法爲孩子湊足一筆寬裕的費用。

所以，會試省城的學子們，一個個衣著光鮮，也都不會爲用度煩惱。

開封府城郊西天王寺，名字很氣派，其實是一個很小的寺院，一進院落，兩列廂房，寺中只有一個香火工人，十天半月，也難得有一次香客上門。

但天王寺夠清靜，僻處荒野，綠篁環繞，清靜是清靜，只是太荒涼了一些。

四周二里內沒有人家，在這裏讀書，確是了無塵俗的喧擾，但卻要一份膽氣。

這天午時過後，卻來了一位清秀的藍衫少年，書卷一箱，一望即知是會試省城的學子。守寺的工人，已經是年近七旬的老人，耳目遲鈍，行動很慢。

那藍衫少年打量了一下寺中形勢，抱拳一禮，道：「老丈，請為在下通報方丈一聲。」

老人堆滿皺紋的臉上，泛現出一片笑容，搖搖頭，道：「這座小小的寺院，沒有住持方丈，上上下下，就是我一個人。」

藍衫少年「唉」了一聲，道：「在下南陽俞秀凡，此番來省會試，想借貴寺一廂，宿讀幾日，不知大師可否賜允？」

那老人輕輕地咳了一聲，清清喉嚨，道：「老漢只是一個看顧香火的人。這寺本有一位住持方丈，三年前離寺他去，老漢俗姓丁，也未正式剃度出家，不敢當大師之稱，你以後叫我一聲老丁就是。」

俞秀凡道：「原來是丁老丈。」

老漢笑一笑，道：「不敢當，寺中只有老漢一人，我年紀大了，耳目不靈，公子留此借讀，只怕老漢無能為公子料理膳食。」

他雖然年紀老邁，但說話頗有文氣，想他幼年，也是一位讀過書的人。

俞秀凡肅然生敬，欠身說道：「在下出身寒微，求學在外，也曾自理過炊膳之事，這方面不勞老丈費心。」

就這樣，俞秀凡在天王寺中住了下來。

這夜晚，俞秀凡孤燈夜讀，朗朗書聲，直達戶外。

好在，這天王寺附近沒有人家，老漢耳目不靈，熟睡沉沉，雖是高聲夜讀，也驚擾不到別人。

天約二更，俞秀凡讀完夜課，掩了書卷，正待展被就寢，突然一陣輕微的呻吟聲傳了進來。

俞秀凡霍然一驚，暗暗忖道：這等深夜時分，如此荒涼所在，怎麼有呻吟之聲傳來？

他滿腹詩書，白具膽氣，打開室門，緩步而出，想循聲找去，看看那呻吟聲是怎麼回事。

但那呻吟聲，卻突然中斷不聞。

抬頭看，明月如鏡，光華照地，風搖寺外綠篁，傳來了輕微的沙沙之聲。

俞秀凡開啓寺門，緩步行去。

皓月如鏡，綠篁漪漪，好一派清明的夜景。

俞秀凡凝神傾聽，竟然難再聞呻吟之聲，心中大奇，暗道：莫非是我聽錯了。

流目四顧，只見月光下千竹搖影，深深寂寂，哪裏有什麼人蹤。

俞秀凡繞寺一周，不見異狀，正待舉步回寺，突聞一聲若感慨、若呻吟的嘆息聲，傳入耳際。

夜闌人靜，這一聲嘆息，俞秀凡聽得甚是真切，急急轉身，循聲找去。

果然，在一叢翠竹之下，倒臥著一個人。

伏身看去，只見那人身著青色長衫，是一個文士，緊閉著雙目，似是已經暈了過去。

俞秀凡伸手一探那人鼻息，只餘下游絲般一縷氣息，急急伸手抱起那青衫人，返回寺中。

放下青衫人，俞秀凡立時奔向廚房，煮了一碗薑湯。

他讀書頗雜，五經四書之外，旁及本草醫書，只是從未用過。

天王寺孤處荒野，此人又危急萬分，而且時屆深夜，就算俞秀凡很想去請個郎中，也是無處可請，只好自己下手了。

灌下一碗濃濃的薑湯，使那氣若游絲的中年人，突然清醒了過來。

只見他緩緩睜開雙目，打量了俞秀凡一眼，黯然嘆息一聲，道：「小兄弟，是你救了我？」

俞秀凡道：「救人之急，拯人之危，乃爲人之道，兄台不用放在心上。」

青衫文士道：「讀書人究竟是與眾不同。」

俞秀凡笑一笑，道：「兄台病勢似很沉重，這一碗薑湯只能使你暫時甦醒過來，必得早些請個郎中瞧瞧才是。」

青衫文士淡淡一笑，道：「我身上有藥物，小兄弟替我拿一下。」

俞秀凡道：「兄台藥物放在何處？」

文士道：「在我腰間一個布袋之中，勞請小兄弟，替我解下。」

敢情他連解開腰間袋的氣力，也沒有了。

俞秀凡依言撩起了文士的長衫，解下他腰間一個白帶子。

這帶子形如褡褳，似是裝了不少東西。

青衫文士輕輕嘆息一聲，道：「小兄弟，由繡金龍那邊算起，第三節放有一個白色的玉瓶，取它出來。」

俞秀凡目光一轉間，發覺那條白布腰帶，共分七節，每一節，都似裝有東西，不過東西有多有少，心念一轉，人卻依言從第三節白布帶取出了一個玉瓶。

文士尷尬一笑，道：「小兄弟，拔開瓶塞，替我倒出兩粒藥。」

俞秀凡看他背倚壁間，臉色一片蒼白，雖然說話的神情很從容，但神色間卻隱隱流露出無限的疲憊，急急打開玉瓶，倒出了兩粒白色丹丸。

文士苦笑一笑，張開嘴巴。他沒有說話，但臉上卻流露出無限尷尬之情，看神情無疑是說，請你老弟把藥物送入我口如何？

俞秀凡緩緩把丹丸放入那文士口中，隨手端起了一杯開水，替那文士沖下了口中的丹丸。

文士閉上雙目休息了一陣，臉上突然泛出紅光，睜開雙目，道：「小兄弟，這寺中有些什麼人？」

俞秀凡道：「一位看顧香火的老丁，再就是在下我了。那丁老丈年過七旬，耳目不靈，行動不便，兄台需要什麼，只管吩咐在下就是。」

文士臉上泛現微微的笑意，道：「小兄弟，你貴姓啊？」

俞秀凡道：「在下姓俞，雙名秀凡，請教兄台？」

文士沉吟了片刻，道：「我姓艾，比俞兄弟年長了幾歲，恕我托大，你就叫我一聲艾老大吧！」

俞秀凡道：「艾兄既然長我幾歲，理應叫你一聲大哥才是。」

文士笑一笑，道：「那豈不太委曲你兄弟麼？」

俞秀凡道：「艾兄說哪裏話，小弟看艾兄氣宇不凡，不知怎的竟抱病趕路，倒在荒野。如非小弟在此借讀，這寺中的丁老丈，耳目遲鈍，只怕艾兄……」話到此處，突然住口不言。

文士笑一笑，道：「俞兄弟，世間有所謂緣分二字，咱們這番相遇，也許就是緣分了。」
文士神色突然間轉變得十分凝重，緩緩說道：「俞兄弟，你在這開封可有親友？」
俞秀凡搖搖頭，道：「沒有。大哥問此作甚？」
文士探手從腰間搭褳袋，取出二顆明珠，道：「兄弟，這裏有明珠兩顆，請兄弟收下。」
俞秀凡非出身於富豪之家，但他讀書頗雜，胸羅甚博，看那兩顆明珠，都如貓眼一般大小，燈光下耀眼生輝，心中雖然驚奇，但卻搖搖頭，道：「大哥這兩顆明珠光華耀目，想必是價值連城之物。」
文士道：「兄弟好眼光，這兩顆明珠，價值在萬兩以上。」
俞秀凡臉上一寒，道：「大哥要把這兩顆明珠送給小弟，不知是何用心？」
文士嘆道：「兄弟不要誤會，先請收下，小兄還有話說。」
俞秀凡道：「大哥，小弟雖是出身寒微之家，但幼讀聖賢書，深知君子愛財，取之有道。大哥不明不白的給兄弟這樣珍貴的兩顆明珠，如不把事情說明，小弟……」
文士接道：「俞兄弟果然是一個君子人物。」
笑了一笑，接道：「不瞞兄弟說，小兄不是生病。」
俞秀凡吃了一驚，道：「大哥不是生病，那是……」
文士道：「小兄是被人打傷的。」
俞秀凡呆了一呆，道：「大哥和人打架了？」
文士嘆口氣，道：「兄弟不是江湖人，不知江湖事。小兄先受人暗算，後遭圍攻，以致內腑受了重傷，小兄相信他們很快會找到此地，但小兄傷勢甚重，一時間無法行動，小兄弟如不避開，只怕要身受牽累。」

「這兩顆明珠，留在小兄身上，已屬無用之物，萬一小兄被他們殺死，此明珠豈不便宜別人。兄弟才情非凡，人如其名，這兩顆明珠，可助你安頓家園，也好一心讀書。兄弟，錢財雖是身外之物，但要衣食足而後知榮辱，再說兄弟你手采俊逸，在朝當爲重臣，在野必爲奇士、大儒。兄弟，寶劍贈俠士，紅粉送佳人，你收下吧！」

俞秀凡沉吟了一陣，道：「大哥言雖有理，但小弟仍不能收。」

文士臉色一變，再道：「兄弟，如若覺著小兄說得有理，不收下明珠，那就是矯情了。」

俞秀凡嘆口氣，道：「大哥，如是小弟收下這兩顆明珠，大概就得離去了。」

文士微微一笑，道：「兄弟，死有輕重之別，追殺小兄的人，都是江湖上窮凶極惡之輩，多殺一個無辜的人，在他們只不過是舉手之勞而已，算不得一回事，你何苦留在這裏呢？」

俞秀凡道：「嗯！大哥既知留在此地，凶險萬端，非死不可。又爲何不肯和小弟一起離去。」

文士道：「俞兄弟，小兄的傷勢很重，行動不便，無法逃走。」

俞秀凡接道：「那容易，小弟揹著你走。」

文士搖搖頭，道：「唉！兄弟，我已經說過了，那些人都是江湖窮凶極惡之輩，舉手就要殺人，兄弟你是個手無縛雞之力的書生，如何能應付那些凶惡之徒？」

俞秀凡目光凝重，盯注在文士臉上瞧了一陣，道：「艾大哥，正因爲小弟是一位弱書生，他們不會相信我敢把大哥藏起來。」

文士呆了一呆，道：「你要把我藏起來？」

俞秀凡道：「大哥身受重傷，無能逃走，小弟又不忍棄大哥而去，只好把大哥藏起來了。」

文士神情凝重地說道：「兄弟，那些人都是江湖上一流的魔頭，見識博廣，如何會被你瞞過。兄弟，這事不是兒戲，你還是早些逃命去吧！」

俞秀凡微微一笑，道：「大哥，小弟雖無能一夫當關，力退強敵，但可以鬥智不鬥力。再說，深夜之中，小弟如孤身獨行，萬一遇上了他們，定然會啓人疑竇。那時，縱有百口，也是無法辯護了。」

文士沉吟了一陣，道：「兄弟顧慮的不錯，那麼小兄告辭了。」

俞秀凡搖搖頭，道：「大哥傷勢很重，既無能和人抗拒，也無法奔走逃命，離開此地，凶多吉少，何不試試兄弟的辦法呢？」

文士道：「我怕拖累到你。」

俞秀凡道：「你已經拖累到了。現在已不是後悔的時候了。」

文士沉吟了一陣，道：「先把你的安排，說給我聽聽，小兄再作主意。」

俞秀凡略一沉思，簡略地說明了計劃。

文士終於被俞秀凡說動，點點頭道：「好吧！就照兄弟的意思試試。不過，小兄把話說在前面，一旦被他們找出小兄，你就一口否認是由你安排此事。」

俞秀凡道：「好吧，我這就去安排，大哥也準備一下，事情急迫，愈快愈好。」

文士嘆息一聲，道：「記著，兄弟，不能留下一點痕跡。」

俞秀凡點點頭，道：「大哥放心。」舉步而去。

文士在俞秀凡攙扶之下，緩步行了出去。

俞秀凡重返西廂，整理好床上的被褥，剔亮油燈，重又展開了書卷，又讀了起來。

琅琅書聲，靜夜，傳出了老遠。

三更將近時分，俞秀凡伸了一個懶腰，掩上書卷。

一抬頭，只見室門口處，站著一個全身黑衣、年過五旬的枯小老人。

俞秀凡吃了一驚，暗暗忖道：這人幾時到了門口，我竟然未聽得一點聲息，感覺到一點異徵。

原來，他雖琅琅高讀書文，但暗中卻分神聽著室外的變化。

只見黑衣老人，突然一跨步，行到了書案前面，一伸手，按在俞秀凡的肩頭之上，冷冷一笑，道：「打擾你讀書了。」

俞秀凡頓覺肩上骨疼如折，滿頭大汗，滾了下來。

黑衣瘦小老人微微一笑，道：「對不住啊！小哥兒不會武功。」

俞秀凡拭拭臉上的汗水，靜靜說道：「老丈這是什麼意思？」

黑衣老人雙目突然一瞪，兩道目光，有如冷電一般，暴射而出，盯注在俞秀凡的臉上。

那目光有如寒芒霜刃，逼得俞秀凡不自禁地打了一個冷戰。

黑衣人滿臉冷肅殺氣，道：「小弟兄，你心中該明白了。」

俞秀凡道：「明白什麼？」

黑衣老人道：「只要老夫揮手一擊，立時可使你死於當場。」

俞秀凡點點頭，道：「老丈武功驚人，定然是一位大俠客了。」

這兩句話似諷刺，也似奉承，聽得黑衣老人有一種說不出的感受。

黑衣老人道：「老夫沒有工夫和你扯談，你只要據實回答老夫的話就是。」

俞秀凡道：「老丈請問，小生知無不言。」

黑衣人目光轉動，四顧了一眼，但榻上的痕跡，早已經被俞秀凡毀去，瞧不出一點可疑之處，才緩緩說道：「不久之前，有一個身受重傷、著青衣的人，曾到此寺中，不知他現在何處？」

問得很技巧，回答時一不小心，就可能失言。

俞秀凡道：「老丈，這天王寺中，很少香客，小生到此借讀；從未見過進香的人。」

答得也好，一口回拒於千里之外。

黑衣人一皺眉，冷厲地說道：「小娃兒，讀書人豈能亂打誑語？」

俞秀凡道：「小生說的句句是真。」

黑衣人道：「今宵之中，你一直坐讀到此刻麼？」

俞秀凡道：「試期屆近，小生不得不發憤夜讀。」

黑衣人冷笑一聲，道：「天王寺中彈丸之地，老夫在一刻工夫之內，可以搜個清清楚楚，寺中如若還有別人，那就有得你的苦頭吃了。」

俞秀凡一揚雙眉，道：「寺中除了小生之外，還有一人。」

黑衣老人接道：「什麼樣的人？現在何處？」

俞秀凡道：「一位丁老丈，是這天王寺中的香火道人。他年老力衰，耳目不靈，除此之外，再無別人了……」

似是感到言未盡意，又接道：「適才小生秉燭讀書，竟不知老丈何時到了門外，如是來人和老丈一樣身手，小生就……」

黑衣老人接道：「不可能，他受了很重的內傷，又中了奇毒，算時限早該發作，哪裏還有越屋逾牆之能。」

俞秀凡搖搖頭，道：「這個，小生就不知道了。老丈既是心中有疑，何不仔細搜查一下？」

黑衣人目光盯注俞秀凡的臉上，緩緩說道：「小娃兒，老夫如是搜出了那青衣人，就有得你的好看了。」

俞秀凡道：「老丈差矣！寺中縱然有人，但又和小生有何關連呢？」

黑衣人心中暗暗想道：想他一個文弱的讀書人，怎能有如此鎮靜工夫，看來他說的都是真話了。

思索了一陣，突然一揮手，道：「勞山四義給我仔細搜查一下。」口中吩咐眾人，兩道目光卻是瞧著俞秀凡。

但見四個黑衣人，欠身一禮，閃身而去。

這時，俞秀凡才瞧到西廂門外，月光之下，站著八個黑衣人，四個飛躍而去，還有四個站著未動。

俞秀凡吃了一驚。暗道：這天王寺中只有一殿兩廂，如是他們搜得仔細，只怕要找到大哥的藏身之處了。

他生具過人的膽識，在此等險惡之境況下，竟然能控制自己不露形色。
但聞一連串砰砰之聲，傳了過來，想是四人搜查得十分仔細，翻桌倒椅之故。
黑衣人突然一上步，笑道：「小娃兒，你好像有些心神不定啊？」
俞秀凡心頭一凜，故意嘆口氣，道：「老丈，這座天王寺中，香客稀少，財產不多，一個看守香火的丁老丈，只不過勉可溫飽，如若你們打壞了寺中的桌椅，只怕天王寺添置不起。」
黑衣人冷冷說道：「天王寺中添置不起，你可以賠啊！」
俞秀凡嘆口氣，道：「小生自會盡力而爲。」
黑衣老人微微一笑，道：「小娃兒，你如能告訴我那受傷人的行蹤，老夫就捐獻一千兩白銀，再建天王寺，重塑金身。」
俞秀凡道：「小生很慚愧，無法爲天王寺一盡心力。」
黑衣老人冷哼一聲，道：「小娃兒，你記著，如是我們找出那受傷之人，你就要陪他殉葬。」
俞秀凡微一頷首，道：「老丈不信，那也只有如此了。」
滿懷江湖經驗的黑衣老人，目睹俞秀凡的認真神色，心念忽然動搖。暗道：一個文弱少年，怎有此等視死如歸的豪氣，看來，那小子是真未到此地了。
這時，勞山四義，帶著那丁老丈行了過來，欠身說道：「回神君的話，殿、廂、廚、廁，都已搜到，除了這老小子之外，再無別人。」
黑衣老人目光轉到那丁老丈的臉上打量了一陣，突然一揮手，道：「追下去，諒他逃亦不遠。」大袖一拂，飛騰而起，月光下，人影一閃而沒。

八個黑衣人聯袂而起，躍上屋面，再一閃，人蹤頓消。

丁老丈風燭殘年，被勞山四義提水一般地拖來此地，正是氣喘不停，四人陡然放手而去，哪裏還能站得往腳，一跤跌在地上。

俞秀凡目睹那黑衣人越屋飛渡的靈巧身法，心中大為驚異、嚮往。聞得蓬然一聲，那丁老丈已著著實實地摔了一跤。心中大驚之下，急急奔了過去，扶起了丁老丈。

月光下，只見他臉上掛下一行血水，左額上碰出了一個傷口。

俞秀凡急急掏出懷中絹帕，按住丁老丈的傷口，說道：「老丈傷得很重麼？」

丁老丈長長吁了一口氣，道：「不要緊。」

俞秀凡道：「沒有藥物敷在傷口，只好先把傷口包起來了。」

丁老丈抓著俞秀凡的右臂，掙扎而起，接道：「俞相公，扶我回房裏去，老漢還收著一點藥物。」

俞秀凡低聲道：「老丈，他們搜了你的房間？」

丁老丈不理會俞秀凡的問話，說道：「快扶我回房裏去，年輕人！」一面抓緊了俞秀凡的手腕。

俞秀凡忽然間覺著這位老人，內心非常的清楚，並不像他外表看上去那樣顢頇，遲鈍。

照著那老人的吩咐，俞秀凡扶著他回到房裏。

透入室中的月光，隱隱可見，那是一間很簡單的臥室，除了一張木榻之外，只有一個已經破損了的木櫃，和兩張勉可坐人的竹椅。

一切都是那樣陳舊，幾乎是沒有可以藏人的地方。

丁老丈勉強爬上木榻，大聲地喘著氣，道：「俞相公，靠窗口的木桌上，有火石、火鐮和紙煤子，點上油燈。」

俞秀凡暗自皺皺眉頭，找出火鐮、火石，燃起木桌上一盞油燈。燈光照耀下，陋室中的景物，更爲清晰。

丁老丈伏臥在木榻上，又道：「俞相公，打開木櫃，上面一層，放著一個瓦罐，那裏放有一些藥物。唉！這些藥物，放了十幾年啦，不知道是否還有效用？」

他說得字字清晰，俞秀凡想裝作未聽清楚，勢又不能，只好依言打開木櫃，取出了一包藥物，敷在那老人傷處。

丁老丈拉起露出敗絮的棉被，蓋在身上，道：「年紀大啦！這一跤摔得不輕，真得好好的睡一天，俞相公，你去吧！替我吹熄掉燈火。」

俞秀凡瞧了一下，吹熄燈火，帶上房門，道：「老丈，你先睡一下，明天，小生去替你請個郎中來瞧瞧。」

那老人似乎已經沒有再說話的氣力，輕輕咳了兩聲，未置可否。

俞秀凡暗暗嘆了口氣，自言自語地說道：「可憐的老人，孤貧無依。」

忽然覺著，去路被一件事物擋住。

抬頭看去，溶溶月色之下，只見那黑衣老人像幽靈般，站在路中，神色冷肅。

原來，那老人所以要他點起燈火，打開木櫃，似乎是要顯示清白，不禁大爲敬佩，暗道：

讀萬卷書，行萬里路，這等洞透人性的經驗，縱然是讀千卷書也難學得，當真是人情練達皆文章。

黑衣老人語聲冷漠的像寒冰地獄吹出的陰風，道：「小娃兒，你是讀書人，當知明哲才能保身，如是你插手了這件事，不論你走到天涯海角，也難逃得性命。」

未等俞秀凡答話，黑衣老人突然飛身一躍，消失不見。

一覺醒來，紅日滿窗，已是日過三竿的時分。

翻身下床，匆匆盥洗完畢，正想奔入那老人房中，心內忽生警覺，立時改變主意，攜書一卷，緩步出寺，一面信步而行，一面展卷朗讀，暗地卻留神四顧。

果然，翠竹林中，似乎是有人影浮動。

俞秀凡裝作未見，朗朗高讀，曠野靜寂，滿林盡都是回應的書聲。

足足過了大半個時辰，俞秀凡才緩步行回寺中。

天王寺中仍然是那樣的寧靜，看不出任何異狀。

頭上包著白紗的老丈，倚在牆壁一角，席地而坐，沐浴在陽光之下。

他閉著雙目，似乎已睡熟了過去。

俞秀凡放輕腳步，似恐驚擾了那丁老丈的睡意。

只見丁老丈伸動一下右腳，忽然睜開眼睛。

俞秀凡笑一笑，說道：「老丈的傷勢好些麼？」

丁老丈移動了一下身軀，道：「好多了。俞相公，勞駕替我重新包紮一下傷口。」

俞秀凡放下手中書卷，蹲在那老人身前，解開他頭上的白紗，重新包紮。

但聞那老人低聲說道：「俞相公，你做得很好。他需要一段時間養息傷勢。但那些人不會死心，他們會像幽靈似的，突然出現在天王寺中，你要鎮靜些，用不著去看他。」

俞秀凡吃了一驚，暗道：原來他早就知道了。

還未來得及開口，那丁老丈又接著說道：「俞相公，就像沒有發生過任何事情一樣，讀你的書，不要有任何異常的舉動。他們一直在監視著咱們，咱們無力反抗，只有和他們比耐力、比鎮靜。」

俞秀凡微微地點頭，包紮好老丈的傷勢，道：「小生去料理膳事了。」

一連三日，俞秀凡果然照常讀書，偶爾和丁老丈談幾句話，也都是有關省試功名的事。

三日間，沒有人來過天上寺，但俞秀凡卻一直感覺到，暗中有人嚴密地監視著。

第四天中午時分，老人的傷勢已然大好，進入廚下，幫著俞秀凡舉炊料理膳事。

俞秀凡忍了又忍，仍是忍耐不住，低聲說道：「老丈，我那位艾大哥怎麼樣了？」

丁老丈道：「傷勢已好了八成，再有兩、三天就可以完全復元了。」

俞秀凡道：「老丈，我想去瞧瞧艾大哥，行麼？」

丁老丈搖搖頭，道：「不行，他要養傷。你不能打擾他，再忍耐三天吧！等他完全恢復了，自會和你促膝長談。」

突然間，一陣轆轆輪聲，劃破了天王寺中的安靜。

俞秀凡放下手中的炊具，道：「老丈，哪來的車輪聲？咱們瞧瞧去吧！」

丁老丈道：「你用不著去了，唉！俞相公，有些事必須多多謹慎，世道艱險，人心難測啊！」

他言外之意，若有所指，但卻未多解說，手扶門框，緩步而去。

俞秀凡望著那老人的背影，心中泛起強烈的好奇，匆匆收拾過廚中事務，緩步行了出去。抬頭看去，只見一輛華麗的篷車，已停在廟門口處。

車簾啓動，一個身著綠衣的麗人，緩緩下了馬車。

那婦人年約二十四、五，頭上挽著一個高高的宮髻，水綠羅裙，水綠衫，手執著一把宮扇。

趕車的，是一位年約五旬的老人，穿一件對襟黑大褂，腰束著一條白色的帶子。

一個十五歲，梳著雙辮的丫環，站在那篷車前面。綠衣麗人伸出左手，扶在丫環的肩上，緩步向寺中行來。

丁老丈顫動著步履，迎了上去，欠身一禮，道：「夫人……」

綠衣麗人停下了腳步，目光卻投注在遠處俞秀凡的身上，微微一笑，才把目光收了回來，望著丁老丈，道：「老丈是……」

丁老丈接道：「小老兒是這廟中的香火道人。」

綠衣麗人低聲道：「那位年輕的書生呢？」

丁老丈道：「一位俞相公，在小寺中借讀。」

綠衣麗人道：「這寺中，除了兩位之外，還有別的人麼？」

丁老丈搖搖頭，道：「這是座很荒涼的小寺，連住持都已離去。」

綠衣麗人扶著那青衣女婢的肩頭，緩步向寺中行去，一面說道：「老丈，奴家在佛前許過心願，想借貴寺還願，不知老丈的意下如何？」

丁老丈道：「那真是小寺之光。不過，夫人，天王寺很狹小，也沒有知客接待，豈不是委屈了夫人麼？」

綠衣麗人笑一笑，道：「我喜歡這兒的清靜，如是有緣，我也可能捐一筆銀兩，重修一下這座寺院，不過，老丈……」

丁老丈道：「夫人還有什麼吩咐？」

綠衣麗人道：「我意在貴寺中借住幾日，不知道是否方便？」

丁老丈道：「這個，夫人，小寺中房舍有限，西廂一室，已爲俞相公借讀所用。」

綠衣麗人接道：「東廂房呢？」

丁老人道：「裏面堆置雜物，積塵盈寸。」

綠衣麗人道：「不要緊，我有從人女婢，可以打掃。」

俞秀凡坐在西廂，木桌上攤開了一桌書卷，但他哪有心情用功，目睹書上，心馳室外，不時地偷眼看著東廂的打掃情形。

那華麗的篷車上，帶的東西十分齊全，但見那青衣女婢搬下被褥來，黑衣車夫，扛著一張女榻，行入東廂。

俞秀凡暗暗忖道：原來，他們早就有了準備，似她這等氣派的貴婦人，怎會要住在這荒涼的小寺之中，而且不避男女之嫌。

心念忖思之間，瞥見那綠衣麗人，直向西廂行了過來。

一陣脂粉香氣，撲入鼻中，敢情那綠衣麗人，已然行入房中，直到了書案前面。

俞秀凡合上書卷，深深一禮，道：「夫人……」

綠衣麗人搖搖手中的宮扇，道：「你們讀書人，講究的是非禮勿視，非禮勿言，大概對我這舉動有些不敢承教，是麼？」

俞秀凡輕輕嘆息一聲，道：「小生讀聖賢書，自然遵從禮教。」

綠衣麗人笑一笑，接道：「萬惡淫為首，論行不論心，論心世間無完人。相公只要行為正大，又何必顧慮男女之嫌呢？」

俞秀凡道：「夫人高論，但小生自慚……」

綠衣麗人微微一笑，道：「小兄弟，俗語說得好，在家千日好，出門一時難。賤妾許下心願，佛前償還，故而不惜借宿寺院。」

俞秀凡道：「夫人既在佛前許下心願，就該到庵中還願，女尼接待，方便多了。何況，天王寺香火不盛，僻處荒野，對夫人實有不便。」

綠衣麗人道：「賤妾夫門、娘家都很富有，還完心願之後，賤妾準備擴建天王寺，使它成為一方名剎。」

俞秀凡道：「夫人立此大願，小生亦感敬佩，在下這就遷出西廂，奉讓夫人……」

綠衣麗人接道：「你要走？」

俞秀凡道：「小生借此讀書，恐將驚擾夫人誦經還願。」

綠衣麗人笑道：「相公如若要遷離此地，那是心有所懼，故作逃避。」言罷，舉步而去。

俞秀凡呆呆地望著那綠衣麗人的背影，心中暗暗忖道：艾大哥尙在養息傷勢，我怎能輕易離去，這婦人舉動異常，分明是有爲而來，只怕和那黑衣老人是一夥的了。

一念及此，頓興豪氣，哈哈一笑，道：「夫人說得是，人之爲善，其善在心，在下決心留此了。」

那綠衣麗人突然回過頭來，微微一笑，道：「近朱者赤，近墨者黑，小兄弟如自覺定力不夠，還是離此的好。」

這女人言詞矛盾，前後一番話，大相逕庭。

綠衣麗人未再回頭看俞秀凡一眼，竟自回到了東廂之中。

飽經世故、透徹人生的丁老丈，顫巍巍地行了過來。他手扶著門框，舉步跨進了西廂。

俞秀凡迅快地站起了身子，那丁老丈已搶先說道：「俞相公，這天王寺太小了，住了一位

俞秀凡道：「是的，老丈，在下應該搬離開此地才是，不過……」

丁老丈接道：「俞相公，東、西兩廂，遙遙相對，中間不過不足一丈的距離，有道是好男不跟女鬥，你雖然是先來了一步，但也該讓人一籌才是。」

俞秀凡道：「我知道，老丈，可是我……」

丁老丈搖搖頭，接道：「這天王寺後，五里處，有一座小小的村落，老漢有一位同門的堂姪，住在那裏。他有三座茅舍，但還未婚娶，那地方很清靜，該是一處讀書的好地方。」

俞秀凡一皺眉頭，道：「老丈，小生擔心……」

丁老丈道：「不用擔心。老漢的眼睛，已經昏花了，所以我什麼都沒有瞧到，老漢的耳朵

也有些聾了，所以我什麼都沒有聽到。」

俞秀凡忽然間感覺到這位老人的言語之中，似是滿含著哲理，是一種明顯的暗示。

他所學本雜，細心地想一想，忽有所悟。

丁老丈一直瞧著俞秀凡的臉色，看他流現出若有所悟的神情，突然微微一笑，道：「寺後，有一條小道，直通到那座小小村落。我那位堂姪叫小黑，你只要告訴他，天王寺丁老丈要你去的，他自會好好照顧你。」扶著門框，緩步踱了出去。

俞秀凡望著那老人移動的身軀，突然感覺到這老人的舉動，有些裝作。至少，他初到天王寺時，這老人的舉動，不似現在這樣的遲鈍。

他決心遵照那老人的囑咐，暫時離開這裏。

於是，很快地收拾好衣服、書箱，舉步向外行去。

天王寺後，叢生的萬竿翠竹中，果然有一條隱隱可辨的小徑。

俞秀凡揹著書箱，緩步向前行去，心中卻在想著那丁老丈，那滿臉堆疊的皺紋，很慢的步履，卻又似隱著洞徹人性的智慧和深沉的堅毅。

突然間，俞秀凡聞到一陣脂粉的香氣，那綠衣麗人，不知何時，已到了他的身前。

俞秀凡怔了一怔，停下了腳步，心中暗暗忖道：原來她也是一個可以飛行的高人。

綠衣麗人笑道：「俞相公，要搬走了麼？」

俞秀凡道：「天王寺太小了，夫人既然決心留在寺中還願，小生就不便住那裏了。」

綠衣麗人道：「那丁老丈太老邁了，又受了傷，你放心去麼？」

俞秀凡忽然生出了警惕之心，笑一笑，道：「夫人，小生未到天王寺前，那丁老丈也是一人住在寺中，他已習慣那孤苦的生活，學會了如何照顧自己。何況……」

綠衣麗人道：「何況什麼？」

俞秀凡道：「何況，夫人和從人都留在那裏，自然會照顧他了。」

綠衣麗人突然伸出白嫩的玉掌，一把抓住了俞秀凡的右腕。

但覺半身一麻，書箱、行囊，滾落一地，疼得頭上也滾下汗珠兒，俞秀凡咬咬牙，強忍著苦痛。

綠衣麗人格格一笑，道：「小兄弟，你很疼麼？」

俞秀凡瞪大著一雙星目，仍然是未說一言。其實，他已經疼得說不出話。

綠衣麗人伸出滑嫩的右手，取出一方雪白的絹帕，拭去俞秀凡頭上的汗水，輕輕嘆一口氣，道：「小兄弟，你是不是很難過？」

這女人說話，柔媚嬌甜，帶著滿臉盈盈的笑意，但俞秀凡的苦頭，卻是吃大了，汗水如雨濕透了藍衫，但他卻有一股書呆氣，咬著牙，就是不肯叫出聲來。

綠衣麗人輕嘆一口氣，道：「小兄弟，你何苦吃這種苦頭呢？」一面講話，一面緩緩鬆開了俞秀凡的右腕。

俞秀凡只覺得整個右臂完全麻木，長長吁一口氣，道：「夫人，你這是爲什麼？」

綠衣麗人輕輕咳了一聲，道：「小兄弟啊！你怎麼這樣傻啊？」

俞秀凡心中有些明白了，但他卻裝作不懂，緩緩說道：「夫人，我不明白！」

綠衣麗人右手又緩緩抓住了俞秀凡的左腕，道：「小兄弟，你的右肩還能動嗎？」

俞秀凡道：「不能動了。」

綠衣麗人道：「如是你的左肩也不能動了，豈不是耽誤了你的會試麼？」

俞秀凡道：「夫人說得是……」

綠衣麗人抓住了俞秀凡的左手，揉了一下，道：「恐怕你要好好的休息一陣，才能寫字，左手再壞了，實在太可憐，你娘也不在這裏，誰餵你吃飯呢？」

俞秀凡道：「夫人，你說話太曲折了，我有些不太明白。」

綠衣麗人笑一笑，道：「小兄弟，我希望你說實話吧，何苦要代人受過？」

俞秀凡道：「夫人，我不會代人受過，你……」

綠衣麗人搖搖頭，接道：「小兄弟，你讀了很多書，當知人無遠慮必有近憂，你何苦捲入這些江湖上凶殺恩怨的漩渦，我實在不忍傷害你，小兄弟，告訴我吧！」

俞秀凡長長吁一口氣，道：「污吏貪墨，有苦打成招的冤獄，想不到這朗朗乾坤之下，世間也有這等以強凌弱、辣手逼供的事！唉！夫人，在下一未犯王法，二未做過錯事，夫人這等毒手相加，當真是叫人心生怨恨不平。」

綠衣麗人笑一笑，道：「小兄弟，不管你心裏怎麼想，但眼前你的處境，卻已無法更改，小兄弟，你剛吃到的苦頭，那只是一個開始，三木之下，何患口供不得，但江湖上的懲人手法，比之那三木人刑尤有過之，小兄弟，你何苦爲一個素不相識的人吃苦呢？」

俞秀凡道：「夫人，我雖然不了解你說些什麼。不過聽你的口氣，似乎是在找一個人。」

綠衣麗人道：「對！我們是在找一個人。那人受了重傷，可能逃入天王寺中，也可能摔倒在寺門外面，定是你把他藏了起來。」

語聲突然間變得十分冷漠，說道：「還有那位丁老丈，裝出一副老邁的模樣，也有很重的嫌疑。」

俞秀凡心頭震動，表面卻淡然說道：「欲加之罪，何患無詞，小生借讀荒寺中，原希望能靜靜的讀些文章，以應會試，但卻未料招來了如許煩惱。你們身具武功，目無王法，視人命如草芥，小生百口難辯。夫人縱然把在下挫骨揚灰，我也無法供出什麼。」

綠衣麗人微微一皺眉，道：「小兄弟，丁老丈年紀老邁，只怕沒有你小兄弟這一身書膽、傲骨，他如一旦招認了出來，小兄弟，那時候，你將如何？」

俞秀凡道：「根本沒有那麼一個人躲在寺中，小生如何能隨口胡謅。」提高了聲音，接道：「天王寺中不過十餘間房舍，真如有人藏著，如何能躲避開你們的搜查？」

這幾句話，似乎是有著很大的力量。

那綠衣麗人突然改變了話題，道：「小兄弟說得也有道理，不過，小兄弟原已決心留在寺中，為什麼又要突然離開寺院？」

俞秀凡道：「小生三思之後，覺得夫人既已留宿寺中，在下留在那裏確有許多不便，因而遷居他處。」

綠衣麗人笑一笑，道：「可是那位丁老丈示意，要你小兄弟遷離寺中麼？」

俞秀凡心中一動，暗道：凡會武功之人耳目都很靈敏，異於常人。那丁老丈勸我搬離寺中一事，也許已被暗中瞧到，此事不可否認。

心念一轉，口中說道：「不錯，那丁老丈確曾示意在下搬出寺中，但那也是為了要方便夫人之故。」

綠衣麗人笑道：「話不說不明，木不鑽不透，現在，咱們已然把事情說明了，我看你小兄弟也不用搬出去了。」

俞秀凡道：「夫人之意可是要在下重回天王寺麼？」

綠衣麗人點頭道：「正是如此，不知小兄弟意下如何？」

她一口一個小兄弟，叫得十分親熱，但俞秀凡已了解處境危惡，這美麗的女人，笑意盈盈，出手就可能殺人。

既沒有逃避的能力，只好認命，當下說道：「在下住哪裏都是一樣。」

綠衣麗人道：「那很好，咱們回寺去吧！」

伸手撿起俞秀凡落地的書箱、衣服，接道：「大姐姐替你拿著東西，咱們回去吧！」

俞秀凡心中暗道：是福不是禍，是禍躲不過。

一挺胸，強忍半身疼楚，隨在那綠衣麗人身後行去。

他昂首而行，忘記了身受的創傷，腳下突被一物絆住，蓬然摔倒在地上，原來已到廟門外面，被廟前的石級絆倒。

他右臂已暫失靈活，只有一隻左手可用，這一跌，只摔得鼻青眼腫，口中流出鮮血。

這時，那青衣女婢，已奔來接過了綠衣麗人手中之物，綠衣麗人卻回身一笑，蓮足一挑，俞秀凡竟被挑了起來，呼的一聲，飛入廟中。

這一下，俞秀凡身難自停，如若摔著實地，非得筋斷骨折不可。

就在他身體將要落著實地，那綠衣麗人突然飛步而至，迅快伸手一抄，接住了俞秀凡，輕輕地放在地上，格格一笑，道：「小兄弟，摔得疼不疼？嚇著了沒有？」

一種被戲弄的感覺，使得俞秀凡有著無比的羞辱感受。

但他心中明白自己眼下的處境，如有反抗舉動，將招來更大的羞辱。忍下心中激忿，一語不發。

綠衣麗人嫣然一笑，接道：「小兄弟，別難過，那丁老丈只怕比你更苦了。」

語聲一頓，提高了聲音，道：「人廚子，把丁老頭帶出來。」

只見那車夫裝扮的黑衣大漢，提出滿臉鮮血的丁老丈，緩步行了出來。

俞秀凡凝目望去，只見那丁老丈全身軟癱，已是奄奄一息，不禁黯然一嘆，道：「他已是古稀之年，你們竟然這樣折磨於他，於心何忍？」

綠衣麗人笑了一笑，道：「小兄弟，他叫人廚子，那不是他的名字，是他的綽號。俗話說，名字有叫錯的，但外號叫不錯，他整個人就像廚子做菜一樣，不但手法熟練，而且花樣很多，你先別擔心丁老頭的生死，該想想你自己的安危才是。」

俞秀凡道：「小生自知無能反抗，那只有逆來順受了。」

綠衣麗人道：「說得好可憐啊！小兄弟，但你爲什麼不說出那人的藏身之處呢？」

俞秀凡長長嘆一口氣，道：「螻蟻尙且貪生，何況人乎！但我未見有人到此，心中縱有應命之心，卻又無法胡亂指一處所在。唉！這不是問案認罪的事，小生認了，畫押就行，但我如胡亂說一個所在，你們找不到人，豈不是更要多受酷刑？」

綠衣麗人道：「小兄弟說得也是啊！」

俞秀凡道：「小生十年寒窗，苦讀詩書，從未和你們江湖上人交往過，又何苦爲一個素不相識的人，忍受這等酷刑煎熬呢？」

綠衣麗人道：「小兄弟說得有理。只可惜你的好口才，遇上大姐姐我……」

俞秀凡道：「你難道一點也不肯講理？」

綠衣麗人冷冷說道：「小兄弟，你懂得事情太少。我們一路追蹤而來，痕跡到此而止，不瞞你小兄弟說，方圓十里之內，我們都搜查得十分仔細，早已確定他藏在此地。」

俞秀凡心中暗暗震動，幸好他摔得鼻青臉腫，臉上縱有一點異色，別人也瞧不出來。

沉吟了片刻，緩緩說道：「也許真有人到了這裏，但小生沒有見到，也是無從說起。」

綠衣麗人搖搖頭，道：「唉！小兄弟，他行到此處，毒傷發作，我們從痕跡上瞧了出來，不是你，就是丁老頭救了他。」

俞秀凡吃了一驚，但另一個念頭，卻又疾快地在腦際之間閃過，忖道：她如是真的瞧了出來，那麼該發覺我把艾人哥救入西廂，但她卻無法肯定的指出詳情，這女人分明是在用詐，千萬不能上她的當。

心中有了底，嘆口氣，道：「夫人！大王寺一殿兩廂，如是真的有人在此，你們怎會找不出來呢？」

綠衣麗人笑了一笑，道：「小兄弟，好辯才。」

目光轉到那黑衣大漢身上，道：「人廚子，再問問丁老頭。」

黑衣人應了一聲，一掌拍在那丁老丈的背心之上。

丁老丈長長吐了一口氣，緩緩睜開雙目，望向那綠衣麗人，道：「夫人，是我……」

綠衣麗人接道：「你最好說實話，這位小兄弟已經招認了，說是你救了他。」

丁老丈搖搖頭，道：「夫人，老漢老邁，耳聾、眼花，哪裏還能救人？」

綠衣麗人冷冷說道：「人廚子，再給他一頓上菜吃吃。」

人廚子一伏身，雙手並用。

但聞一陣骨格響聲，丁老丈雙臂肘間、雙腿膝間的關節，盡遭錯開。這痛苦，超過了一個人所能忍受的極限，何況年邁氣衰的丁老丈。

但聞兩聲悲淒的呻吟，傳入耳際，只見丁老丈疼得出了一身大汗。

這位倔強老人，咬咬牙，說道：「俞相公，我老邁了，受不了這等折磨，先走一步了。」

格登一聲，咬斷了舌頭，鮮血噴出，氣絕而逝。

綠衣麗人和人廚子，都未料到這老人竟還有斷舌求死之能，不禁一呆。

俞秀凡望著那微微顫動的屍體，心中悲痛莫名，不覺熱淚滾滾而下。

綠衣麗人蹲下身子，按按丁老丈的鼻息，道：「翹了，把屍體拖出去吧。」

人廚子應了一聲，提起丁老丈的屍體，大步向外面行去。

俞秀凡眼看那人廚子，有加提狗一般，連拖帶拉的，把那丁老丈拖了出去，不由心中大是不安，長長嘆一口氣，道：「夫人，人死爲大，你們酷刑逼問丁老丈，也就罷了。但你們這等損傷他的屍體，不覺著太過分一些麼？」

綠衣麗人格格一笑，道：「小兄弟，人廚子殺人成習，不把丁老丈的屍體摔出去，已經是不錯了。」

俞秀凡長長嘆一口氣，欲言又止。他心中明白，這是一批大盜巨匪，殺人爲樂，和他們談什麼道德，那全是白費口舌，只好忍下不言。

綠衣麗人嘆了口氣，道：「小兄弟，丁老丈年近古稀，死了也還罷了，但你這點年紀，死了不覺著太可惜麼？」

俞秀凡仰望朗朗雲天，緩緩說道：「夫人，殺我之權，操在你們之手，我既無反抗之能，那是不死也得死了。」

綠衣麗人道：「小兄弟，我們雖然可以殺死你，但是否殺死你，卻操在你的手中。」

俞秀凡搖搖頭，道：「你們不講道理，隨便找個藉口，就可以殺人，我縱有求生之心，也無求生之法。那就只好認命了。」

只聽一個冷冷的聲音，接道：「仙子，把這小子交給我吧！我不信他是銅澆鐵鑄的人，我要數數他身上有幾根骨頭。」

綠衣麗人不回答人廚子的話，卻望著俞秀凡，道：「小兄弟，我已經盡了心啦，你再不說實話，我也沒有能力保護你了。」

俞秀凡一橫心，道：「生死有命，富貴在天。夫人如是不願饒過在下，那也是沒有法子的事。」

但聞一聲冷笑，一道掌風飛了過來，蓬然一聲，擊中左頰。

這一記耳光，打得扎實得很，只打得俞秀凡耳鳴眼花，身不由己的打了兩個轉身，一跤跌摔在地上。

出手的正是人廚子，一邁步，右腳踏在了俞秀凡的前胸之上，冷冷說道：「你想死，容易得很，不過，在死前你還得忍受一點痛苦才行。」

俞秀凡道：「千古艱難唯一死，我連死都不怕了，還怕什麼？」

人廚子一抬腳，踢在了俞秀凡左肋之上，只踢得俞秀凡身不由己的翻滾過去，前額撞在房角的磚稜上，立時皮破肉綻，血流如注。

左肋骨痛如折，臉上指痕宛然，前額撞破了一個大口，流得滿臉都是鮮血，形狀極是淒慘。

但倔強的俞秀凡，咬緊了牙關，緊閉上雙目，忍住了無比痛苦，未發出呻吟之聲。

人廚子冷笑一聲，道：「這小子果然是倔強得很。」欺上兩步，一伸手抓起俞秀凡來。

那綠衣麗人忽然嘆一口氣，道：「算啦，也許那艾九靈真的沒到此處，想他一個文弱書生，怎能有如此耐受痛苦之力，如是見過艾九靈，只怕早就招出來了。」

人廚子道：「這小子閉住嘴巴，連一聲疼也不叫，心中分明是有些不服氣。」

綠衣麗人道：「你那一掌一腳，只怕早已把他打暈過去，心中想叫也是叫不出來了。」

人廚子雙手加勁，呼的一聲，把俞秀凡拋起兩丈多高，直向廟外摔去，口中卻笑道：「這小子文文弱弱，中看不中吃，留著他也是無用。」

俞秀凡在連受重傷之下，又被人廚子刁七摔出廟外，兩丈多高的距離，如是摔在實地上，勢必被摔死不可。但多虧那廟外面千竿綠篁。

翠竹彈力很大，俞秀凡身子被彈了起來，又撞在另一叢翠竹上，幾次彈撞，消去了很大的力道，摔落在實地上時，已然不足致命。

但他連受重傷後，再經過這一摔，人卻暈了過去。

二 神刀卻敵

俞秀凡醒來時，已是明月當頭，算算時光，竟過了數個時辰之久。

俞秀凡掙動了一下身子，只覺得全身的骨骼如散，疼苦無比。

忽然間，傳過來一個低微的聲音，道：「俞兄弟，委屈你，就在那草地睡著吧！你頭旁草叢中，有三粒丹丸，取過來吞下去，如是天明後，遇上了過路人，自己忍著些痛苦，想法子回到開封城去。在東大街，王家老棧等我，敵人太精明，我不能露出痕跡。」

俞秀凡聽得很清楚，那正是艾大哥的聲音。

經連番折磨，已使他知曉了江湖上的險惡，雖然聽得十分清楚，但卻忍下沒有說話。暗裏咬咬牙，伸出手去，果然在頭旁邊找到了三顆丹丸。

他變得很小心，停了片刻，才緩緩把藥物放入口中。

靈丹化玉液，瀝瀝下咽喉。

靈藥奇效，藥物下口，立時消滅了很多痛苦。

俞秀凡閉上雙目，又等候了一陣，掙扎而起。

一種堅毅的精神力量，和藥物的效力，俞秀凡竟然站了起來。

向前試行兩步，也竟然能移動身軀。

就這樣，俞秀凡堅強地向前行去。

這是一段很艱苦的行程，俞秀凡行約百丈，就停下來休息一陣。咬著牙，忍著痛苦，緩步走不過七、八里，天色已經大亮。

得兩個農人之助，俞秀凡雇到了一輛馬車，到了開封，照著艾九靈的吩咐，俞秀凡找到了王家老棧。

那是一座青磚砌成的客棧，看似古樸的形式，這客棧確然已有些了年代。

店伙計迎了上來，見一個滿身是傷的人，不禁微微一呆。

俞秀凡下了篷車，笑了一笑，道：「我的傷不要緊，休息幾天就好了。」

店小二道：「客官是……」

俞秀凡道：「摔傷的，走路不小心，摔在了山坡下面。」

店小二「啊」了一聲，伸手去扶俞秀凡。

俞秀凡揮揮手，道：「不用扶我，帶我到客房去吧。」

店小二口中應著，人卻向前行去，把俞秀凡引入了一間很雅致的客房。

不知是俞秀凡服用的藥物有效，還是年輕，休息後傷勢好轉得很快。

在店休息了一日夜，身上的傷勢已經大好。

店伙計來了兩次，想給俞秀凡請個郎中，但卻爲俞秀凡拒絕。這就引起了店伙計的好奇。

第二天太陽下山的時候，進來了一個五十多歲的老人，穿著一件青色的長衫，頭上戴著一頂瓜皮帽，手中提了一根旱菸袋，白布高腰褲，黑緞面的布鞋，看樣子，不是店裏的大掌櫃，至少也是個賬房先生。

俞秀凡挺身坐了起來，還未來得及說話，那青衫老者已揮手說道：「客官，請躺著。」緩步行到了木榻前面。

俞秀凡定睛望著那青衫老者，緩緩開口說道：「閣下是……」

青衫老人接口道：「我是王家老棧的店東，客官，伙計告訴我，你受了很重的傷，卻又不願請個大夫來瞧瞧。」

俞秀凡心中暗道：大哥指定我來住王家老棧，想來這店東主，自然不會有什麼問題了。由於歷經這番遭遇，卻使他生出了極高的警覺之心，謹慎地說道：「小生不慎，摔下了山坡，傷勢不重，休息一會兒就好，用不著瞧大夫了。」

青衫老人雙目盯注在俞秀凡的身上瞧了一陣，道：「客官，貴姓啊？」

俞秀凡道：「小生姓俞。」

青衫老人輕輕咳了一聲，道：「老朽有幾句話，說出來，希望俞相公不要見怪。」

俞秀凡道：「店東主只管請說，在下洗耳恭聽。」

青衫老人道：「瞧俞相公這身傷勢，有些像被人打的。」

俞秀凡吃了一驚，接道：「打傷和摔傷，難道還有不同之處麼？」

青衫老人道：「那是大大的不同了。不過，不會看的人，看不出來罷了。」

笑了一笑，接道：「有一件事，老朽覺得有些奇怪。」

俞秀凡道：「什麼事？」

青衫老人道：「俞相公不像會武的人。」

俞秀凡點頭道：「店東眼光不錯，小生確然不會武功。」

青衫老人笑了一笑，道：「這就是老朽不解的地方了，論你的傷勢之重，早已該臥床不起，但你不但精神暢旺，而且傷勢也復元得很快。」

俞秀凡道：「小生確然服用過一些藥物。」

青衫老人點點頭，道：「這就是了，那一定是很好的藥物。」

言談間，突見店伙計急急奔進客房來，道：「老東主……」

青衫老人一皺眉頭，接道：「什麼事，這樣慌慌張張的？」

店伙計喘口氣，道：「有人找這位俞相公。」

俞秀凡心頭一震，道：「什麼樣的人？」

青衫老者的臉色很嚴肅，回顧了伙計一眼，道：「告訴俞相公，來的是什麼人。」

店伙計道：「是個娘們，一身綠衣服。」

但聞一陣格格嬌笑之聲，傳了過來，緊接著響起一個嬌脆的聲音，道：「小兄弟啊！你怎麼一個人躲到這裏來啦，害得姐姐我好難找啊！」

一面說話，人已行了進來。

俞秀凡目睹來人，不禁一呆，想到她嬌笑盈盈，出手傷人的情形，登時臉色大變，道：「你……」

綠衣麗人走幾下春風俏步，接道：「我怎麼啦！小兄弟。」

俞秀凡道：「你是一個女魔頭。」

綠衣麗人道：「多難聽啊！小兄弟。」右手一探，抓了過來。

一根旱菸袋，橫裏伸了過來，點向綠衣麗人的右腕脈穴。

行家一出手，便知有沒有，綠衣麗人一看那旱菸袋點來的架式，立時疾快地向後退了一步，雙目轉注那青衫老者的身上。

青衫老者笑了一笑，道：「姑娘，這位俞相公摔得很重，不能碰他。」

綠衣麗人冷笑一聲，道：「你是什麼人？」

青衫老者道：「王家老棧的店東主。」

綠衣麗人淡淡一笑，道：「開店的人，招子一向很亮，你閣下可是眼睛有毛病？」

青衫老者淡淡說道：「如果姑娘在我王家老棧之外殺人，就算是殺得屍積如山，血流漂杵，老朽也不會多問一言。但這位俞相公住了老朽的客棧，老朽就不能不管了。」

綠衣麗人仍然是一臉盈盈笑意，道：「掌櫃的，人要量力，你剛才出手那一菸袋，算得上高明；不過你的運氣不太好，碰上了我。」

青衫老者「哦」了一聲，道：「這麼說來，姑娘是大大有名的人了！」

綠衣麗人冷冷地說道：「大掌櫃很少在江湖上走動吧？」

青衫老者道：「老朽一直守著這座古老的客棧，從未離過開封，咱們是安份守己的生意人，從來不在江湖上走動，也不和江湖人來往。」

綠衣麗人嬌笑一聲，道：「這麼說來，就算我亮了名號，大掌櫃也不知道了。」

青衫老者道：「人的名氣，樹的影子，如是你姑娘的名氣真夠大，在下雖是足不離開封，也該會知道你姑娘的名字。」

綠衣麗人淡淡一笑，道：「辣手仙子祝玉花，大掌櫃聽人說過麼？」

青衫老者搖搖頭，道：「姑娘，老朽當真是識見淺薄，沒聽過姑娘的名號。」

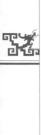

祝玉花臉色一變，道：「大掌櫃，這麼說來，你是有意管這件事情了？」

青衫老者道：「祝姑娘言重了，自從老朽接手這座客棧，數十年來，一直沒有出過事情，老朽不希望在王家老棧，發生流血慘案，這一點，要姑娘多多的原諒了。」

祝玉花格格一笑，道：「大掌櫃言重了！光天化日，大街客棧，我怎麼能夠殺人，我只想把他帶走罷了。」

俞秀凡冷冷接道：「我爲什麼要跟你去？」

祝玉花嘆了口氣，道：「小兄弟，這只怕由不得你了。」

突然一側身，左手一掌，劈向青衫老者，人卻直向木榻前面衝去。

青衫老者冷哼一聲，道：「姑娘，不可傷人。」

左手一抬，封住祝玉花的攻勢，右手菸袋，一伸一吐，敲向祝玉花右腕。

那大銅菸鍋，怕不有十幾兩重，如是敲中手腕，勢必要打一個筋斷骨折不可。

形勢迫人，祝玉花不得不先求自保，一縮右腕，人也退了兩步。

青衫老者神情肅然地說道：「祝姑娘，王家老棧，從不管江湖之事，但也決不允許在我們客棧殺人。」

祝玉花冷冷說道：「大掌櫃是真人不露相，算我辣手仙子看走了眼。不過，這次混水不好淌，你進來容易，出去難，大掌櫃，王家老棧這片基業可能就葬送在你手中，但路走盡頭，話未說絕，你現在如若肯回頭還來得及。」

青衫老者淡淡一笑，道：「姑娘，謝謝你一番好意，但行有行規，王家老棧蓋了七、八十年，生意一直不衰，就是因爲住在我們客棧，人財安全。八十幾年來，王家老棧沒有讓住店的客人受過一點財物損失，也沒有讓客人受過毫髮之傷。王家老棧傳到我手，是第三代，我不能丟這個臉。」

祝玉花冷冷道：「大掌櫃，你保不住他的。我離開這裏之後，不過今晚，會有更多更高明的人物趕來，老實說，你把他交給我，他也許還有一條活命的機會，如是把他留在這裏，不但他死定了，另外，還要賠上你王家老棧裏裏外外數十條人命。」

青衫老者雙目一揚，道：「姑娘，謝謝你指點，我姓王的接下來了，你請回吧！」

祝玉花頗有意外之感。

呆了一呆，道：「就憑你和王家老棧幾個跑堂的伙計？」

青衫老者接道：「姑娘，怎麼接下來，是我姓王的事，不勞姑娘煩心。」

祝玉花突然低聲說道：「大掌櫃，你如是一定要伸手，最好能多請些幫手，今夜裏三更前，我們必然會到。」言罷，轉身一躍而去。

這幾句話似是耍狠，但也有示警的味道。

目注祝玉花離去之後，俞秀凡突然回身下床，穿了靴子。

王大掌櫃怔了一怔，道：「客官，你要到哪裏去？」

俞秀凡道：「小生不能連累了貴客棧，我要離開這裏。」

王掌櫃搖搖頭，道：「客官，你現在就是要走，也有些晚了。老朽希望你客官據實回答老朽幾句話。」

俞秀凡沉吟一陣，道：「店東主，你可以隨便問，不過，有些話，我不能回答你，那就要請你擔待了。」

王掌櫃微微頷首，道：「好！能說的你說，在下也不勉強。」語聲微微一頓，接道：「你沒有住過我們王家老棧吧？」

俞秀凡道：「不瞞老丈說，在下這是第一次離家出遠門。」

王掌櫃道：「客官是……」

俞秀凡接道：「在下是來此會試。」

王掌櫃道：「咦！你投宿本店，是自行來此呢，還是受人指點？」

俞秀凡沉吟了一陣，道：「小生是受人指點。」

王掌櫃道：「客官，能不能告訴我是什麼人？」

俞秀凡搖搖頭，道：「這個，我不能說。」

王掌櫃一皺眉頭道：「俞相公，老朽有一件事想不明白，你不像武林中人，也不是巨富大商，那辣手仙子祝玉花找上你相公，用心何在？」

俞秀凡聽對方論人斷事，不似壞人，心中警惕漸消，長長嘆一口氣，道：「老丈說得是。小生出身寒門，亦非江湖人。但卻被捲入了一場殺戮是非之中。」

王掌櫃道：「老弟，你坐下咱們慢慢的談談。」

俞秀凡依言坐下，把借讀天王寺，捲入是非的經過，說了一遍。

自然，他把救助艾九靈的事，隱瞞了大部分。

但王掌櫃聽得很細心，俞秀凡越是說得簡略所在，他卻聽得特別的仔細。

對那丁老丈的事，俞秀凡似有著無比的激忿，大有恨不能執劍殺賊為憾。

聽完了經過，王掌櫃嘆口氣，道：「果然是一場無妄之災。老弟，你本是死定了，但卻又巧又險的被你逃過了這場劫難……」

微微一笑，接道：「老弟，大難不死，必有後福，就憑你這豪俠之氣，也會感動蒼天。唉！江湖人，刀上舔血，不畏死亡，倒是不足爲奇。你老弟一個文弱書生，竟有這等豪壯氣慨，世間極是少見，更難得的是你這份堅忍不屈、耐受痛苦的性格，老弟，能不能告訴我，你救的那人姓什麼？」

俞秀凡搖搖頭，道：「我不能說。」

王掌櫃笑了一笑，道：「你不說他們會說，今夜他們一來，老朽就可以明白了……」

俞秀凡怔了一怔，道：「老丈，他們人數衆多，且個個凶悍無比，你如何能對付他們？」

王掌櫃淡然地說道：「老弟，你是讀書人，該知道兵來將擋。他們找上門來了，老朽想躲也躲不過，你安心的住在這裏，我這叫伙計給你換個地方。你投宿到王家老棧，咱們決不能讓人在本店傷害你的。」

俞秀凡道：「老丈，那你……」

王掌櫃接道：「我有我的法子，你住進了王家老棧，他們還要找上門，那就是我的事了。你先歇一會兒，我也得準備一下。」

俞秀凡輕輕嘆一口氣，道：「老丈，我救的那個人姓艾。」

王掌櫃神色一整，道：「姓艾？」

俞秀凡道：「是的，老丈。」

王掌櫃神色一片誠敬，道：「老弟能不能告訴我他的形貌？」

俞秀凡又沉思了一陣，道：「是一個文士。」

王掌櫃道：「他老人家的名諱，可是上九下靈。」
俞秀凡點點頭，道：「大哥沒有告訴我他的名字，但我聽辣手仙子說過。」
王掌櫃道：「不會錯了，定是他老人家。老弟你叫他什麼？」
俞秀凡道：「叫他大哥。」
王掌櫃道：「你自己這麼叫的，還是他老人家要你叫的？」
俞秀凡微微一怔，道：「是他叫我稱呼他大哥，這很重要麼？」
王掌櫃道：「這麼說來，你是俞二叔了。」一面說話，一面跪了下去。
俞秀凡吃了一驚，道：「王掌櫃，你這是什麼意思？」伸手把王掌櫃扶了起來。
王掌櫃道：「長幼之序，不能不論，九老是我王耀東的師長，你是九老的義弟，耀東自然應該稱你一聲二叔了。」
俞秀凡道：「你是艾大哥的門人？」
王耀東笑了一笑，道：「如若耀東真能列身九老門牆，那實是畢生大幸，可惜是耀東並沒有這份榮幸。」
俞秀凡接道：「王掌櫃，我不大懂你的意思。」
王耀東道：「是這麼回事，三年前九老借宿王家老棧，指點了耀東幾招武功。這三年來，耀東苦苦習練，真是如飲醇酒，其味無窮，使耀東獲益非淺。」
俞秀凡詫道：「只有幾招武功，就有這樣大的力量麼？」
王耀東道：「二叔，能得九老指點一招一式的，就一般武林人物而言，那已經夠終身受用了。耀東得九老指點了兩招刀法、兩招掌法，雖然是只有四招，但耀東三年來苦習苦練，已深深體會出它的妙用，使耀東自覺武功上有了很大的進境，耀東內心中早已敬九老爲師，但九老卻不會認耀東這個徒弟。」

俞秀凡輕輕嘆息一聲，道：「原來如此，店東主，我和艾大哥，只是口頭上兄弟相稱，你用不著這樣稱呼我。再說我們各交各的朋友，艾大哥指點你的武功，但你卻救過我的命，你不能再叫我二叔了，晚生擔待不起。」

王耀東笑了一笑，道：「說得也是，你是讀書人，知情達禮，既然這麼說，老朽就遵命改口稱你一聲俞相公了。」

俞秀凡道：「還是這樣好一些。」

王耀東道：「這一說明，咱們都是自己人了，我只從命叫你俞相公，你也別跟我客氣，安心的在這裏住下。天大的事情，都由我負著。」

俞秀凡道：「王東主，這麼說，小生從命了。」

王耀東微微一笑，轉身而去。

大約一個時辰工夫，王耀東與兩個身著勁裝的年輕人行了進來，道：「快些見過俞相公。」

兩個年輕人，都在二十左右的年紀，生得濃眉環眼，形貌十分威武。

兩個人長揖一禮後，又準備屈膝下跪，急得俞秀凡顧不得身上的傷勢，一屈膝攔住兩人，道：「兩位兄弟，小生不敢當。」

王耀東笑了一笑，道：「你們起來吧！」

俞秀凡數日的經歷，比他十幾年的生活，還要深刻，眼看著兩個渾身是勁裝的年輕人，心中大爲羨慕。

暗道：看兩個這副形體，渾身上下都是氣力，定有一身好武功。我如能有得這副好的身手，也不會受盡辣手仙子祝玉花的閒氣了，好歹也和她拚一場。

心中念轉，口中卻說道：「這兩位是……」

王耀東道：「是小犬。左面的是哥哥，右面的是弟弟。」

俞秀凡道：「好一副練武的骨架。」

王耀東笑了一笑，道：「論資質和骨架，兩個孩子都還過得去，我也花費不少心血，兄弟兩個也肯用功，三歲開始，每人都已練了十八年，可惜的是，我們王家這點家傳把式，無法把兩個孩子造就成一流人物，這一點還得你俞相公幫忙。」

俞秀凡呆了一呆，道：「我能幫忙麼？」

忽有所悟地笑了一笑，道：「你是說，要我在艾大哥面前替他們講兩句好話？」

王耀東道：「艾老爺子如能指點他們幾招，那是他們終身大幸。」

俞秀凡道：「王東主，你放心。只要再見到艾大哥，我要盡我的力量求他，叫他多傳給兩位令郎幾招。」

俞秀凡笑了一笑，目光轉到王氏兄弟身上，一抱拳，道：「請教兩位王兄大名。」

左首漢子一抱拳，道：「小弟王翔。」

右首年輕人接道：「我叫王尙。」

俞秀凡道：「兄弟俞秀凡。」

王耀東笑了一笑，道：「我叫他們準備酒飯，遣走客人。」

王翔一聳雙眉，道：「爹！遣走客人，豈不把咱們王家老棧的招牌給砸了？」

王耀東道：「辣手仙子祝玉花，是江湖上有名的獨行大盜。何況，他們這一次是結黨成群而來，咱們是保家護店，戰死無憾。但宿店的行商旅客，卻是全然無辜，刀槍無眼，萬一傷了客人，如何對人家交代。」

俞秀凡道：「我見過他們幾批人，一躍之下，人蹤頓杳，那簡直是飛，如是咱們能夠躲避，最好別和他們動手。」

王耀東道：「躲不了的，俞相公。再說，艾大爺既然叫你投奔到此，也許他早想到這件事情，你放心地歇下，我自會有番好安排。」

俞秀凡道：「王東主，小生求你一事，不知能否答允？」

王耀東道：「哎呀！言重了。俞相公，你只管吩咐，耀東能辦的，決不敢抗命。」

俞秀凡道：「我知道，我這手無縛雞之力的人，幫不上忙。不過，我想看看這場熱鬧，不知道有沒有好辦法？」

他心中有一番計劃盤算，天王寺中見過那夥人，留給他的印象太深。王氏父子們能擋住來人，那是最好，萬一擋不住，他準備立刻現身，不能牽累人家太深。

王耀東沉吟了良久，道：「可以。不過，俞相公也要答應我一件事。」

俞秀凡道：「王東主，你吩咐！」

王耀東道：「可能會有一場激烈的惡戰，希望你俞相公不要現身，江湖悍匪，手段毒辣，不能以信義相待。就算我們父子失手落敗，只要他們找不出你的藏身處，不會取我們性命。要是你一露面，咱們就也別想再活。從祝玉花的言談，我已經瞧出了一點門道，他們確無意殺害你，只是想追問一件事。」

俞秀凡接道：「他們想追問我艾大哥的下落。」

王耀東點點頭，道：「俞相公，你是讀書人，不知江湖上的險詐，我們父子就算落進他們手裏，只要你不現身，我們就可保無恙，至多是受一點疼苦折磨，你一露面，咱們是準死無疑。」

幾句話點穿了俞秀凡一番用心，不由一怔，道：「是這樣嗎？」

王尙突然接口說道：「爹，他們今晚上來的，可都是三頭六臂？」

王耀東一瞪眼，道：「你小子說什麼？」

王尙垂頭道：「孩兒是說爹長他人志氣，滅自己威風。」

王耀東冷哼一聲，接道：「可是你覺著你那兩手莊稼把式很管用麼?告訴你，今晚上來的人，都會有幾下，到時候可別叫爹親幫你。」

王尙一臉不服氣的神色，但他不敢再和父親爭辯，低著頭一語不發。

王耀東匆匆而去，又匆匆地回來，把俞秀凡帶入了王家老棧的帳房。

移開沉重的木案，揭起一道鐵門，一條地道，向外通去。

這地道並非通往什麼地下密室，而是通往院內一座荷池的假山內。

荷池中蓄滿了清水，還養了很多的魚。

假山不大，方圓也不過一丈多些。山腹中空，有階可登，而且空隙不大，至多可容兩人。

假山四面都有孔洞，可見院中的景物，外面爲花草掩去，很難看得出來。

王耀東道：「今晚明月如晝，你藏在這座假山之內，可以瞧得十分清楚。記著，老弟，不論外面的情勢如何，你都不用出聲現身，這假山內層，是很堅牢的青石砌成，在裏面很安全。」

俞秀凡嘆口氣，道：「感謝王兄的厚愛。」

王耀東搖搖頭，接道：「別這麼說，累了就靠在壁上歇一會兒，我還得去布置一下，不陪你啦。」

望著王耀東轉身而去，俞秀凡沒再言謝，但眼睛卻有一點濕潤。

大恩不言謝，像這等天高地厚的情意，縱然是千言萬語，也無法說出內心的感激之意。

但聞一聲蓬然輕響，俞秀凡感覺到那假山之下，只有一道門戶，關了起來。

這時天色已經黑了下來，一輪明月冉冉升起。

俞秀凡四下探看，只見庭院寂寂，聽不到一點聲息，不禁黯然一嘆。

突然間，人影一閃，月光下現出了亭亭人影。

耳際間，同時響起了祝玉花清脆的笑聲，道：「王大掌櫃，咱們如約而至。看這番形勢，大掌櫃分明早作了一番布置，自然也用不著縮頭藏尾了。」

俞秀凡定神看去，只見那辣手仙子，已經換了一身黑色疾服勁裝，黑絹包頭，背插長劍。

一聲朗朗的長笑，王耀東緩步由暗影中行了出來，道：「王某人等候多時了。」

王大掌櫃也換了一身裝束，短衫長褲，腰束絲帶，手中提著一把寬面刀。花白的長髯，月光下微微風動。

祝玉花點點頭，笑道：「看你這身打扮，似乎是要和咱們動手了。」

王掌櫃淡淡一笑，道：「做生意的人講究的是和氣生財，能不動手，最好是不要動手。」

祝玉花笑了一笑，道：「好啊！大掌櫃只要把俞秀凡交出來，咱們是回頭就走，決不會傷害到你王家老棧一草一木。」

王耀東笑了一笑，道：「祝姑娘，我說過了，王家老棧有一個祖傳的規矩，不允許任何人，在我們王家老棧傷害客人。這一點，務必請姑娘，賞給在下一個面子。」

祝玉花冷笑一聲，道：「王掌櫃，不要敬酒不吃吃罰酒，什麼祖傳的規矩，難道比人命還重要麼？」

王耀東道：「祝姑娘，做生意全憑一點信用，如果你姑娘硬要砸王家老棧的招牌，在下就算委曲求全，也是有所不能了。」

但聞一聲呼喝，一個身著黑袍的老者，突然間到了祝玉花的身前。

俞秀凡睜著兩隻大眼睛看，竟然不知那老者從何處行來。但他認識這老者，正是第一個在天王寺中現身的人。

黑袍人臉色冷肅，語聲更是冷漠，道：「你認識老夫麼？」

王耀東打量了黑袍人一眼，道：「恕我眼拙。」

黑袍人冷笑一聲，緩緩舉起了右掌，在王耀東面前一照，道：「閣下認識這隻手麼？」

俞秀凡清楚地看到了王耀東現出吃驚的神色，道：「赤焰掌吳棠——」

黑衣老者接道：「不錯。老夫正是赤焰掌吳棠。」

王耀東道：「想不到王某人今宵有幸。」

吳棠冷冷接道：「是不幸。你如不交出俞秀凡，很可能要傷在老夫的赤焰掌下。識相些就快說，那姓俞的小子，現在何處？」

王耀東道：「現在王家老棧。」

吳棠笑了一笑，道：「王掌櫃很坦誠。」語聲一變，道：「交出來吧！」

王耀東淡淡一笑，道：「在下對祝姑娘已經說得很清楚了，祝姑娘沒有給吳大當家的說過麼？」

吳棠微一頷首，道：「祝姑娘對我說過了。不過，這一次，是我吳某開口，希望你王掌櫃多想想，拒絕我吳某的人，應該是一個什麼樣的結果。」

王耀東道：「王某人很少在江湖上走動，不知道吳大當家的規矩，還望指教。」

吳棠臉色一變，道：「抗拒老夫之命的人，非死不可，這就是老夫的規矩。答覆老夫，是否願交出人？」

王耀東道：「咱們王家老棧祖傳的規矩，只要進了王家老棧三尺門裏，就不能讓客人有毫髮之傷、財物之損。」

吳棠道：「好大膽子，給我拿下。」

身後暗影，應聲躍飛出一個黑衣勁裝人，俞秀凡看得清楚，來人正是人廚子刁七。

刁七雙手一探，取出兩把刀來。兩把刀形式不同，左面的稍長，呈弧形彎曲，右手的簡直和菜刀一樣。

王耀東打量了人廚子一眼，心中暗暗忖道：他們人隱在暗處，不知來了多少，赤焰掌吳棠人極暴虐，看來今晚之局，是很難善了，放倒他們一個是一個了。

心中念轉，立時長長吁了一口氣，道：「閣下怎麼稱呼？」

刁七冷冷說道：「人廚子刁七。」

王耀東笑了一笑，道：「閣下請出手吧！」

刁七一揮手中雙刀，道：「小心了。」左手彎刀突然迎面劈下。

王耀東冷哼一聲，長刀突然離鞘而出，一道寒芒自下而上，閃電擊出。

這一刀，勢道怪極，刁七彎刀迎面劈下，還未到王耀東的頭頂，突覺小腹一涼，刀芒由小腹劃過，自下而上，刀臨頂門，由豎轉橫，噹的一聲，震開了刁七的彎刀。

這一刀，本可把刁七大開腹胸，但王耀東手下留情，刀尖劃入，只有寸許左右。

話雖如此，但也傷到了胸腹，鮮血噴了出來。刁七感覺，這一刀洞開了他的胸腹，兩腿一軟，跌在地上。

這怪異凌厲的一刀，震住了全場，所有的人都呆在當地。

赤焰掌吳棠目光一掠躺在地上的刁七一眼，冷冷說道：「刁七，你死了麼？」

刁七道：「屬下被人破了胸腹。」

吳棠冷笑一聲，道：「刁七，你過來！」口氣冷漠，充滿著殺機。

刁七呆了一呆，忘記了傷處的疼痛，緩緩轉過身子，一欠身，道：「大……」

一個字剛剛出口，吳棠快如閃電的掌勢，已然到了刁七的前胸。

蓬然一聲大震，刁七整個的身子，飛了起來，落著實地，已然肝腸外流，氣絕而逝。

吳棠冷然一笑，道：「哪一個去會會王掌櫃？」

那凌厲詭異的一刀，使得這些綠林悍匪們都為之震駭不已，吳棠連問數聲，竟然無人應聲出戰。這一來，使得吳棠不由得升起一股怒火。

但他內心之中，也對那怪異的一刀，有著很大的畏懼；他想用另外幾個人的傷亡，瞧清楚那王掌櫃的刀路。

可惜的是，竟然無人敢應命出手。

吳棠皺了一下眉頭，舉步向前行去。

王耀東眼看這一代綠林梟雄要親自出手，不禁心頭一震，暗道：久聞赤焰掌能夠傷人在三尺以外，這魔頭親自出手，我應該小心一些才是。

心中念轉，右手微微向前一探。

吳棠突然停下腳步，右手一揮，拍出一掌。一股強大暗勁，帶著炙人的熱力，直逼過來。

王耀東手中長刀閃電而出，一招「橫掃千軍」，斬了過去。

吳棠畏懼的就是剛才那怪異的一刀，所以遙遙發掌，不敢欺近。

眼看王耀東出手，不禁冷然一笑，左手「手揮五弦」，巧快絕倫擊在了刀面之上，登時把王耀東的刀勢封出外門。右腳大踏一步，人已欺近了王耀東身前，右手一縮一伸，拍了出去。

這一招，快速絕倫，掌勢直逼上王耀東的面門、五官。就算是武功很高的人，似乎也是無法閃避開這一擊。赤焰掌吳棠的心中更是預料這一擊必中。

哪知就在他掌指將要擊中王耀東面門之時，突然間有一種力道撞向肘間的「曲池穴」，右手頓然一麻。

就是那一麻之下，王耀東右手已翻了過來，一把扣住了赤焰掌吳棠的右腕。

吳棠呆了一呆，王耀東已然一腳踢上小腹。

赤焰掌吳棠確然有過人之能，在這等間不容髮的境遇之中，突然一吸氣，小腹後縮半尺，右手內力迸發，向外一甩，竟然掙脫了王耀東的右手，倏忽間退後了五尺。

經歷過這番變化，吳棠已深深體會到這位客棧的掌櫃之能，心中暗道：看來，我確是誤殺了刁七，這小子刀掌上確有著人所難及的奇異之能。

他生具梟雄之性，心中閃掠過一念之後，立時拋開，並無愧疚和不安之心。

王耀東並未乘勝追擊，站在原地，暗自運氣止疼。

原來，吳棠掌力所含的熱氣，竟有灼肌燙膚之力，王耀東並未被吳棠的掌力擊實，但雙頰、兩腮，都有著如火燒烤的痛苦。

祝玉花低聲道：「大當家的，這姓王的武功有些邪門，眼看你封開他刀勢的一掌，就可以把他擊斃當場，不知何故，你竟會撤回掌勢。」

吳棠一皺眉頭，道：「你沒有瞧到什麼？」

祝玉花道：「沒有。小妹正在百思不解。」

吳棠道：「不知從何處來了一股力道，擊中了我右肘的『曲池穴』，使我掌勢受挫，爲其所乘。」

祝玉花「啊」了一聲，道：「大當家的，這小子武功怪異，刀法、掌法，都有莫測之變，不用和他們拖延時間了。」

吳棠道：「你的意思，可是想並肩而上？」

祝玉花道：「不錯。咱們不是來講理爭名的，用不著和他們客氣。」

吳棠道：「我得想想，他用什麼方法，能夠擊中我的『曲池穴』，你替我傳諭，要勞山四義圍上他。」

祝玉花點點頭，道：「代大當家傳諭，勞山四義出戰。」

四條人影，疾快地由暗中飛躍出來，很快地把王耀東圍了起來。

王耀東吸一口氣，凝立不動。他心中明白，對付這等窮凶極惡的悍匪，不能讓他們摸清了自己的真正本領。

剛才那一刀，正是艾九靈指點他的兩招刀法之一，王耀東費了數年之功，苦研兩招刀法，已然體會出個中精髓，如是這兩招刀法，不能震住強敵，使他們知難而退，被人拆穿了內情，只有這兩招刀法，今夜定然是一個十分悲慘的結果。

所以，這兩招刀法，必然要選擇最適當的時間、最有利的機會，再施展出來。

勞山四義在江湖上的真正稱呼，是叫勞山四凶，四個人常年相處，研究了一套很精密的合搏之術，使四人在綠林中創出了很響亮的名號。

四凶鬼頭刀出手之後，立時分站了東、西、南、北四個方位。

四凶之首當先發動，刀光一閃，迎面劈去。但刀距王耀東還有半尺左右，立時收了回去。

一刀帶動，四刀並起，四把鬼頭刀，幻起一片銀幕似的光芒。

王耀東警覺到這勞山四凶刀法十分凌厲，單是這等旋轉不停的氣勢，就使人有著眼花撩亂的感覺。

忽然，寒芒波捲一片冷厲的刀氣，分由四面八方直湧了過來。

原來，勞山四凶對王耀東一刀劈傷人廚子刁七的事，一直有著很大的畏懼，不敢輕易出手。四人發動刀陣，全力攻出，上下左右有如一片刀網。

這四人合力的雷霆一擊，勢道強大，有如排山倒海一般。王耀東駭然之下，拔刀揮出。他在驚駭之下，這一刀也幾乎是用盡了他全身的氣力。

一道銀虹，飛射而出。但聞一陣金鐵交鳴之聲，王耀東擋開了兩柄鬼頭刀。

但另兩把鬼頭刀，卻乘隙而入。一刀劃中了後背，一刀劈中了左肩。

一條左臂，齊肩處被斬了下來，後背上也被一刀由頸間劃到腰下。

刀光收斂，人影乍現，王耀東也變成了一個血人。

就在這一瞬間的靜止，王耀東手中的寬面長刀，突然由一個絕不可能的角度中疾翻而起。

一道冷電般的寒芒泛動，兩個活生生的人，被攔腰斬作四段。

這一道刀勢之奇，出手之快，完完全全的出了勞山四凶的意外。

勞山四凶，付出了他們合力一擊的傷人代價，四凶中，二、四兩凶被斷腰死亡。

兩聲大吼，由暗影中傳出，兩條人影虎撲而出。

是王翔、王佾，兩人受父命隱身暗處掠陣，未得招喚不許出戰。但兩人目睹父親斷臂、裂背，悲忿莫名，哪裏還記得父親的囑咐，大喝聲中，飛躍而出。

兩兄弟，兩把刀，分撲向大凶、三凶。

勞山四凶中老大、老三，目睹老二、老四忽然被王耀東斬成四段，心中還有些不信，不禁一呆。就是那一呆工夫，王翔、王佾已疾撲而至，兩把刀分襲前胸。

勞山四凶，究竟是久經大敵的人物，驚駭之下，不忘拒敵，雙雙揮刀，封敵攻勢。

兩人的鬼頭刀剛剛舉起，同時感到握刀的右臂一麻。

這等時光，一招失錯，必然會招來殺身之禍，王氏兄弟二把刀，分由大凶、三凶的前胸洞穿了兩人的後背，立時殞命當場。

王翔、王佝，抽出單刀，兩具屍體應手栽倒。

勞山四凶，雖然以合搏的刀陣傷了王耀東，但四兄弟卻完全死在王耀東父子之手。

赤焰掌吳棠一直很留心那王耀東的舉動，眼看王耀東的沉著和他出刀的奇幻，使得赤焰掌吳棠那等高人，也爲之心神震攝。

王翔急步行到了父親身前，焦急的道：「爹，你傷得很重。」

王耀東冷冷說道：「站開。」右手舉起長刀，大聲喝道：「吳棠，你過來，我王某人雖然受傷不輕，但還願領教你吳大當家的幾下高招。」

吳棠目睹王耀東重傷後，仍然如此豪勇，不禁大爲震駭，一時間竟不知要如何回答。

王耀東冷笑一聲，道：「姓吳的，你如是敢和王某人動手，那就請快些出手，如是你姓吳的不敢出手和我王某一戰，那就請立刻退出我王家老棧。」

赤焰掌吳棠雖然殺人如麻，但他究竟是綠林中有名人物，沉吟一陣，突然一轉身，道：「咱們走。」

走字出口，已飄身而起，躍上屋面。

吳棠一走，隨在身後的祝玉花，也接著飛躍而起。緊接著七、八條人影，由暗影中飛身而起，躍上屋面。

月光下只見人影閃了兩閃，消失不見。

目睹吳棠等離去之後，王耀東再也支持不住，身子一歪，摔倒在地上。

王翔急急抱起父親，奔回內室，立刻替王耀東包紮傷勢。

王耀東在重傷之後，強自支持，失血過多，已呈半昏迷狀態。

王翔、王尙，一起動手，包紮好王耀東的傷勢，仍不見他醒來，心中大是焦急。

王尙無限哀傷，道：「大哥，我看爹的傷勢很重，如是咱們能早一步出去，也許爹不會受這樣的傷了，至少，我們可以替爹分擔一部分壓力。」

王翔道：「兄弟，咱們都看到了那旋轉刀陣的厲害，爹雖然武功高強，也難受一擊。但爹的反擊之勢，仍然一舉殺了對方兩人，爹囑咐咱們不可輕舉妄動，自然是有爹的把握，所以，才有最後驚退敵人的結果，如是咱們早些出了手，情勢只怕比此刻更慘了。」

王尙道：「大哥，勞山四凶，只不過刀陣厲害，他們分開之後，難擋咱們兄弟一刀。」

王翔搖搖頭，道：「兄弟，這件事我正有些奇怪，咱們攻出的一刀，對方明明有封擋之力，爲什麼他們刀舉中途突然停了下來？」

只聽一個清冷的聲音，道：「因爲他們該死。」

王翔、王尙大吃了一驚，轉頭看去，只見門口處站著一個身著青衫的中年文士。

兩人不識來人，齊齊拔出單刀，道：「你是誰？」

中年文士很從容，似乎根本沒有把那殺人的快刀放在眼中，輕輕咳了一聲，道：「我是你爹的朋友。」舉步向前行來。

借桌上火光，王翔瞧出那人容貌很憔悴。

王尙卻突然走上一步，唰的一刀，劈了過去。

中年文士一伸手，食中二指，挾住了王尙的刀背，道：「年輕人怎麼這樣的毛躁，就不怕這一刀殺錯了人麼？」

王尙用力一掙，只覺那挾刀的雙指，如同兩支大鐵鉗一般，竟然無法移動分毫。心頭霍然一驚，道：「大哥，這人厲害，快些出手攔住他。」

王翔眼看兄弟遇險，無暇多想，一刀橫裏斬去。

中年文士歎息一聲，右手伸出，依樣葫蘆，食中二指，挾住了王翔的刀背。

那中年文士出手不但快，而且十分奇幻，一樣的方法，用了兩次，王氏兄弟仍然是沒有看清楚。

忽然間，中年文士雙手一推，兩人手中的刀柄，不自覺的撞上了自己的穴道。

青衫文士雙手一鬆，兩柄刀齊齊落地，舉步向王耀東仰臥的木榻行去。

王氏兄弟，眼看那人行向父親，心中大急，但苦於穴道受制，無法行動。

青衫文士查看了一下王耀東的傷勢，探手從懷中摸出一個玉瓶，倒出一粒丹丸，放入王耀東的口中，又拍了幾處穴道，轉身向外行去。

行到了門口之處，突然回頭，屈指輕彈，兩縷指風，分襲王氏兄弟被點的穴道。

兩兄弟覺得身子一震，穴道被解。

王尚伏身撿起地上的單刀，衝出了門外。但見明月在天，哪裏還有青衫文士的影子。

王翔似是已轉過了心意，沉聲說道：「兄弟，快回來吧！人家要殺咱們父子三人，就算咱們有十條命，也早沒有了。」

經哥哥這麼一說，王尚心裏打個轉，也確是這麼回事，舉步退入房中。

但聞王耀東長長吁一口氣，睜開雙目。

王氏兄弟急急奔到榻前，齊聲道：「爹，你醒過來了！」

王耀東掙扎著要站起來，卻被王翔伸手按住，道：「爹，你再休息一下。」

王耀東突然一皺眉頭，道：「現在什麼時候了？」
王翔道：「四更左右。」
王耀東道：「我傷得很重，怎麼好得如此迅快？」
王翔道：「有一個人，飄然而來，替爹看了傷勢又自行退去。」
王耀東道：「什麼樣的人？」
王翔道：「一個穿著青衫的文士。」
王耀東道：「告訴我詳細的情形。」
王翔把經過之情，很仔細的說了一遍。
王耀東道：「那是九老到了。你們兩個瞎眼的奴才，竟敢對九老無禮。」
王氏兄弟呆了一呆，半晌作聲不得。
兩人常聽父親講起艾九靈，但卻沒有想到了自己會見到艾九靈。
良久之後，王翔才輕輕歎息一聲，道：「九老是何等身分的人，哪裏會和我們一般見識，俗語說得好，不知者不罪，九老不會記在心上的。」
王耀東輕輕歎息一聲，不再答話，雙目閉上。
艾九靈出現在王家老棧，那證明他傷勢已大好，赤焰掌吳棠就算再請人來幫忙，也不用放在心上了。
心中一寬，酣然睡了過去。
王翔、王尙留一人守著父親，另一個卻在四下巡視。直到天色大亮，未再見敵人來犯。

三　消弭隱患

日升三竿，王家老棧大門仍未打開，門口貼了一個紅紙條，寫的是：「整條房舍，整停營業。」

酣睡了大半夜的王耀東，突然睜開了雙目，看滿窗陽光，急急說道：「翔兒，快些把俞相公請出來。」

王翔應了一聲，打開暗門，穿過地道，請出了俞秀凡。

靈丹妙藥，半夜好睡，使得重傷的斷臂，好轉了很多。

王耀東掙扎著要坐起來，卻被俞秀凡伸手按住，道：「老前輩，請快躺下。」

王耀東道：「兄弟，別這麼叫我，這太見外。」

俞秀凡道：「小弟目睹大哥的神勇，重傷之後，仍能驚退強敵，實叫小弟佩服。」

王耀東笑一笑，道：「就是那兩招，九老指點的兩招刀法。如非九老留下這一點恩澤，昨夜王家十餘口男女老幼，恐怕都要作刀下之鬼了。」

俞秀凡想到江湖上弱肉強食的情形，確然是這麼回事，不禁黯然一歎。

王耀東笑了一笑，道：「托天之福，我只斷了一條手臂，但他們死了五個人，這個帳算起來，咱們不虧。」

語聲一頓，接道：「還有一件好消息告訴你，九老已經到了。」
俞秀凡喜道：「真的，艾大哥來了？」
王耀東道：「真的。如不是九老駕到，我的傷，怎會好得這麼快呢。」
目光一掠王翔、王尙，接道：「這兩個奴才，有眼無珠，不識九老，竟然當面把九老給開罪了。」
俞秀凡道：「不要緊，不知者不罪。艾大哥決不會計較。但不知艾大哥現在何處？」
但聞一個清亮的聲音傳了過來，道：「俞兄弟，我在這裏。」
俞秀凡回頭看去，只見一個身著青衫的文士，站在門口，果然是艾九靈。
艾九靈微笑，緩步行了進來，輕輕一掌拍在俞秀凡肩頭上，道：「兄弟，苦了你啦！」
俞秀凡笑了一笑，道：「我還好，苦了這位王大哥。」
艾九靈目光轉注到王耀東的身上，微微頷首。
他未說一句感謝的話，但這對王耀東已經夠了。只見他強坐了起來，道：「九老，耀東很慚愧，未能好好的安排俞相公。」
艾九靈揮揮手，道：「你躺下吧，你已經盡了心力了。」
一股柔和的力道，緩緩把王耀東推倒在床上。
王耀東望了王翔、王尙一眼，道：「你們兩個還站在那裏幹什麼，還不快給九老賠禮。」
兄弟倆奔過來，雙雙欲拜伏於地。
艾九靈揮揮手，道：「不用了，你們起來。」
一股無形的氣，擋住了王氏兄弟的下拜之勢。

艾九靈順手拉過兩把木椅，笑道：「俞兄弟，你也坐下。」

雙目深注在俞秀凡的臉上，接道：「目下對你的事，小兄最感為難。」

俞秀凡道：「我？」

艾九靈道：「不錯，你本是讀書人，只為救了我的性命，無端端的捲入了江湖凶殺恩怨之中。江湖多險詐，你本可出任仕途，但你已捲入了這場風波之中，只怕他們不會放過你。」

俞秀凡嘆口氣，道：「大哥，小弟這幾日所見所聞，親身經歷，比我十幾年歲月還多，使小弟對人生的看法，有了很大的改變。」

艾九靈道：「兄弟，可否說給我聽聽呢？」

俞秀凡道：「自然可以。小弟意欲棄書學劍，但我自知學武藝要幼年才好，我這樣大的年紀了，只怕是無望學劍有成了。」

艾九靈雙目深注在俞秀凡的身上，道：「兄弟，你今年幾歲？」

俞秀凡道：「實歲十六。」

艾九靈道：「還不算太晚，不過，讀書苦，學劍更苦，但不知兄弟是否有這份決心？」

俞秀凡道：「仗劍天涯，為人間除不平，是何等快意的事。」

艾九靈沉吟了片刻，道：

「兄弟，劍道一門，首重德操，小兄一生習劍，但一直不能達上乘劍道，就因為德操不夠。你的德操很好，正是習劍的第一要件，至於稟賦，也足應付。」

沉吟了一陣，接道：「年齡雖然大一些，但並非不可彌補的大憾，兄弟如若真有習劍之心，小兄願盡力助你。」

俞秀凡道：「大哥，這話當真麼？」

艾九靈點點頭，道：「江湖道上，首重恩、義二字，生我者父母，育我者恩師，救我之命者俞兄弟也。小兄願盡我之能，助你習成劍道，但此事非同小可，非具大決心，難望有成，這一點，兄弟你要三思。」

俞秀凡雙目凝注在艾九靈的臉上，緩緩說道：「大哥，我不怕苦，也有決心。但小弟聽說，一個人如想在武功上有大成就，必需具習武的骨格，如是小弟沒有這份骨格，豈不要浪費大哥的心血麼？」

艾九靈笑了一笑，道：「這些事，不用兄弟發愁，小兄自會考慮，但有兩件事，小兄要先行說明。學劍之道，第一要有決心毅力，第二要有一段很長的時間不能回家。」

俞秀凡道：「小弟出身貧寒之家，父為人耕，母代紡織。」

艾九靈接道：「兄弟，這不困難，你寫封書信，我會派人送去。兩位老人家的生活，有小兄安排，不用你兄弟費心。」

俞秀凡道：「如何能這樣麻煩大哥！」

艾九靈道：「兄弟，大哥這條命是你救的，又為我吃了不少苦頭。唉！你如是武林人，曉知我是何許人物，那還有話可說，但你只是一個手無縛雞之力的書生，更不知大哥是什麼人，但你救了我一命，忍了很大的痛苦，這是何等高深的德操，也是習劍之人所必備的條件。」

俞秀凡道：「大哥如是覺著小弟確具有習劍的條件，小弟願盡全力一試。」

艾九靈道：「好！咱們就這樣一言為定。」

目光一掠王耀東道：

「耀東，你斷了一臂，不是十天半月能夠完全恢復，開著這間王家老棧，很難免去麻煩，那般人有如怨魂纏腿，沒有個完。」

王耀東道：「九老的意思是……」

艾九靈道：「你們祖傳的基業，也不能就在你手中停下拋棄，我的意思是，暫時停它個一年半載，再重新開張。」

王耀東道：「九老說得是，我早已存了關店的心，但總覺著有背祖先開店的意願，所以拖延了數年之久。如今，我為這座客棧付出了一條手臂，關了它，也可以安心啦！」

艾九靈道：「聽我說下去。」

目光轉到王翔、王尙的身上，道：「這兩個孩子都有一身練武好骨格，但他們不是習劍的材料。」

王耀東道：「是的，九老，他們沒有那個氣質。」

艾九靈微微一笑，道：「劍道未必是武功最高之學，其他的功夫也非低淺，這要因人施教，才能有大成。兩個孩子看起來都很純厚，我想日後，要他們跟我俞兄弟在江湖上闖蕩一番。」

王耀東道：「這是好事，孩子們也早有了這個心願。不過，他們那點藝業，如何能在江湖上走動？」

艾九靈道：「這個你放心，我會想法子把他們教成一等高手。」

王耀東道：「九老，你肯成全這兩個孩子，真是他們的福氣。」

艾九靈沉吟一陣，道：「我想把兩位令郎，介引於兩位高人門下，不知你的意下如何？」

王耀東道：「九老覺著應該如何，敬請吩咐，耀東無不遵從。」

艾九靈笑了一笑，道：「你也不宜留在這座客棧了，最好能找一個隱秘安全的地方，住些時間。他們沒有證明我確是俞兄弟所救，你再躲一躲，他們找不出頭緒，這件事自會不了了之。」

俞秀凡奇道：「大哥，那些人是不是很怕你？」

艾九靈笑了一笑，道：「可以這麼說，如若他們確知我毒傷已癒，必會驚慌而逃。」

俞秀凡道：「大哥，小弟覺著那些人都是凶惡之徒，大哥何不挺身而出，為天下除害呢？」

艾九靈道：「他們只不過是小卒嘍兵，真正的幕後人物，一直隱藏不出。大哥只要有一日不死，他們就心存顧忌，不敢妄動，但這一股潛隱於江湖的暗流，波瀾洶湧，勢力龐大，小兄已花了不少心血，但卻一直無法找出那真正幕後人物。可是他們對我的陷害，卻是迫不及待，狙殺、用毒、詭計百出。」

王耀東接道：「九老，爲什麼不生擒他們一、兩個人來問問呢？」

艾九靈道：「這方法我也曾試過，但卻無法問出內情，這方法只好作罷。這一次，我不幸中毒，而且是一種很劇烈的無形之毒，但他們不知道我早已有備，配製了很多解毒之藥，但這次所中的毒太厲害了，發作的十分快速，當我覺出不對時，他們已然追蹤而至，若非小兄弟及時相救，只怕我早已死在劇毒之下了。」

一頓，又道：「這些時日，我一直設法淨化內腑的奇毒，也藉這些時日想了不少事。覺著我只有暫時隱失，他們才會疏於防範，才能找出他們真正的幕後人物。現在，更好了，我也借這段時間，爲俞兄弟一盡心力。」

王耀東老於世故，立時了然艾九靈的言外之意，急急說道：「九老，你看，我們要幾時離開這裏？」

艾九靈道：「越快越好。今晚就要行動。你現在設法通知內宅，要他們整理細軟，二更後離開此地。」

王耀東叫過王翔，道：「去告訴你娘，要她快準備，所有的僕從丫環，多送些銀錢，要他們各自回家，留的人越少越好，咱們三更動身。」

王翔應了一聲，轉身而去。

艾九靈對王耀東處事的快速，似是很滿意，點頭一笑，道：「耀東！這一次，讓你放棄了王家老棧的基業，實在是敵勢太強大，我又不能現身出來。」

王耀東接道：「九老，我明白。你是爲王家好，你肯成全兩個孩子，我已經感激萬分。唉！這片王家老棧，王家守了兩代，總不能老守下去啊！」

艾九靈從懷裏取出一個玉瓶，交給王耀東，道：「這玉瓶的丹丸，益神補血，增長功力，有這瓶丹丸，可以保你傷勢早癒。」

王耀東道：「九老，謝謝你了。」

兩頭毛驢，緩行在直奔嵩山的大道上，驢上兩個人，一個是白髯蒼蒼土布褲褂的村夫，一個是三十上下，滿臉黑光的務農人。

這兩人像是爺兒倆，似乎就是近村的人，看那個不緊不慢的樣子，走得很閒。
突然間，四匹快馬，蕩起了一天塵土，從兩個村夫後面疾奔而來。
馬上人個個疾服勁裝，佩帶著兵刃，疾掠兩個村夫而過。
那白髯老者望望四匹奔過的健馬，雙目神芒一閃，但立刻斂失不見。
兩頭小毛驢，仍然緩緩地走著，是那麼安詳。
天色逐漸地暗了下來，兩頭小毛驢也行進了山區。
這是通往少林寺中的大路，兩側林木夾道，但路面卻很寬闊，足可容三匹馬並肩而進。
那白髯老人突然一提韁，兩頭小毛驢極快地向前奔去。得得蹄聲，劃破了山野的靜寂。
兩頭小毛驢已跑得滿身大汗，頗有難再向前奔行之勢，白髯老人才勒韁停下，把兩頭小驢放入松林，白髯老人突然伸手抓住那黑臉人，道：「兄弟，我帶你走。」
走字出口，突然飛躍而起。
那黑臉人只覺著被一股強大絕倫的力量拖著，身不由己地向前飛奔。
不知道奔行了多少時間，到了一座巍然矗立的大寺院前。
黑臉人低聲說道：「艾大哥，這就是名聞天下的少林寺麼？」
敢情那白髯老者，竟是名震江湖黑白兩道的奇俠艾九靈。
天下唯一能稱艾九靈為大哥的，自然是俞秀凡了。
艾九靈低聲說道：「兄弟，記著，盡量少開口，一切都由為兄對付。」
俞秀凡點點頭，緊隨在艾九靈的身後。
少林寺大門前面，高挑著兩盞風燈，在夜色中不停地擺動。

兩扇大門，還未關閉，一個四旬左右，身著灰袍的僧人，突然間出現在兩人面前，合掌說道：「兩位施主，可是迷了路途？」

艾九靈道：「這裏是少林寺嗎？」

灰衣僧人道：「不錯，正是少林寶剎。」

艾九靈道：「那就有煩大師通稟一聲，在下要見貴寺方丈。」

灰衣僧人笑了一笑，道：

「貧僧奉告兩位施主，敝寺中方丈，難得見客。兩位施主就算是白晝到此，只怕也難見到，何況時屆深夜呢。」

艾九靈探手從懷中取出一個一寸高低的金佛，道：「大師，識得此物麼？」

灰衣僧人接在手中，仔細一看，立時臉色大變，道：「金羅漢！」

艾九靈道：「有這尊金羅漢，是否可以見到貴寺方丈？」

灰衣僧人一疊聲應道：「可以，可以。貧僧這就代施主通稟。」雙手捧著金佛，轉身疾奔而去。

俞秀凡看得心中甚感奇怪，但他卻強自忍下，沒有多問。

那灰衣和尚幾乎飛奔而入，但仍然等了近頓飯的工夫，才見他急急行出，一合掌，道：

「老施主，金羅漢已呈敝寺方丈。」

艾九靈一皺眉頭，道：「收了金羅漢，還是不見老朽麼？」

灰衣僧人道：「施主別誤會，敝方丈正披法衣，候駕禪室。」

艾九靈道：「有勞大師帶路。」

灰衣僧人口中連連應是，轉身而行。

跨院正房，早已高燃了四支松油火燭，一身披黃色袈裟的五旬僧人，挺立階前！

在他身後，一排橫立著四個身披大紅袈裟的僧侶，兩小沙彌，分立左右。

黃衣僧人大約早從知客口中，知道那執有金羅漢的主人形貌，合掌對艾九靈一禮，道：「少林二十八代掌門人玄莊，迎見施主，」

艾九靈一拱手，道：「不敢當，掌門人，咱們裏面談。」

玄莊大師「啊」了一聲，遣走了隨身護法，獨自步入禪室。

艾九靈道：「大師日理萬機，老朽長話短說，那尊金羅漢有些什麼效用？」

玄莊大師道：「那是敝寺中珍藏的七小金佛之一，不談它的名貴，此物列爲少林重寶。」

艾九靈接道：「爲什麼會落入外人之手？」

玄莊大師道：「如有人能救了少林滅門之危，或是救了方丈性命，本寺中才奉致七小金佛一座。執有此小金佛者，可向我少林要求一事，只要我們能辦到的事，決不推辭。」

艾九靈接口道：「好，在下憑奉上的金佛，求方丈一事。」

玄莊大師道：「施主，可否賜告姓名？」

艾九靈搖搖頭，道：「似乎用不著了。」

玄莊大師道：「也好，我們只答應執有金佛之人的一切要求，施主既然不要見告姓名，本座也不好多問了，施主請說出要求之事。」

艾九靈道：「在下要求的事很難。」

玄莊大師道：「那當然了。如是很容易辦到的事，閣下也不會動用這座金佛了。」

艾九靈道：「《易筋經》上伐毛洗髓之學，要多少時間能夠練成？」

玄莊大師道：「很難說。如是資質過人，又肯用苦功，也得二十年的時間，也有終身苦學，難至善境。」

艾九靈道：「我聽說有一種捷徑，能在數月工夫，達此境界。」

玄莊大師臉色微變，沉吟良久，問道：「老施主，事無幸成，伐毛洗髓之術，確有捷徑，但此乃我少林門中機密，施主何以得知？」

艾九靈道：「老夫既持有少林金佛，與貴派自然有著很深淵源，知曉這一點隱密，值不得大驚小怪！」

玄莊大師黯然嘆息一聲，道：「行此大術，有三不能外，還有一大傷。」

艾九靈接道：「先說三不能？」

玄莊大師道：「一不能年過弱冠，二不能有武功根基，三不能身有殘疾。」

艾九靈道：「那一大傷又是什麼？」

玄莊大師道：「傷我少林長老百年功力。」

艾九靈道：「會使人力竭而死麼？」

玄莊大師道：「如是一人行功，縱有深厚功力，亦難傳薪，縱然力竭而死，受益人亦是難望有成。」

艾九靈道：「可有補救之法？」

玄莊大師道：「大乘之道，何來捷徑，心賴火傳，要犧牲本寺中九位長老的百年功力。」

艾九靈嘆息一聲，道：「此等奇術，除了貴寺外，別人縱知其竅訣，亦是無法施展了。」
玄莊大師低喧一聲佛號，道：「所以，施主如能改變一個要求——」
艾九靈道：「不！我已經決定了，但不知要多少時間，才能得此大功。」
玄莊大師道：「那要看受術人的資質了，多則半年，少則三月。」
艾九靈一指俞秀凡道：「老夫這位兄弟受術，三月之後，我來接他，告辭了。」
俞秀凡急急叫道：「大哥，這……」
艾九靈一揮手，接道：「兄弟，記著我的苦心，你要全力求進，三個月時間，匆匆而過，我希望你在這三月之中，最好能不說一句話。」
俞秀凡呆了一呆，但接著頷首應允。
艾九靈揮揮手，飄然而去。
望著艾九靈遠去的背影，玄莊大師低喧了一聲佛號。
回顧了俞秀凡一眼，玄莊大師緩緩說道：「施主，可否見告姓名？」
俞秀凡搖搖頭，道：「大師，大哥的吩咐，我不能不聽從。」
玄莊大師雙目如電，打量了俞秀凡一眼，道：「施主臉也用過了易容藥物？」
俞秀凡點點頭，道：「不錯，大師好眼光。」
玄莊大師笑了一笑，道：「施主的真面目，似是也不願老衲看見了？」
俞秀凡道：「大師，見我真面目，不是很重要的事吧？對我而言，本無不可，但大哥安排的事，我不願違背。」
玄莊大師嚴肅地說道：

「施主，執有金佛的人，對我們少林寺，有著很大的恩德。不過，要我們少林寺中長老，犧牲了百年功力，爲一外人伐毛洗髓，這要求很苛刻，也很意外。」

俞秀凡道：「大師，那你爲什麼不拒絕我大哥的要求呢？如今，他走了。」

玄莊大師道：「我沒有辦法拒絕，持那金佛的人，可以要求我們少林寺答應他任何能夠辦到的事。」

俞秀凡道：「這麼說，大師，你們只有接受了？」

玄莊大師道：「目下關鍵在閣下了。」

俞秀凡道：「我？」

玄莊大師道：「是你。我們先要看看你能否接受這場伐毛洗髓的傳功奇術，如是你具有慧質、奇骨，本寺自然遵命施爲。如是你沒有這份慧質，那就要白白浪費了我們九位長老的功力，而且，一個不好，你也將終身殘廢。」

俞秀凡道：「大師的意思是……」

玄莊大師道：「我如不能看你廬山真面目，那就揣摸一下你的骨格。」

俞秀凡道：「好！大師請出手。」

玄莊大師果然很細心地徐徐移動雙手，揣摸了俞秀凡全身的骨格。

俞秀凡心中很焦急，雙目凝注在玄莊大師的身上，希望能瞧出點內情。

玄莊大師停下了雙手，緩緩說道：「你沒有練過武功？」

俞秀凡道：「沒有。」

玄莊大師道：「這事很重要。你如已練過武功，行術時，本能會運功抗拒，那將使氣行岔徑，走火入魔，重則殞命，輕則重傷。」
俞秀凡道：「小生從不說謊。」
玄莊大師道：「伐毛洗髓的過程很苦。」
俞秀凡道：「我不怕。」
玄莊大師黯然說道：「小施主，本寺要選出九位長老，為你各犧牲十餘年的功力，對你而言，是一次奇遇；不過，伐毛洗髓之後，並非是說一個人已有了武功，本座不知你那位大哥將如何安排你。」
俞秀凡笑了一笑，道：「在下也不知道。」
玄莊大師道：「此事太過重大，本座也作不了主，必得召集長老會議。」
俞秀凡道：「小生悉聽安排。」
就這樣，俞秀凡在少林寺中住了下來。
伐毛洗髓，大都要數十年的功力，才能有所成就。但俞秀凡在九大高僧相助之下，以三月工夫，速登大成。
九大高僧，卻各損失了十餘年的功力。

三月期滿，艾九靈如約而來。他仍是白髯蒼蒼的村夫裝扮。
玄莊大師親自接見，合掌說道：「少林寺未辱施主所命。」
艾九靈道：「天下第一大門戶，果然是非同凡俗，在下拜領了。」
玄莊大師合掌說道：「彼此交易已成，施主可否見告姓名？」

艾九靈笑了一笑，道：「日後在下總會說明，不過不是現在。」

玄莊大師嘆息一聲，道：「施主執意不肯見告，本座無法勉強了。」

艾九靈話題一轉，道：「大師，你看江湖上近來可有什麼變化？」

玄莊大師肅然說道：

「蓋世奇俠艾九靈，金筆點才，在江湖上提拔了不少仗義行俠的英雄，綠林道上邪魔斂跡，開江湖上從未有過的太平歲月。」

艾九靈接道：「艾九靈已近十年未在江湖上露面，可能他已歸隱山林。就算他還在江湖上走動，但他一人雙目，能見多少，又能顧得多少。俗語說得好，獨木難支大廈，貴派一向被武林尊為泰山、北斗，倒該對武林事盡些心力才是。」

玄莊大師沉思有頃，道：

「艾大俠一代奇才，除魔衛道，不遺餘力。本寺因清規森嚴，非罪證明的確十惡不赦之徒，不便施下殺手，有了艾大俠的光芒，本寺就黯然失色了。可惜的是，本座竟未能和艾大俠會晤一面，請教他整治江湖之道。」

艾九靈道：「那艾九靈就算是武功高強，但他也不過是一個人，怎比得貴寺中這等浩大氣勢，維護江湖上的正義，還得憑仗貴寺。」

玄莊大師嘆口氣，道：「如是本寺中能夠辦到，決不推辭。」

艾九靈道：「有大師這一句話，天下武林有幸了。」

玄莊大師目睹艾九靈離開之後，嘆口氣，回顧身側一位灰衣老僧，道：「師叔，瞧出這人的身分麼？」

灰衣老僧搖搖頭，道：「回掌門的話，老僧不識此人。」
玄莊大師愣了一愣，道：
「師叔你多次出入江湖，耳目之廣，識見之多，少林寺中無出師叔之右。這人能持本門金佛，自非泛泛之輩，師叔怎的竟會不認識呢？」
灰衣老僧沉吟了一陣，答道：「原武林道上所有高人，老朽至少也認識個十之七、八，但此人卻是從未見過。」
玄莊大師凝目思索了一陣，道：「適才那位施主說的話，師叔聽到了麼？」
灰衣老僧道：「聽到了。」
玄莊大師道：「他雖未正面說明，但言語之間，隱然有所聽聞，本座之意，想勞請白雲師叔，重入江湖一行，也好探聽一些江湖消息。」
白雲禪師合掌道：「掌門所命，老衲自應從命。」
玄莊大師道：「本座希望早得到江湖上消息，師叔愈早動身愈好。」
白雲禪師道：「既是如此，老朽明晨一早就走。」
玄莊大師道：「師叔早去早回，如不能三月回寺，至遲不能超過半年。」
白雲禪師合掌當胸，道：「領法諭。」欠身退了出去。
艾九靈帶著俞秀凡，離開了少林寺後，立時放腿疾奔。
一口氣跑了十餘里路，到了一輛篷車前面。
艾九靈牽著俞秀凡躍上篷車，伸手拉下垂簾，道：「走！」

趕車的把式，打了一個響鞭，篷車疾快地向前奔了出去。
俞秀凡低聲道：「大哥，咱們現在要到哪裏？」
艾九靈並未立刻回答俞秀凡的問話，自顧雙目盯注在俞秀凡的臉上，瞧了一陣，緩緩說道：「兄弟，恭喜你啦！」
俞秀凡笑道：「小弟有些成就嗎？」
艾九靈道：「很大的成就。明白點說，兄弟你已經脫胎換骨，進入了另一番境界。」
俞秀凡道：「唉！這三個月來，小弟是經常在昏迷之中，只覺內腑中忽寒忽熱，疼苦難耐。」
艾九靈道：「對一個修習武功之人而言，你是一個異數，少林高僧果然是佛法無邊，三月時光，他們竟然真能夠改變一個人。」
俞秀凡道：「大哥，你是說，小弟真的有了很大的成就？」
艾九靈道：「是的，兄弟，你的成就，超過了我的想像之外，不過……」
俞秀凡道：「不過什麼？」
艾九靈道：「對你而言，這不過是剛完成奠基的工作，此後，還有一段艱苦的行程。」
俞秀凡道：「這都是大哥的栽培。」
笑了一笑，艾九靈道：「我也只能領你進門，至於你是否有很大成就，還要靠你的天分、毅力了。現在，大哥帶你去見一位生性冷僻的高人，他肯不肯答允留下你，大哥也是毫無把握，大哥只能盡力去做，成敗要看天意了。」
一路上艾九靈十分謹慎，故意錯過了宿住的大鎮，以避免洩漏行蹤。

晝行夜宿，一連走了半月時光。

這半月，艾九靈傳授了俞秀凡扎基內功的吐納之術，同時，也解說了練劍的要訣，和一套劍法的招術變化。

俞秀凡很聰慧，再加上肯用心去聽，雖沒有練過一招一式，但卻熟記了一套劍法的要訣，在夜宿客店時，練習打坐吐納。

這日中午時分，到了一條小河旁邊，艾九靈喝令篷車停下。

俞秀凡緩步下車，抬頭看去，只見四周一片荒涼，極目所及，不見一處人家。

艾九靈拿出幾片金葉子，交給那趕車的把式，道：「到了，我們就在此地下車。」

車把式回顧了一眼，道：「這地方很荒涼啊！」

艾九靈道：「是的。咱們就住在這地方，你可以回去了。」

車把式心中充滿著懷疑，望望艾九靈和俞秀凡，揚鞭馳車而去。

俞秀凡低聲說道：「大哥，這是什麼地方，咱們要找什麼人？」

艾九靈笑了一笑，道：「兄弟，敵人太厲害，咱們不得不小心一些。」

俞秀凡若有所悟地「哦」了一聲，未再多問。

艾九靈道：「走！咱們到那邊坐息一下。」

那是一座土坡，坡下生滿荒草，深秋季節，草色枯黃，落葉滿地，一陣西北風，吹得枝葉橫飛。

這不是深山大澤，但卻有一股荒蕪而近乎淒涼的感覺。

天邊一層雲遮去了陽光，但七、八丈外一條小河，卻是激流奔騰，水聲震耳。
俞秀凡輕輕嘆一口氣，道：「大哥，這是什麼所在？小弟覺著這地方有些奇怪。」
艾九靈道：「你覺著哪裏奇怪？」
俞秀凡道：「太荒涼了。」
艾九靈道：「這地方縱橫二十里沒有人家，沒耕田牧地，自然是有些荒涼了。」
俞秀凡道：「不！小弟的意思不是因這地方荒草沒脛、四無人家說它荒涼，而是這地方有一種淒苦、愴然的氣氛，似乎是這地方的一草一木，都十分悽傷。」
艾九靈微微一笑，道：「這地方本就叫做『傷心坡』。」
俞秀凡道：「傷心坡，這名字奇怪得很。」
艾九靈道：「並不奇怪，這地方的地質很特異，專生莠草，不長嘉禾。」
伸手指指那條激流，接道：「那條河，叫做『斷魂河』。河不寬、不大，但卻狂流如矢。更奇怪的是，河底兩岸，都生滿著尖利的石筍，不論水性多好的人，也無法在那河停留。在激流的沖擊之下，必被那許多石筍刺死。」
俞秀凡道：「天下有這等荒地、惡水，當真是不可思議。」
艾九靈嘆口氣，道：「兄弟，這斷魂河，不但人無法停留，而且連魚蝦也無法生長。」
俞秀凡點點頭，道：「大哥，咱們到這邊來，可是爲了避人耳目麼？」
艾九靈道：「不是，咱們來這裏找人。」
俞秀凡道：「找人？這地方住的有人？」
艾九靈道：「不錯。只住了一個人，那人就是當今武林第一神醫。」

俞秀凡道：「他住在哪裏？」

艾九靈道：「傷心谷，咱們要乘船由這條激流進去。」

俞秀凡道：「咱們不能從陸地上去麼？」

艾九靈搖搖頭，道：「沒有人能從陸地上去找到他。因爲在他住處五百丈內，種滿了毒花，布滿了毒藥，任何人都無法通過這片毒區。」

俞秀凡道：「從這條斷魂河去？」

艾九靈道：「那是唯一通往他『傷心廬』的去路。」

俞秀凡道：「他住的地方，也叫做傷心廬？」

艾九靈道：「唉！正因他有一段傷心的往事，所以，才選擇了這麼一處所在。」

俞秀凡道：「大哥，這地方哪有船隻？」

艾九靈道：「咱們要等兩天了。明天，我先投柬求見，他如是願意接見咱們，自會派出船來，如是不見咱們，憑小兄和他一番交情，也會有個回信來。」

俞秀凡奇道：「投柬求見，這地方不見門戶，咱們如何一個投法？」

艾九靈笑了一笑，道：「兄弟，這等奇異的地方，走遍天下，只怕再也找不出第二個地方來。現在，咱們先坐息一陣，你將會見識很多的新奇事情。」

兩人在荒草叢坐了一夜，第二天太陽上升，艾九靈立時叫起了俞秀凡，行到了斷魂河邊。

艾九靈從懷中取出一塊雪白的方形木板，用指力在木板上寫了幾個字，揚腕投入了水中。日光下，那雪白之物，閃閃發光，隨著滾滾激流而下。

俞秀凡極目望去，只見木板在河水上起伏，在數百丈外進入一個山洞去，他大是擔心，忍不住問道：「大哥，他如是看不到大哥投入水中的信物，豈不是白費了大哥一番心力？」

艾九靈笑道：「信物他足一定可以看到，但他是否會和咱們見面，那就很難說了。」

兩人在一片荒草上坐卜，望著激流出神。

不知道過去多少時間，突然，一艘小船，逆流而上，漸漸地向兩人駛來。

那小船走得不太快，也不太慢，但卻有一宗奇處，那就是它在一定的速度中，常會有極短的靜止。

小船慢慢行到兩人身邊，只見小船鋪著一塊白色的羊皮。

艾九靈笑了一笑，道：「這老兒寂寞得太久了，對我竟然如此歡迎。」

俞秀凡正想問，何以瞧出了人家歡迎的道理，左臂已被艾九靈提了起來，道：「兄弟，提著氣，咱們上船。」

但覺身子忽然騰空而起，越過了一股激流，落在小船之上。

這艘小舟可算是名符其實的小舟，至多嘛，擠下去三個人。

艾九靈扶著俞秀凡坐好，道：「兄弟，抓緊兩邊船沿，這小舟是特製的，堅牢得很。」

俞秀凡忽然想到了這小舟上沒有掌舵運槳的人，如何能夠行駛，當下問道：「大哥，這艘小舟很怪，它似是自己在走動。」

艾九靈微微一笑，道：「這等激流、漩水，縱然是天下第一等的行船好手，也無法在這斷魂河行舟，個中的內情，你很快就會明白了。」

突然發出一聲長嘯。嘯聲如龍吟一般，用內力送了過去。

片刻之後，逆水而行的小舟，突然靜止了下來。

艾九靈道：「兄弟小心。」

一語甫落，小舟突然順水而下，快速如箭，加上那激流漩動，搖動得十分厲害，震得人頭暈眼花。

俞秀凡緊抓著小舟兩邊，閉起了雙目。

忽然間，那奔行如箭的小舟，似乎是撞在一片柔軟的索繩之中。

俞秀凡還沒有弄清楚是怎麼回事，耳際已響起了艾九靈的聲音，道：「兄弟放手。」

本能地，俞秀凡鬆開兩手，一提丹田之氣。但覺身子又騰空而起，落著了實地。

俞秀凡這才有時間轉目四顧，打量了一下周圍的形勢。

自己已停身在四面山峰環抱的一片盆地上，山不高，但上面卻長了很多奇奇怪怪的草樹，濃密異常，掩去原本的土山色。

這片盆地，也就不過百畝大小，那條斷魂激流，通過了一個山洞之後，在這片盆地，突然開闊了數倍，水勢也自然減緩了甚多。

激流旁，豎著一個高大的鐵架，上面掛了一大盤鐵索，另有兩條鐵索由水中盤入鐵架中。

俞秀凡恍然大悟，原來，水底早已有兩條鐵索，整個的小舟，就由鐵索滑輪操縱，人只要拉動鐵索，就可以操縱小舟的進退了。

艾九靈身側，站著一個全身黑衣的人，白髯似雪，髮絲如銀，但臉上卻是一片紅光，道道地地的童顏鶴髮。黑衣老人的身軀高大，高過了艾九靈半個頭。

但此刻，他臉上的神情很難看，兩道炯炯的目光，盯注艾九靈，一語不發。
良久之後，才聽那黑衣老人冷冷地說道：「你犯了我立下的戒規。」
艾九靈道：「你如是不同意，我怎能進入你散布劇毒的傷心中谷？」
黑衣老人道：「我只是要你一個人進來，你爲什麼帶了一個陌生的人來？」
俞秀凡恍然大悟，原來那黑衣老人是爲了自己同來，所以才心中不悅。
艾九靈掏出了一包藥粉，道：「兄弟，把臉上洗一洗，恢復本來回目。如是這地方不肯留咱們，咱們就光明正大地去闖蕩江湖了。」
俞秀凡不太了解艾九靈言中之意，但他知道，大哥說的話不會錯。
當先接過藥粉，洗去了臉上的易容藥物。立時，還他一個面如冠玉的俊美少年。少林寺中三個月伐毛洗髓，使他整個的脫胎換骨，臉上有一種飛揚的神采。
黑衣老人的目光，突然投注在俞秀凡身上，瞧了一陣，緩緩說道：「這娃兒是什麼人？」
艾九靈道：「是我兄弟。」
黑衣老人道：「你幾時有這麼一個兄弟，我怎麼從未聽過？」
艾九靈道：「你找了這處十里傷心坡，利用天然形勢，再仗憑你一身所學，布置了這樣一處狹小的天地，把自己關起來，與世隔絕。你關心過什麼人，別說我只有一個兄弟，就算有十個八個，也不會告訴你了。」
黑衣老人冷哼一聲，卻未接言。
艾九靈道：「你空有一身武功，但埋沒於毒花毒草之中。」
黑衣老人突然縱聲大笑起來，聲如龍吟，直沖雲霄，良久之後，才停住笑聲，緩緩說道：

「你可知道我為什麼不在江湖上走動麼？」
艾九靈搖搖頭，道：「不知道。」
黑衣老人道：「因為你。」
艾九靈道：「因為我？」
黑衣老人道：「我武功不如你，在江湖走動，也難得第一之稱，那就不如藏起來了。」
艾九靈道：「好啊！原來你和我嘔了幾十年氣，今日我才知道。」語聲頓了一頓，接道：「可是你醫道世無其匹，但你又救了幾條人命，造就了幾個人才？」
黑衣老人冷冷說道：「我不知他們幾時會死，又瞧不到他們是否有救，如何能救他們？」
艾九靈道：「你躲在這傷心廬，如何能見到有病的人？」
黑衣老人道：「我醫道雖精，但靈藥難求，我救活十人，難免有一次失手，那豈不是把一世英名盡付於流水麼？」
淡淡一笑，接道：「有成功，就有失敗，就像有死亡，才有新生一樣。」
艾九靈緩緩地道：「你躲在這裏半輩子，可有什麼快樂？」
黑衣老人道：「但至少我沒有遺恨、憾事。」
艾九靈嘆道：「世人如都和你的想法一樣，那還成什麼世界？」
黑衣老人忽然嘆了口氣，道：「你是唯一能來這裏探望我的朋友，咱們不談這些了，裏面坐吧！」轉身向前行去。
艾九靈一面隨在黑衣老人的身後而行，一面說道：「兄弟，小心一些，他這花花草草上都有奇毒，別伸手觸摸。」

俞秀凡道：「多謝大哥指教。」

由花草環繞的一條小徑，行入了一座茅舍。

茅舍的布置很簡單，但卻打掃得很乾淨。

黑衣老人輕輕咳了一聲，道：「入門一尺，任何物品，都沒有毒，你們隨便坐吧！」

轉身行入內室，提了一個葫蘆，拿了三個瓷杯出來，拔開木塞，倒出三杯碧綠色的水來。

艾九靈端起瓷杯，聞了聞，道：「好大方啊！」

黑衣老人笑了一笑，道：「一個人小氣了幾十年，總也該大方一次啊！」

雙目盯注在艾九靈的臉上，瞧了一陣，道：「你身體怎麼樣？」

艾九靈怔了一怔，道：「很好啊！」

黑衣老人道：「哼！幸好你來了一次傷心廬，如果你晚來一年，我就要失去你這唯一的朋友了。」

艾九靈道：「爲什麼？」

黑衣老人道：「認爲你內功已到了爐火純青的境界，可以把所有侵入體內之毒，都逼出來，是麼？」

艾九靈心中已然明白，道：「難道有幾種奇毒逼不出來？」

黑衣老人道：「不錯，你的混合之毒。那配毒人很高明，所以，能使你毒存內腑，留作後患。一旦再發，那就無藥可醫。可惜他不夠高明，少配了幾種藥物，使你留下命來。」

艾九靈點點頭，道：「原來如此，難怪他們到處找我了。」

黑衣老人道：「因為，那配毒之人相信你是非死不可。」

艾九靈道：「他們找不到我的屍體，所以一直放不下心。」

黑衣老人笑道：「喝下那杯萬應百花露，你將使他們很失望。」

艾九靈道：「因為我不會死了。」舉杯一飲而盡。

黑衣老人笑了一笑，道：「所以，我又得在傷心廬住下去了。」

艾九靈放下空杯，道：「這麼說來，我似是不應該喝下你這杯萬應百花露了。」

黑衣老人道：「可惜的是你已經喝下去了。」

只聽艾九靈嘆口氣，道：「花兄，咱們相交了幾十年，兄弟還不知道你是因我在世，才立志隱居不出，其實，你那一身武功成就，決不在兄弟之下。」

黑衣老人一笑，接道：「這個，我心裏有數，咱們不用再爭論此事了。我數十年枯井不波，也很難使我興起重出江湖的念頭。」

目光轉注俞秀凡的臉上，接道：「你帶他來，用心何在？直接了當的說出來吧！」

艾九靈道：「好！這位俞兄弟對我有救命之恩，而且，他具有習劍的德操，可惜的是，我們相逢恨晚，無法使他在童年奠基。」

黑衣老人接道：「但我看你這位俞兄弟，似是已具有了很深厚的功力。」

艾九靈道：

「花兄，好眼光。不過，這都是借人的功力。我以一座金佛，強使少林掌門，動員數位長老，為他伐毛洗髓，助長了他數十年功力。但目下時機危殆，江湖上醞釀大變，說不得只好借你的回春妙手，絕世醫道，助他一臂之力，早登大乘。」

黑衣老人點點頭，道：「好吧！三個月後，你來接他。」

艾九靈一抱拳，道：「花兄，情重不言謝，小弟告別了。」

黑衣老人伸手取出兩個玉瓶，道：「一瓶保命丹，一瓶拔毒生肌散，你帶著，以備不時之需。」

艾九靈笑了一笑，道：「花兄，謝謝你了。咱們交了幾十年的朋友，你好像是從來沒有這麼關心過我。」

黑衣老人神情肅然地說道：

「因爲，這些年來從來沒有人敢對你下毒手。目下的情況，似是有些不對了，有人敢對你下手，那可能是人家早有了完全的準備，我就不能不關心你了。」

艾九靈站起身子，道：「花兄，你費心了，三個月後，我來接他。」

四　脫胎換骨

黑衣老人點點頭，回顧了俞秀凡一眼，道：「你坐著，我未回來之前，最好別出這茅舍一步。」

俞秀凡一欠身，道：「晚輩遵命。」

黑衣老人和艾九靈先後離開，俞秀凡望著艾九靈的背影，說不出是一份什麼樣的感情。

天漸漸地黑了下來，還不見那黑衣老人轉回茅舍，俞秀凡心中大感奇怪，暗暗忖道：這不過數十丈的距離，怎麼一去如此之久，難道他送艾大哥出了斷魂河不成？

忽然感覺到腹中有些饑餓，順手取過瓷杯，一口喝下。但覺清香可口，入腹之後，立刻化成了陣陣熱氣，由丹田直冒起來。饑餓之感，頓然消失。

自那黑衣老人和艾九靈離開之後，俞秀凡一直坐在竹椅上等，從未離開過一步。

這地方人跡罕至，除了那流水聲外，再也聽不到第二種聲音了。

俞秀凡突然覺著有些內急，室內又一片黑暗，只好舉步向室外行去。

他知道這地方除了那黑衣老人外，再無他人，想到屋外草叢之中，方便一下，強過在室內到處摸索，找尋方便之處了。

抬頭看去，但見繁星滿天，茅舍右面，有一片過膝的青草。

俞秀凡記得那老人說的話，不可輕易離開茅舍，也記得艾九靈說的話，這地方的一草一木，都可能含有奇毒。因此俞秀凡不敢行入草叢去，小心翼翼地在叢草旁邊，準備方便一下。

忽然間，耳際響起了一個童子的聲音，道：「放了我吧！放了我吧！」

深夜絕境，又明知無人，忽然間聽到了一個童子的聲音，俞秀凡雖然膽大，也嚇出了一身汗來。

凝目望去，只見一叢深草旁側，竹片編了一個形似籮筐之物，罩住了一個小人。

俞秀凡道：「唉！你怎會到此，又被主人關在竹罩之下，可惜的是，我不是主人，不便作主放你，等主人返回之後，我替你美言幾句就是。」

那青袍小人眼看所求難成，忽然哭了起來，聲音唧唧，有如初生的嬰兒輕啼。

俞秀凡忽生不忍之感，說道：「我放你出來，但你不許離開，俟主人回來之後，再作道理。」

青袍小人似乎是有些通達人言，但又並非全通，搖一下頭，立刻又點點頭。

俞秀凡一念仁慈，伸手取拔開竹籮，正待伸手去抱那青袍小人，突見那小人身子一閃，鑽入了草地不見。

俞秀凡想不到那青袍小人，動作竟如此迅快，一手抓空，不禁一呆。

凝目望去，只見竹籮罩著的地上，生著一株如人掌、高約尺半的草。雖是夜晚之間，但因距離很近，所以俞秀凡看得很清楚。

只見張開的枝葉，緩緩向下垂去，似有立刻萎枯的現象。

俞秀凡愣在了當地，茫然不知所措。他究是讀過萬卷書的人，驚慌的神智，逐漸恢復之後，腦際突然閃過了一道靈光，暗道：這莫非就是書上記述的成形仙芝麼？

心念及此，頓覺著冷汗淋漓，忖道：成形仙芝，是何等名貴，十里傷心坡土質並無特異之處，而且斷魂河水源充足，爲什麼只生莠草，不長嘉禾，難道這地上的靈氣，全爲這株仙芝吸收去了麼？而且，已成形仙芝，是何等珍貴之物，我這樣放它遁形而去，此地的主人，如何肯放得過我，以他的冷僻性格，豈不要把我碎屍萬段？

一陣自怨自傷，頓感六神無主，望著那萎枯的靈草出神。

不知道過去多少時間，突然一陣很慈和的聲音，傳了過來，道：「娃兒，你在想什麼？」

要來的終於來了。俞秀凡暗裏舉手拭一下頭上的冷汗，緩緩轉過身子，一撩長衫，拜伏於地。

問話的正是傷心廬主人花老丈。

花老丈一皺眉頭，道：「快些起來，有話好說，你是艾九靈的兄弟，他卻是老夫唯一的朋友，我已答應了他成全你。」

俞秀凡更覺慚愧，悍然說道：「晚輩要領受前輩的責罰。」

花老丈「嗯」了一聲，道：「爲什麼？」口中問話，目光已瞧到那被拔開的竹籬、萎縮的芝之草，立時臉色大變。

俞秀凡道：「晚輩不該擅離茅舍，見竹籬下罩著一個小人，爲他哭聲所動，拔起了竹籬。」

花老丈冷冷接道：「老夫再三交代，不許離開茅舍一步，你爲什麼要出來？」

俞秀凡道：「晚輩內急，天色太暗，晚輩又不便在房內摸索。」

花老丈長長嘆息一聲，道：「想不到啊！就爲這一點小事，誤了大局。」

俞秀凡長長吁一口氣，道：「晚輩事後警覺，已然造成大錯。」

花老丈道：「你可知道那是什麼？」

俞秀凡道：「成形仙芝。」

花老丈奇道：「你怎麼知曉？」

俞秀凡道：「晚輩讀書頗雜，旁及星卜奇數、本草醫道。」

花老丈「哦」了一聲，道：「你既然知道了，爲什麼還放了他？」

俞秀凡道：「讀萬卷書，不如行萬里路，書中記述，跡似神異，晚輩怎能事先想到？」

花老丈嗤的冷笑一聲，道：「怎麼，你可是不相信麼？」

俞秀凡道：「晚輩相信時大錯已鑄。」

花老丈接道：「你起來吧，咱們到房裏談吧！」

俞秀凡心中暗道：是福不是禍，是禍躲不過！緩緩站起了身子，行入茅舍。

花老丈幌了火摺子，點起了燈火，立刻間全室通明。

花老丈指指竹椅，道：「你坐下！」

俞秀凡依言坐了下去，垂首說道：「老丈如何處置晚輩，晚輩一切從命。」

花老丈道：「你可知道那成形仙芝對老夫有多大用處麼？」

俞秀凡道：「晚輩不知道。」

花老丈道：「那可以使一個人長生不老，成爲金剛不壞之身。」

俞秀凡「啊」了一聲，道：「成神仙？」

花老丈道：「不成神仙，大概也差不多了。」

俞秀凡道：「這麼說來，晚輩耽誤了老前輩的仙道了。」

花老丈道：「正是如此。」

俞秀凡道：「晚輩罪該萬死！」

花老丈道：「萬死也不足贖你之罪。」

俞秀凡苦笑一下，道：「事已如此，誤了老前輩的仙業，不論你如何處置晚輩，晚輩是死而無憾。」

花老丈怒道：「殺了你於事何補？」

俞秀凡大感惶悚，道：「老前輩，晚輩是一念仁慈，想不到闖下了這樣的大禍，老前輩心中積忿難消，但請發洩在晚輩身上就是。」

起身離座，緩步行到那花老丈的身前，屈膝跪倒於地，一閉雙目，大有從容領罰的氣概。

花老丈突然長嘆一口氣，道：「娃兒，你起來吧！這是天意，老夫一半為了不願沾染世間的污濁，避世獨居；一半為了這枚仙芝，隱居於此。仙道之說，向無憑證，武當派開山祖師張三丰，曾獲以身求證仙道之說，不幸以身殉道。臨去之際，奮起大力金剛指，在求仙岩下，留下了『仙道無憑』四個字。」

這時，他已伸手拉起俞秀凡，臉上是一片神馳仙道的奇異神情。

緩緩接道：「老夫別走蹊徑，希望藉藥物之力，求證仙道，但數十年苦心求證之後，才發覺不論何等靈丹妙藥，至多只能達到延年益壽的境界，卻無法上達仙道之境。但是，正值老夫心灰意懶之際，遇上了這千年成形仙芝……」

俞秀凡忍不住接道：「老前輩，食用了那枚仙芝之後，真的能白日飛升，成為仙人麼？」

花神醫笑了一笑，道：「這個，老夫也難斷言。」

語聲一頓，接道：「孩子，咱們不談仙芝的事了，談談你的事吧。」

俞秀凡道：「晚輩有什麼可談的呢？」

花神醫道：「我答應了艾九靈，要憑我醫術、靈丹，使你更上層樓，助你早日習成劍道。」

俞秀凡道：「晚輩慚愧得很，放了你的仙芝……」

花神醫道：「我說過，咱們不談這個了。老夫精研數十年醫道，除了為艾九靈醫過一次病外，從未對人施展過醫術，如是我這一生不再用它一次，也實在有負這一身所學了。所以，老夫決心在你身上，求證一下我醫道上的成就，造成人所不能的奇蹟，我花無果就算不能成仙證道，至少不讓華佗、扁鵲醫術專美於前。」

俞秀凡心中暗道：這老人要在我身上求證他醫術上的成就，不知要如何擺布我了！

但聞花無果接道：「你留在此的時間不多，老夫的進度也不得不十分嚴緊了。由明天開始，你開始食用我配製的藥物，每日三次，同時，由老夫每日對你施針一次。」

俞秀凡奇道：「晚輩每天吃藥、挨針就行了？」

花無果道：「哪有如此簡單的事。」

撫髯沉吟了一陣，又道：「老夫每天要你擺一種姿態，你要全神貫注，不能妄自改變。」

俞秀凡心中負咎萬分，也不多問，欠身說道：「晚輩一切遵命，老前輩怎麼吩咐，晚輩就盡力而為。」

花無果帶著俞秀凡行入右側一間房中，室內床褥俱全，還有一張木桌，兩隻竹椅。

這是一段很艱苦的日子，俞秀凡每日按時服藥，有湯、有丸。

有些藥物入口清香，但有些藥物卻苦澀無比，難以入口，但俞秀凡總是強自灌了下去。

金針刺穴，有時全無痛苦，有時一針下去，全身筋脈收縮，身受之苦，有如裂肌割膚一般，這些痛苦，俞秀凡都咬牙忍受了下去。

最難忍受的是，那花無果擺布姿勢，有時要一撐幾個時辰之久，常常使俞秀凡有筋瘆骨痛，難再支撐的感覺。

就這樣，過了三個月，大部分的日子，是在苦澀、疼痛中過去。

每日迎接這等艱苦的日了，使俞秀凡忘了自我，也忘了時間。

每日咬牙苦撐，每日充滿著辛酸，這刻板的緊張、折磨，使得俞秀凡連想想他事的時間也是沒有。度過了一個疲勞的夜晚，準備去迎接另一個痛苦的明天。

這日，午時過後，俞秀凡施針剛過，人從床上坐起，準備接受花無果再一次痛苦的擺布，卻突然聽到艾九靈的聲音，傳了進來，道：「我進去瞧瞧，立刻就出來如何？」

花無果冷漠地道：「不行！你早來了一天，此刻不能和他見面。」

俞秀凡很想衝出去，訴說一下這三個月的苦痛日子。但他強自忍下了內心中強烈的衝動。

只聽艾九靈道：「花兄醫道通神，我那俞兄弟在這三個月，定然獲益匪淺了。」

花無果道：「這是以後的事，你明天再來接他離開此地，此刻請立即退出我這傷心廬去。」

艾九靈道：「花兄，你這地方只有一處茅舍，兄弟退出，豈不是連處遮風避雨的地方也沒有麼？」

花無果道：「你那一身本領，風雨豈奈你何，你隨便找個地方坐一夜吧！」

俞秀凡心中暗道：這老人真是冷酷、固執，幾十年的老朋友了，只因爲早來了一天，就不准他進入茅舍，要在那荒野坐上一夜。

忖思之間，花無果滿臉嚴肅地行了進來。

俞秀凡一欠身道：「老前輩。」

花無果道：「行程百里半九十，這最後一日，也最爲重要，你要多多忍耐才是。」

俞秀凡道：「老前輩說得是，晚輩全力以赴。」

花無果冷冷地道：「躺下。」

只見花無果雙手各執四枚金針，沉聲道：「孩子，大聲叫。」

俞秀凡搖搖頭，道：「不要緊，老前輩只管下針，晚輩還忍得住。」

花無果道：「我要你大聲吼叫！」

俞秀凡怔了一怔，只好大吼一聲。

就在他吼聲出口之際，突然全身大穴處一麻，人就暈了過去。

俞秀凡醒來時，已是又一個夜盡天明，滿窗陽光的新日。

木榻前站的不是花無果，而是滿臉驚異的艾九靈。

俞秀凡挺身坐了起來，道：「大哥！」

艾九靈笑了一笑，道：「你醒過來了。」

俞秀凡道：「醒過來了。」
目光四顧一陣，道：「花老前輩呢？」
艾九靈道：「他走了。」
俞秀凡一下跳下了木榻，道：「大哥幾時來的？」
艾九靈道：「昨天。」
俞秀凡道：「這傷心廬只有一條出路，大哥就沒有瞧到他離開麼？」
艾九靈道：「唉！兄弟，這傷心廬四周的毒花毒草，可以難住別人，但如何能擋住花無果呢。」
語聲微微一頓，接道：「兄弟，他爲人孤僻，行事爲人，莫可預測，咱們不用爲他擔心了。」
俞秀凡嘆口氣，道：「也許是我得罪了他。」
艾九靈道：「你怎麼得罪他呢？」
俞秀凡道：「我放走了他的仙芝。」
艾九靈道：「什麼仙芝？」
俞秀凡輕輕嘆息一聲，把放走仙芝的事，很仔細地講了一遍。
艾九靈皺皺眉頭，懷疑地說道：「世間真有這等千年神物？」
俞秀凡道：「我誤了他的仙業，但他看在大哥的份上，不好意思殺我洩憤，所以，他含恨而去了。」
艾九靈微微一笑，道：「兄弟，就算那千年仙芝未被你放走，也無法使花無果身登仙界，別爲這件事情抱歉。」

語聲頓了一頓，接道：「花無果除了武功上遜我一籌之外，才慧卻在我之上，醫道上的成就，更是舉世無匹。只可惜他好勝之心太強了，爲了我，不願在江湖上走動，他留下一封信而去，留書上只寫了一句話。」

俞秀凡道：「寫了什麼？」

艾九靈道：「『幸未辱命』，不知這三個月時光，他傳授你些什麼武功？」

俞秀凡搖搖頭，笑道：「這三月時光，小弟除了吃藥，就是挨針，還有麼就是擺出很多不同的姿勢，一站幾個時辰，動也不能動一下，每次都累得小弟筋疲力盡。」

艾九靈沉吟了一陣，道：「兄弟，你可記得那些擺出的姿勢麼？」

俞秀凡道：「每一個姿勢，都累了我一身大汗，自然是記憶都很深刻了。」

艾九靈道：「可不可以練習一次給小兄瞧瞧？」

俞秀凡長長吁一口氣，道：「大哥，很累，一共有四十五式，小弟記得每一式做了兩次。」

艾九靈接道：「不錯，你這裏從頭到尾，共有九十二天，頭尾不算，剛好九十天，四十五式，每天一式，剛好做了兩遍。」

俞秀凡伸展一下雙臂，一口氣擺出了四十五種姿勢來。

艾九靈看過幾式之後，神情顯得十分凝重，看完之後，沉思不語。

俞秀凡拭拭頭上的汗水，道：「大哥，這些姿勢有用麼？」

艾九靈道：「很好，很好，咱們上路吧！」

俞秀凡心中暗道：大約花無果是爲了折磨我，才想出花樣多的奇怪姿勢，艾大哥是他的朋友，自是不便批評了。

隨在艾九靈身後行去。

艾九靈拉起俞秀凡躍上小舟，道：「花無果走了，咱們只有順流而下了。」

放鬆了絞把，小舟順流而下。穿過了一個山洞，斷魂河恢復了旋轉激流。

但那鐵索有一定的長度，離開山洞四丈左右處，鐵索已盡，小舟停下。

艾九靈一提氣，拉起俞秀凡一躍登岸。

繞過了一個滿生棘叢的上坡，到了一處三岔路口。

艾九靈從懷中摸出了兩副人皮面具，笑道：「兄弟，江湖上的情勢，變化很大，少林、武當，都已經有了警覺，也許兩派已經有所行動，但表面上還得保持著適當的平靜。」

俞秀凡接道：「還在找你的下落麼？」

艾九靈道：「是，他們找不到大哥的屍體，心中絕不甘心。」

俞秀凡道：「大哥，小弟記得一句話說：『善戰者無赫赫之功』，防微杜漸，爲之上策，以大哥在武林的聲譽，只要登高一呼，江湖上各道俠士，自會振奮而起，直搗魔巢，掃穴犁庭，爲什麼遲遲不敢動手？如等敵勢形成，造成劫難，大哥再行出手，豈不是太晚了一些？」

艾九靈道：「只怕比兄弟說的還嚴重一些，唉！這幾個月來，我日夜奔走，足跡遍四省，行程逾萬里，但我一直找不到他們的主腦，找不出他們的巢穴。」

俞秀凡道：「大哥雖武功高強，但你一個人，難免是力所難及，何不找幾個武林同道幫幫忙呢？」

艾九靈笑了一笑，道：「我每拜訪一位故交，離開時必遭暗襲，我又中了兩次毒，如非花無果給我一瓶解毒靈丹，只怕爲兄屍骨早寒了。」

艾九靈淡淡一笑，接著說道：「兄弟，以後要看你了。」

俞秀凡奇道：「我！我還要多長時間，才能幫助大哥你？」

艾九靈笑道：「快了。我原想至少要三年時光，但少林高僧薪火相傳，花無果靈藥助成，可能會提前一些時間了。」

俞秀凡大覺驚奇地道：「大哥，我還沒有開始學武啊！」

艾九靈道：「就要開始了，我先傳你拳腳上的工夫。」

俞秀凡道：「大哥一身所學，深博廣遠，小弟學個三、五年，也未必能及大哥十之一、二。」

艾九靈道：「我只是傳你十招掌法、三招擒拿，加起來，雖只有一十三招，但卻是大哥畢生所學的精華，我想有一月的工夫，你就可以學會了。」

俞秀凡道：「大哥，咱們應該找一個清靜的地方，小弟安下心來學大哥的武功。」

艾九靈搖搖頭，道：「不用了，咱們還要去找一個人。」

俞秀凡道：「還要找什麼人？」

艾九靈笑了一笑，道：「那個人很奇怪，學了一輩子的劍，但卻從來沒有打過一次勝仗。不過，他拔劍的手法，和出劍的姿勢，確是江湖上人人承認，是天下最正確的姿勢。」

俞秀凡道：「那人現在何處？」

艾九靈道：「聽說，他一個人隱居在衡山的廻雁峰下，咱們現在就去找他。」
俞秀凡道：「大哥，你要他傳我武功？」
艾九靈道：「是的。要他傳給你拔劍的手法。至於大哥傳你的武功，你就在篷車上學吧！咱們由這裏到衡山，這段行程，不緊不慢的走著，大概到了衡山，你也可以學會了。」
俞秀凡道：「大哥，那人如拔劍手法第一，怎會老是打敗仗呢？」
艾九靈道：「這就是微妙的關鍵了。所以，你要去學，找出那原因何在？」
俞秀凡吃了一驚，道：「大哥，小弟全無武功基礎，如何能夠找出他出劍的錯誤呢？」
艾九靈道：「他沒有錯，只是有那麼一點技巧不對而已。」
俞秀凡接道：「大哥沒有研究過他出劍的錯誤何在麼？」
艾九靈道：「大哥研究不出來，也沒有研究的才智，但大哥卻感覺到他的手法最好。因爲，大哥看過了很多的拔劍手法，都有很多的缺點。」
儘管俞秀凡心中疑竇重重，但卻是忍下來不再多問。
兩人雇了一輛馬車，奔向衡山廻雁峰。在車上，艾九靈開始傳授俞秀凡掌法和擒拿術。他講得十分詳盡，而且，一面講，一面要俞秀凡練習。
俞秀凡人本聰明，又全心全意地去學。很快地領悟了十招掌法和那三招擒拿的變化。但車中太狹，俞秀凡無法施展手腳，只能作勢比劃而已。
初習拳掌，俞秀凡有著很新奇的感覺，內心中也有著一股強烈的行動，希望能停下車來，找一片空曠的地方，好好練習幾遍。
他忍了又忍，到最後還是忍耐不住，低聲說道：「大哥，要不要停下車來，小弟練習幾遍，讓大哥從旁指點。」

艾九靈搖搖頭，接道：「兄弟，來日方長，廻雁峰荒山空曠，地域遼闊，有得你練習的時間。現在，你不用練，只要好好用心去想。」

俞秀凡忽然間有一種慚愧的感受，只覺有負艾九靈的用心，不禁惶悚汗下。

於是，他開始思索那十招掌法和那三招擒拿的手法。初想之時，但覺一片茫然，不知從何想起。思焉良久之後，才理出一點頭緒。

俞秀凡學習這些掌法和擒拿法時，並不覺到有什麼妙用，但理出一條思路之後，如江河浪湧，怒潮澎湃，只覺那一掌一招之間，妙用萬端，只一招就夠人受用無窮。

就這樣，俞秀凡全神集中在探索那十招掌法，和三招擒拿之上，他全神貫注陷入了神迷、癲狂之境，除了艾九靈招呼他吃飯之外，整個人融化於掌法擒拿的變化之中。

這日中午時分，進了山區，車馬已無法再行。

艾九靈遣走了篷車，笑道：「兄弟，你想了這些時間，可有什麼心得？」

俞秀凡道：「大哥，小弟想了幾天啦？」

艾九靈道：「二十五、六天了。」

俞秀凡吃了一驚，道：「這樣久了，小弟感覺之中，好像只有兩、三天似的。」

艾九靈笑了一笑，道：「兄弟，你是習劍的材料，這些日子，小兄從旁觀察，你所領受的，又超過了小兄的期望甚多。」

俞秀凡嘆口氣，道：「大哥，小弟承你這般看重，只有盡我心力，不讓大哥失望。」

艾九靈拍拍俞秀凡的肩膀，道：「從現在開始，不要再想武功的事，咱們去找常敗劍客。」

俞秀凡收斂了一下心神，舉步行去。

艾九靈雖知道，常敗劍客住在廻雁峰下，但卻不知他住在何處。

兩人花了足足兩天的工夫，才找到那常敗劍客的住處。

那是山坳中，搭建的一座茅舍，引泉開地，種了幾畝青菜。門前大樹下，坐了一個龍鍾老人。

幽寂的深山，淡漠的老人，一個人躺在一張籐編成的躺椅上，微閉雙目，除非他的耳朵已聾，否則，應該已經聽到了兩人的腳步聲。

艾九靈停下腳步，雙目盯在那常敗劍客的身上，臉上是一片訝異的神色。

俞秀凡奇道：「大哥，有什麼不對麼？」

艾九靈道：「這不像是常敗劍客。」

龍鍾老人緩緩睜開雙目，回顧了兩人一眼，道：「兩位是找老夫麼？」

艾九靈一抱拳，道：「你是常敗老人何天兄麼？」

何天點點頭，道：「正是老夫，你是……」

艾九靈道：「兄弟艾九靈。」

何天忽然由躺椅上一躍而起，道：「金筆大俠艾九靈？」

艾九靈道：「正是區區。」

何天道：「你可是找我比劍？」

艾九靈笑道：「何兄已經收山了，兄弟是特來請教的。」

何天嘆口氣，道：「天下武林同道，都已把老夫忘懷了，艾大俠怎還記得老夫？」

艾九靈道：「世俗凡人怎知何兄的用心，你求千次失敗，費時三十年，才償了心願，一個人，一生失敗千次，這是何等博大的胸懷，何等豐富的經驗，千古以來，有千次失敗紀錄的人，恐怕只有你何兄一人了。」

何天哈哈一笑，道：「前不見古人，但願後無來者才好。」

艾九靈道：「何兄，沒有人有你這等胸襟，何兄不但空前，且將絕後。」

何天道：「兩位請隨便坐吧！青天碧草，比起華堂錦凳，別有風味。」

艾九靈席地坐下，肅容道：「何兄，在下有一事求教。」

何天道：「艾兄請說。」

艾九靈道：「何兄白髮童心，歲月不傷，怎的十年不見，何兄竟然……」

何天呵呵一笑，接道：「怎麼，我可是很老了？」

艾九靈笑了一笑，道：「是的，何兄。看起來，你老了很多。」

何天道：「老了，老了。自從老夫息隱於此，五年來，比起了過去的五十年，老得還要多些呢！」

艾九靈奇道：「何兄，這又爲什麼？這地方與世隔絕，不染一點凡塵之氣，藍天白雲，青樹碧草，蟬噪鳥鳴，山色深幽，盡滌心中俗念，又怎會使人蒼老呢？」

何天道：「老夫來此之前，只和人動手比劍，雖然敗了一千次，但卻從來沒有用心過。老夫隱居於此之後，才用心去想，爲什麼老夫和人比劍，總是失敗於別人的手中。」

艾九靈微微一笑，道：「何兄，想通了這中間的原因麼？」

何天微微一笑，道：「老夫已經想出了一百五十七個原因。」

艾九靈「啊」了一聲，道：「有那麼多的缺陷，焉有不敗之理！」

何天嚴肅地說：「也許還有更多缺陷，但老夫苦苦思索了五年，只找出這些缺點來。要是天下有人，能夠把這一百五十七個缺陷改正過來，雖然不能說已到了至善至美的境界，但他將是目下江湖出劍最快的人。」

試想拔劍一擊，只不過是一眨眼的工夫，如是這中間有一百五十七個缺點可以糾正，實在是一樁駭人聽聞的事了。

艾九靈笑了一笑，道：「何兄，你這千次失敗的經驗，五年苦思的校正，是否應該找一個傳人呢？」

艾九靈暗中示意了俞秀凡，笑道：「何兄，兄弟此番前來，就是想把我這位兄弟，引薦到常敗劍客何天哈哈一笑，道：「老夫有千次挫敗之辱，世人有誰肯拜老夫為師呢？」

你的門下。」

俞秀凡跪拜於地，道：「老前輩，如肯收錄，晚輩願意拜老前輩為師。」

何天一皺眉頭，道：「起來，起來！老夫還未答允收你入我門下，不用行禮。」

俞秀凡緩緩站起身，何天雙目在俞秀凡臉上瞧了又瞧，良久之後，才緩緩說道：「艾兄，你這位兄弟看起來，似是個可造之才。」

艾九靈道：「如是他差得太遠了，兄弟也不會把他薦入何兄的門下了。」

何天微微頷首，道：「艾兄不愧為當今第一奇俠，只可惜你來得晚了一些。」

艾九靈吃了一驚，道：「何兄此言何意？」

何天笑了一笑，道：「老夫大約已經不久人世了。唉！如是你再晚來幾月，也許就見不到老夫了。」

艾九靈道：「何兄，可是有病麼？」

何天搖搖頭，道：「不是，是老夫思索太用心了。」

艾九靈接道：「怎麼，一個人用點心思，難道會把人累成這個樣子麼？」

何天道：「老夫不是用一點心思，而是用全部心思。這些年來老夫苦苦思索，想這一千次的敗績，如何去改正這出劍的姿勢，耗費了老夫無限的心血。」

艾九靈道：「兄弟相信何兄耗費五年心血，肯定拔劍的手法是天下最好的手法了！」

何天道：「誇獎，誇獎。」

目光轉到俞秀凡的身上，道：「娃兒，你真的要拜我爲師麼？」

俞秀凡道：「是的，老前輩，晚輩是一片至誠。」

艾九靈沉聲道：「兄弟，何老已經答應了，還不快些拜師。」

俞秀凡屈膝跪下，對何天大拜三拜。

何天站著受了大禮，緩緩說道：「娃兒，今天咱們就開始，我知道自己也許只有一個月好活，或是更短一些。」

俞秀凡接道：「不會的，師父。徒兒會伺候你老人家。」

何天道：「唉！師父已感覺到內腑有所變化，說不定只能撐十天、八天，咱們要盡量的爭取時間。」

目光轉到艾九靈的身上，接道：「艾大俠，我不留你了。」

這無疑是下逐客令。

艾九靈一抱拳，道：「兄弟告別。」轉身大步而去。

何天目注艾九靈背影消失之後，臉色忽然轉變得十分嚴肅，道：「去，到房裏去拿劍出來。」

俞秀凡應了一聲，行入茅舍，捧劍而至。

何天道：「你把長劍，掛在各種不同的地方，做出各種不同的拔劍手法，給我看看。」

俞秀凡依言施為，把長劍掛在腰間、揹在背上，試行拔劍。

何天瞪著一雙眼睛，一直看了俞秀凡十幾種拔劍手法，然後，冷冷地說道：「一無是處。」

俞秀凡道：「弟子沒有正式練過武功，還請師父指教。」

何天取過長劍，道：「用劍首要之道，先求意正心誠，然後，全神貫注，劍隨意行。」

他一面解說，一面手握劍柄。

何天的雙目，已無神采，但手握到劍柄之後，雙目立時閃出了炯炯的神光。

這時，忽有兩隻蒼蠅飛了過來。

何天沉聲喝道：「娃兒仔細看了。」

俞秀凡此時已具有深厚的內功基礎，雙目凝神，當真是五尺內一塵之微，也看得清清楚楚。

但他仍未看清楚何天拔劍的動作，只覺眼前白光一閃，兩隻飛行的蒼蠅，突然間落了下來。每一隻蒼蠅，都是被攔腰斬作了兩段，分四截落在地上。

再看何天時，早已歸劍入鞘，眼中的神采盡失，臉上的皺紋，似是又多了幾條。

忽然，打了個踉蹌，向地上栽去。

俞秀凡吃了一驚，急急伸手，扶住了何天搖搖欲倒的身子，道：「師父你……」

何天喘口氣，道：「扶我到輪椅上去，孩子，我恐怕快不行了。」

俞秀凡吃了一驚，急道：「不會的，師父，你歇一會兒。」

何天苦笑一下，道：「孩子，我不能再做給你看了，只能給你解說。」

他自知隨時可能倒下去，所以，對俞秀凡督促得特別嚴厲。

何天支撐了半個月，向俞秀凡解說他如何想出並改正一百五十五個拔劍的缺點，還有兩個缺點未來得及告訴俞秀凡，突然氣絕而逝。

他死在大樹下那張躺椅上，是太陽偏西的時刻。

俞秀凡改正過第一百五十五個缺點之後，再回頭請教師父時，才發覺何天已氣絕而逝，放下了手中的寶劍，撲在師父的身上，放聲大哭起來。

師徒一場，只相處了十五天，絕大部分的時間，俞秀凡都在學習拔劍、出劍，師徒二人很少有時間談談別的事情。

對何天，俞秀凡了解的太少了。但那並沒有減低俞秀凡對何天的情意，抱著何天的屍體，只哭得哀痛欲絕。

不知過去了多少時間，突聞一聲長長的嘆息，道：「兄弟，不用哭了。」

俞秀凡拭過臉上的淚痕，回頭望去，只見艾九靈一臉肅穆，站在三尺左右處。

未待俞秀凡開口，艾九靈已搶先說道：「兄弟，千敗老人，心血早枯，所以能多活很久，是不願把自己苦思所得的拔劍之法，埋沒泉下。如今他心願已了，就算是花無果在此，也無法救他之命了。」

俞秀凡道：「他收我為徒，我竟未能盡一日孝道，他就閉目而逝，我為人弟子，豈不是憾恨極深麼？」

艾九靈正色說道：「兄弟，千敗劍客，風姿如清風明月，是一位不受世俗禮法所縛的人，你要熟記他傳授的拔劍之法，把他悟得的絕技，保存下去，那就是對他最大的孝道了。」

俞秀凡長長吁一口氣，止住哭聲，伐了一株大樹，挖材做棺，埋葬了何天的屍體。守墓三日，立了一個墓碑，上面刻下「千敗劍客何天之墓」，才和艾九靈離開衡山。

艾九靈道：「兄弟，你自覺武功怎樣了？」

俞秀凡呆了呆，道：「除了大哥傳我三招擒拿、十招掌法外，小弟沒有再學過武功啊！」

艾九靈笑道：「你師父傳你的拔劍之法，不是武功麼？」

俞秀凡道：「先師只傳我拔劍、出劍，卻未教我用劍變化，豈能算得武功？」

艾九靈道：「拔劍擊出，妙用已成，糾正了一百多個缺點，無疑是一百多招的精妙劍法。千敗劍客，早已把劍招精於出劍之中，個中的妙用，要兄弟你自己去體會了。」

俞秀凡道：「這個……這個……」

艾九靈接道：「兄弟，上乘劍道之學，講究劍隨意動，劍勢和心靈，合而為一，哪裏還有什麼招術變化，少林群僧，傳薪授功，花無果又幫你固本培元，把功力引為你用。老實說，你目前這一身成就，已抵得別人三、四十年的苦修了。千敗劍客，把千次失敗的經驗融匯貫通，習成了劍道手法，又傳之於你，以後你能有些什麼成就，那就靠你自己的智慧了。」

俞秀凡心知艾九靈的爲人，決不會故意地騙他，這番話必有他的道理。

但聞艾九靈道：「兄弟，咱們有兩日山路行程，這兩日，大概不會有什麼事故，我要把江湖的情勢，告訴你聽，你能夠領悟好多，那要看你的才智了，很多事形態類似，可以舉一反三，你已經深具了用劍的能力，又學會最好的用劍手法，實在用不著再求劍招上的變化。因爲，你拔劍擊出，應該再沒別人出手機會，當然這中間，還需要一些歷練，那又是只能意會、無法言傳的境界了。」

俞秀凡隱隱地感覺到艾九靈有什麼事要自己去辦，忍不住道：「大哥，可是要小弟去做一件事麼？」

艾九靈道：「你不用惶恐，小兄雖無法說出你有多大成就，但我感覺到你的成就很大，離開了山區，咱們就要分手。」

俞秀凡一驚，道：「怎麼，要小弟一個人在江湖上闖蕩？」

艾九靈道：「你害怕？」

俞秀凡道：「小弟不是怕，是覺得力所未及。」

艾九靈笑道：「你還記得王翔、王尙兩兄弟麼？」

俞秀凡道：「小弟記得。」

艾九靈道：「他們兩人，得我代向一位刀法大家求藝，兩個人又肯用功，這近十月的時光，他們受益很大。」

俞秀凡道：「大哥沒有指點他們幾招麼？」

艾九靈點頭道：「有，他們刀法上的成就很大，現在衡陽等你。你們會合之後，他們兩兄弟陪你在江湖走動。」

俞秀凡道：「大哥要小弟這樣行動，可有特別的用心麼？」

艾九靈道：「自然是有。」

緩緩說出了一番計劃後，又告訴俞秀凡不少江湖上的險詐之術和應付之法。

第三天，日升三竿，兩人行到一處山口所在。

艾九靈把一個包裹，交給了俞秀凡，道：「包裹有百兩碎銀，和二百兩金子，足夠你們三個人在江湖上大半年的用度了。千敗老人這把劍，雖然不是什麼名劍，但它是千錘百煉的精鋼製成，至少可當得鋒利二字。兄弟別忘了，這把劍有千次失敗之辱，它不能再有一千零一次的失敗。」

俞秀凡道：「大哥，我不敢保證什麼，但我將盡我之力。」

艾九靈指點了通往衡陽的去路，接道：「兄弟，多多保重，小兄告辭了。」一拱手，飄然而去。

俞秀凡驟然間，有一種失落的感覺，艾九靈早已走得不知去向，他仍然望著艾九靈去的方向出神。

第二天中午時光，趕到衡陽。遵照著艾九靈的吩咐，找到了一家南湘客棧。

這是一家兼營著酒飯的客棧，前面一連五間的大門面，經營酒飯生意，後面是一進四大的院子，做爲棧房。

俞秀凡行入客棧，正想到櫃上打聽一下王氏兄弟，不料一個滿臉紅光的年輕人，緩步行了過來，道：「你是俞師叔吧？」

俞秀凡轉臉望去，只見那說話之人，正是王翔，近一年不見，那王翔變得更爲健壯了。

他笑了一笑，道：「你一個人嗎？王尙兄弟何在？」

王翔恭敬地應道：「我們早替師叔訂好了一間跨院，晚輩和舍弟，輪流在此候駕。」

俞秀凡一皺眉頭，欲言又止，低聲道：「請王兄帶路。」

王翔轉身而行，引導俞秀凡進入了一座跨院。

王尙正在房中枯坐，目睹俞秀凡行了進來，立時迎了上去，屈膝下拜，道：「王尙拜見師叔。」

俞秀凡趕忙伸手扶住了王尙，接道：「兄弟，快起來。」

只聽俞秀凡道：「兩位請坐，在下有一事奉告。」

王翔、王尙依言坐了下去，齊聲說道：「師叔有何吩咐？」

俞秀凡一皺眉頭，道：「咱們年齡相若，兩位和我兄弟相稱就是，這師叔二字，用得大是不當了。」

王翔笑道：「你和艾老前輩是結盟兄弟，咱們叫叔，還是委屈了你，怎敢和你稱兄道弟。」

俞秀凡道：「你們和艾大哥如何敘輩份，兄弟不想多問，咱們三人，卻要以兄弟相稱才行。我和艾大哥是各交各的朋友。」

王翔道：「尊卑之分，豈可從略？」

俞秀凡道：「江湖上不受世俗禮法束縛，再說，我和艾大哥，也不過是口頭盟約，認不得真。兩位再稱我師叔，那是誠心不交我這個朋友了。」

王翔看他說得如此鄭重其事，只好說道：「咱們恭敬不如從命，也不用敘年言歲，咱們叫你大哥就是，這一點你不能再推辭。」

俞秀凡道：「長幼有序，怎可……」

王翔接道：「俞兄如再謙辭，那就近乎矯情了。」

想了一想，俞秀凡道：「好吧！就依王兄之意。」

王翔道：「俞兄以後叫咱們，只要叫一聲，老大、老二，或是大王、小王，有個區別就行了。」

俞秀凡道：「你們……兩位到這裏好久了？」

王翔道：「不足三日。」

俞秀凡道：「兩位可知道咱們要辦的事？」

王翔道：「受業恩師曾提過一次，詳細卻不知道。」

俞秀凡道：「有一股神秘力量，密謀在江湖上造成一次大劫難，但我大哥艾九靈不死，他們就不敢出頭露面，咱們要辦的事，就是要找到那一股神秘的力量。」

王翔道：「大哥是否已胸有成竹？」

俞秀凡道：「沒有。日下咱們就要研究一個法子才行。」

一直很少開口的王尚，說道：「但不知要多少時間完成？」

俞秀凡微微一笑，道：「這個倒是沒有一定的期限，不過是越快越好。」

王翔道：「咱們多設法和武林人物接近，再從中找出可疑人物。」

王尚道：「如何接近他們呢？」

俞秀凡微微一笑，道：「小兄倒有一策，但不知兩位賢弟是否同意？」

王翔道：「大哥明教。」

五　涉險江湖

俞秀凡道：「就小兄所知，那一股邪惡的神秘力量，決不是什麼好人，咱們多走一些妓院、賭場，也許會和他們碰頭，而且，還要設法鬧點事情，露出鋒芒，引起他們的注意，讓他們送上門來……不過，出污泥很難不染，這要很大的定力，大哥給了我三個人皮面具，必要時咱們可以易容改扮，但這種事，沒有成規可尋，完全要隨機應變才行。」

王翔道：「俞兄，這麼一提，小弟也有個主意了。你文文秀秀，我倆扮你僕從，在江湖上走動，既可避人耳目，又可在一起，豈不是兩全其美。」

俞秀凡道：「法子倒是不錯，只是太委屈兩位兄弟了。」

王翔道：「大哥不用客套，咱們這樣說定了，我去找個裁縫，做幾件衣服，再替大哥買上一匹駿馬，要扮裝，就扮個徹頭徹尾，免得被人懷疑。」

王尚道：「對！咱倆粗裏粗氣，做一隨從，縱然鬧出事情，大哥也好酌情處置，或是再顯顏色。」

這辦法實在不錯，俞秀凡一心想著早日完成大哥交付的事情，也就不再反對。

這一天暮色時分，長沙府出現了一個華麗衣著、身騎駿馬的英俊少年。

這少年很大的氣派，金鐙銀鞍，藍衫福履，帶著兩個健壯的僕從，和一頭馱著行李的健騾。

馬昂首而行，得得蹄聲，踏起了片片塵土。

長沙府正是華燈初上，夜市將開，行人眾多的時刻，那藍衫少年駿馬穿街而行，旁若無人。

馬行過一座客棧，一個店小二突然疾步奔在街心，一抱拳，道：「大少爺，咱們客棧裏房間寬敞，酒飯乾淨，招待親切，價錢公道。」

牽馬的是王氏兄弟的老二王尙，停下腳步，冷冷地打量了那店小二一眼，接道：「花錢多少，咱們公子爺不在乎，但你這客棧是不是長沙府最大的客棧？」

店小二聽口氣，送上門的財神爺，怎能失去，急急說道：「那不會錯，敝號在長沙府算是第一塊牌，你放心，請裏面坐吧。」

王尙回顧了馬上的俞秀凡微微頷首，遂輕輕咳了一聲，道：「伙計，咱們公子爺住下了。我們要獨門跨院，至少也要最好的上房。」

店小二疊聲應道：「有，有。小的帶路。」

俞秀凡下了馬，緊隨在店小二後面。

王尙卻接著說道：「小二，咱們公子爺的馬，一向吃的是煮熟的黃豆。」

店小二道：「敝號有。長沙府第一大棧店，如是沒有餵馬的黃豆，那還成話麼。」

說著，店小二接過馬韁，搬著行李，帶三人進了一座跨院。

店小二的話自然是有些誇張，不過這座跨院確實也不錯，兩明一暗正房，還有西、南兩處四間廂房，一座小院落種了不少花木，陣陣的花香撲鼻。
店小二燃起了兩支巨燭，正房裏一片通明，陪個笑臉，道：「公子爺可要吃點東西？」
王尚道：「住了店，哪有不吃東西的道理。」
店小二道：「喝點酒麼？」
王尚道：「那是當然。上好的狀元紅二斤，配八個下酒菜。」
店小二哈腰，道：「小的這就去給公子爺準備。」轉身向外行去。
王尚道：「回來。」
店小二一條腿已然跨出門外，聽到一聲回來，一收腿，又進了門，欠身說道：「你老還有吩咐？」
王尚道：「咱們公子爺有個脾氣，素來不喜歡獨自進食。」
店小二道：「小的給公子了找兩個唱曲的姑娘來陪陪。」
王尚道：「咱們公子眼界高，庸脂俗粉看不上，找來的姑娘不夠標緻，反惹得咱們公子吃不下飯。」
店小二心裏想道：可真難伺候啊！
口中卻道：「這個，要你管家指點了，小的是初度伺候公子，摸不到公子爺的脾氣。」
王尚笑了一笑，道：「嗯，你們前面大廳，不是賣酒飯的麼？」
店小二道：「是啊！但那裏人品太雜，猜拳吆喝的，怎麼能要公子爺在那裏進用酒飯。」
王尚道：「哎！這你就不知道了，咱們公子就是喜歡熱鬧，越吆喝厲害的地方，他才能提起興致，你把酒菜擺在大廳，咱們在大廳喝酒。」

目睹店小二去遠之後，俞秀凡忍不住微微一笑，道：「兄弟，你把我形容得很怪啊！你怎麼能想得出來？」

王尚道：「咱們既然是要惹事生非，自然是愈怪愈好。」

片刻之後，店小二急步行了過來，道：「公子爺，酒菜都給你預備好了，擺在大廳正間一桌上。」

王尚伸手摸出一塊二兩重的銀子，道：「伙計，賞給你，事情辦得不錯。」

店小二黑眼珠看到了白銀，連臉上那一股茫然之色，立刻一掃而空，堆上一臉諂笑，道：「謝謝公子賞賜。」

王尚是誠心招搖，順手抓起了俞秀凡放在旁側的寶劍。

三人一進大廳，果然引得滿廳酒客注目。店小二引著三人，行到正中的桌位上，替俞秀凡拉好椅子，才一哈腰退了下去。桌上已擺滿了酒菜，大廳也上了九成客人。

俞秀凡緩緩入座，王尚立時替俞秀凡斟滿了酒杯。

王尚和王翔在後旁邊一張方桌上坐下來，又叫店伙計，又點了幾樣酒菜。

這樣子一擺布，俞秀凡就顯得有些特別的扎眼。

滿廳酒客，擠滿了人，獨獨中間一張大桌上，只坐著一個人。

一桌佳肴，獨斟獨飲，確有點目空四海、鶴立雞群的氣派。

這時，正是晚餐時分，酒客紛紛擁來，很多人找不到一個座位，但那張可坐十個人的大圓桌，卻只坐了個藍衫方巾的年輕人。

那獨居一桌，滿席佳肴，身側放劍，從人佩刀的形勢，隱隱間造成了一股霸氣，使得很多沒有找到座位的人，腦筋都不敢動到那大圓桌上去。

用過一些酒菜之後，王尙提高了聲音，叫道：「店伙計。」

一個店伙計應聲行了過來，一欠身，道：「管家，有什麼吩咐？」

王尙笑了一笑，道：「咱們公子已吃過了飯，不知道長沙府有什麼好玩的地方？」

店小二道：「什麼樣的地方？」

王尙道：「好玩的地方：賭場、妓院；不過，賭場要賭得大，妓院要天香國色的名妓。」

店小二爲難地搖搖頭，道：「這個麼，小的就不太清楚了。」

突然間，一個人大步行了過來，直行到王尙的身前，道：「管家，貴公子可是想在長沙玩玩麼？」

王尙轉目望去，說話的只是一個孩子，一個年約十三、四歲的孩子，穿著一身土布衣服，就像在大街上到處打溜的小孩一樣。

王尙仔細打量過那童子之後，緩緩說道：「你是什麼人？」

蓬髮童子笑了一笑，道：「我能帶你們去很好的地方玩，那裏有長沙最大的豪賭，最美的女人。」

俞秀凡心中大感奇怪，暗道：這孩子如此年輕，怎會知曉這多事情？

於是動了很大的好奇之心，當下淡淡一笑，道：「如是真有這麼一個地方，咱們應該去見識一番才是。」

王尙望著那蓬髮童子道：「什麼時候動身？」

蓬髮童子道：「別慌，咱們先要談好價錢。」

王尚道：「你要好多錢？」

蓬髮童子伸出五個指頭，道：「這個數，你瞧怎麼樣？以你們公子這身價氣派，五十兩銀子，實在是夠便宜了。」

王尚道：「好吧！咱們會多付你點。」

伸手摸出一錠金元寶，掂了掂道：「這裏有十兩黃金，先付給你，如果那地方真正是好玩，咱們公子另外有賞。」

蓬髮童子接過金元寶，微微一笑，道：「多謝公子重賞。」

帶路去玩玩，有十兩黃金的重賞，折合白銀一百兩，實在是很驚人的手筆。只看得大廳所有的人，既羨慕、又驚愕。

蓬髮童子收好了黃金，微微一笑，道：「公子吃好飯了麼？」

俞秀凡點點頭，道：「吃好了。」

蓬髮童子道：「咱們可以上路了。」

王尚欠欠身，道：「請公子起駕。」

俞秀凡站起身子，大搖大擺地向前行去。

王尚伸手抓起長劍，緊隨在俞秀凡的身後。

王翔卻搶前一步，走在那蓬髮童子的身後。

蓬髮童子微微一笑，道：「咱們先到哪裏去玩？」

王尚道：「是你帶我們去玩的，爲什麼還要問我們呢？」

蓬髮童子笑道：「我是問問你們，先到有女人的地方去玩呢，還是先到賭場裏去玩？」

王尙對賭場、女人，全都沒有經驗，一時之間，愣在當地，不知如何回答。

俞秀凡對這方面的事情，亦是全無經驗，只好緩緩說道：「久聞湘女多情，咱們先去見識見識此地的女人再說。」

有了俞秀凡這麼一點，王尙的腦筋也活了起來，接道：「咱們公子的眼光很高，你帶咱們公子去的地方，一定要有些姿色才行。」

蓬髮童子微微一笑，道：「管家放心，如是我桃花童子，帶你們去的地方，不能使你們滿意，天下再沒有一個人，能使你們玩得開心了。」

俞秀凡心中一動，微笑說道：「你這名字很怪，為什麼叫桃花童子？」

桃花童子笑道：「因為我從小就流浪江湖，在花街柳巷長大，對於玩道，不但十分熟悉，而且人緣也好，很多富商巨賈、王孫公子，都喜歡和我在一起玩樂，每次，都有很重的賞賜，久而久之，他們都稱我桃花童子，反而把我的真姓名給忘了。」

俞秀凡心中微生警覺，暗道：這童子雖然帶一身流氣，但言談氣度，都不似平常人物，對此人，應該留心一些，多一些防範，免得著了他的道兒。

心中念轉，口中卻笑道：「難得你這點年紀，竟有這麼多經驗。」

桃花童子笑道：「天生一種米，養出百樣人。我桃花童子，生具了桃花命，一懂事就在女人群裏打滾，我見的女人太多了，自然，對她們心理、性格，了解的多一些。」

俞秀凡道：「你讀過書嗎？」

桃花童子道：「不讀不行啊！有些姑娘們喜歡吟詩作對，我總得應付她們才行，說不得只好讀點書了。」

俞秀凡探著道：「這麼說來，你還有點武功了？」

桃花童子道：「公子明察，這也得學一點。我這一行，雖然是不在三百六十行內，日子過得輕鬆，但偶爾也有很苦的時間，要應付各種不同的巨賈王孫，日夜歡娛，縱情酒色，沒有點武功基礎，身子也支持不住。」

俞秀凡道：「桃花童子，你只在長沙府這片地盤上混生活麼？」

桃花童子笑道：「自然不止這地。我到的地方很多，秦淮河畔的畫坊，西湖舟中的船孃，我是無不熟悉。到長沙也不過半年左右。」

俞秀凡聰慧過人，又務雜學，和這桃花童子談了一陣，心中已經有了點門路。笑了一笑，道：「你帶我們去的地方，可也是花街柳巷麼？」

桃花童子道：「她們不算是花街柳巷人，但也不能算是正正經經的良家婦女。但她們卻不會輕易接客，一般人，根本就沒有辦法和她們搭上線。」

語聲微微一頓，接道：「你公子爺是大玩家了，正正經經的女人，那就談不上玩字。小的先帶你去一家瞧瞧，如是你公子不滿意，咱們再想別的門路。」

幾人邊談邊走，已經穿過了幾條街巷，到了一條幽靜巷子裏。

這裏住的似乎都是有錢人家，高牆朱門、巨宅大院。

桃花童子行到左邊第三家前面，停了下來，登上七層石級，叩動門環。

片刻間，木門大開，一個老蒼頭行了出來，和桃花童子低談了數語。

老蒼頭轉身入內，桃花童子卻回頭對俞秀凡道：「公子請進吧！」

俞秀凡心有些跳，但表面上倒還能裝得若無其事，大步行入。

王翔、王尙，分隨身後。

穿過一座遍植花樹的庭院，才到正廳。庭中早已高燃四盞流蘇宮燈，照得滿室通明。

四個年輕秀美的少女，穿著一色的青緞了長裙短衫，迎上來把俞秀凡讓入上座，四婢輪流奉上香茗、熱巾、細點，和銀嘴金身的水菸袋。

俞秀凡接過茶，卻搖搖頭，推拒了水菸。原來他根本不會吸菸。

一番應酬過後，四婢退下，桃花童子才低聲對俞秀凡道：「公子請稍候片刻，玉姑娘在沐浴更衣。」

進了廳門之後，王翔、王尙就分左右站在俞秀凡的身後。

俞秀凡望望兩人，才笑對桃花童子道：「不要緊，咱們等她一會兒。」

四顧了一眼，俞秀凡又低聲接道：「這座宅院很大，定然有不少姑娘吧？」

桃花童子搖頭笑道：「這宅院裏，有八個丫環，四個老媼，兩個廚師，一個守門蒼頭，但主人麼，就是玉姑娘一個。」

俞秀凡道：「噢！很大氣派。」

兩人談話之間，忽聞玉珮叮咚，一個粉紅衫兒、粉紅裙的少女，蓮步細碎地行了過來。

不知是天生的嬌嬈，還是後天的嚴格訓練，走路時一步三擺，粉頰、朱唇、楊柳腰，有一股說不出的動人勁兒。

玉姑娘蓮步微停，一隻勾魂的秋波轉動，掃了大廳一眼，嫣然一笑，擺著柳腰兒行到了俞秀凡的身前。輕提紅羅裙，欠身一禮。

俞秀凡看到了一隻好小的腳，粉紅繡鞋兒，盈盈一握。這女人美得嬌艷、美得動人，全身散發著嬌媚氣息。是那樣動人情愫，是那樣撩人綺念。

俞秀凡呆了一呆，才起身抱拳，道：「不敢當，姑娘請坐。」

姑娘笑了一笑，緊傍著俞秀凡的身側坐下。儘管她風情萬種、儘管她媚態撩人、儘管她笑意蕩漾，但她似乎不願說話，由內室行入廳中，一直沒有說過一句話。

桃花童子欠身行了個禮，道：「玉姑娘，這位公子爺華衣駿馬，到了長沙，腰纏萬貫，身懷絕技，庸脂俗粉他看不上，所以我把他帶到了你這裏來了。」

玉姑娘點點頭，又揚起玉手兒輕輕一揮。

桃花童子微微一笑，道：「小的告退了。」悄然退出了大廳。到了廳門外，突然舉手對王氏兄弟一招。

王尚望了王翔一眼，低聲道：「你守著公子，我出去瞧瞧。」舉步行出大廳。

桃花童子皺了皺眉頭，道：「咳，你軋出了苗頭沒有？」

王尚怔了一怔，道：「什麼苗頭？」

桃花童子道：「你們公子似乎是很欣賞玉姑娘，玉姑娘可也似乎挺喜歡你們公子，這就叫才子佳人，兩人對了眼，你們兩個跟班的，攪混在大廳裏，算是哪一顆蔥啊？」

王尚道：「我們保護公子。」

桃花童子嗤的一笑，道：「管家，你們可是初離家門吧？」

王尚心中一驚，暗道：莫非被這小子瞧出什麼毛病來了？

只好應道：「不錯，咱們是初次陪公子出來散心。」

桃花童子笑道：「這就難怪了。」

王尚呆了一呆，不知如何回答。

桃花童子道：「招呼你那兄弟出來，我去找兩個丫頭，陪咱們到後面喝酒。」

王尚心中暗道：艾大俠肯放俞大哥出來，要他獨闖江湖，自然是已有了足可自保的武功，反正我們就在這宅院，也不會離開多遠。心中念轉，舉手對王翔一招。

王翔行出大廳，道：「幹什麼？」

桃花童子笑道：「玉姑娘陪你們公子論詩喝酒，你們哥倆只好找兩個丫頭湊合一下了。」

王尚生恐王翔拒絕，急急接道：「是啊！咱們不能留在廳中打擾公子。」

桃花童子道：「兩位請跟我來吧。」一面舉步而行。

再說玉姑娘目睹兩個管家去後，抬手理一理鬢邊插的王蘭花，緩緩說道：「公子請入內室，容賤妾治酒款客。」

俞秀凡心頭直跳，表面倒還算沉得住氣，笑了一笑，道：「在下的酒量不好。」

玉姑娘道：「那麼，咱們吃些點心。」

俞秀凡道：「在下腹中不餓。」

玉姑娘啊了一聲，道：「公子喜歡什麼呢？」

俞秀凡心中一動，暗道：這丫頭好大的口氣，待我刁難她一下。

星目轉顧了玉姑娘一眼，道：「在下性喜音律。」

玉姑娘嬌媚一笑，道：「好極啦！管、弦兩道，不知公子喜愛哪樣？」

俞秀凡愣住了，暗道：難道這丫頭真也能兼通管、弦兩道麼？

心中念轉，口中說道：「在下喜品洞簫。」

俞秀凡暗暗忖道：此女嬌媚絕倫，又似具滿腹才意，像這樣一位姑娘，怎會淪落入風塵呢？再說，像這等鬧中取靜的深宅大院，僕從眾多，每月必須要很大的開銷，這丫頭由哪裏弄來這麼多的銀兩呢？

他出身貧苦之家，深知金錢得來不易，一個年紀不到二十的女孩，能夠維持這樣龐大的開銷，這其間實有著很大的可疑之處。

心念一轉，頓時提高了警覺。

玉姑娘緩緩站起了嬌軀，道：「賤妾替公子帶路。」

也不待俞秀凡答話，起身向前行去。

俞秀凡緩緩站起身子，隨在玉姑娘身後行去。

繞過大廳後面的玉屏風，穿過一道木門，迴廊曲折，到了一座小廳門前。

這是一座布置雅致的小廳，紫綾幔壁，紅氈鋪地，廳中間擺了一張小圓桌，小圓桌兩側，擺了兩張鋪著紅緞墊的木椅。

玉姑娘欠欠身，把俞秀凡讓上客位，自己坐了主位奉陪。

另一個青衣女婢，端著一個銀盤兒，獻上香茗。

玉姑娘嬌媚地笑了一笑，道：「公子喜歡喝點什麼樣的酒？」

俞秀凡微微一笑，道：「隨便吧！」他根本不喝酒，要他決定喝些什麼酒，那是叫他作難了。

刁鑽的玉姑娘回顧了身側的女婢一眼，笑道：「準備竹葉青。」

女婢一欠身，退了下去。

玉姑娘轉眼間向另一個女婢道：「去取我的玉簫、琵琶。」

青衣女婢一欠身，回頭而去。

似乎是廚下面隨時準備著酒菜，女婢出去不過片刻，已然捧著個大木盤行了進來。四個精緻的涼菜，一壺二斤裝的竹葉青。

另一個女婢捧著玉簫、琵琶行了進來。

那送酒的女婢去而復返，送上了四個瓷碗扣著的熱炒。

玉姑娘揮揮手，道：「你們退下去吧！有事情我再叫你們。」

兩個女婢對著俞秀凡欠身一禮，轉身退下。

俞秀凡忽然間想到，這地方的高貴、豪華，如若不花點錢，還算什麼貴公子。

伸手摸出了兩片金葉子，道：「不成敬意，玉姑娘吩咐她們收下吧！」

那兩片金葉子每一片都重一兩左右，用來賞給兩個丫頭，應該算很大方了。

其實，俞秀凡出身貧寒，當年寒窗苦讀，從未見過黃金，如今一出手賞人兩片金葉子，實在心痛得很。

但玉姑娘望也未望兩片金葉子一眼，低聲喝道：「回來，謝過公子賞賜。」

兩個青衣女婢應聲回轉來，謝過賞賜，臉上無有欣欣笑容，但也無鄙視之色。那證明了這賞賜不夠大，但也不算人小氣。

兩個女婢退出雅致的小廳，玉姑娘才提起玉壺，斟滿了兩只酒杯，笑道：「公子，我敬你一杯。」一舉杯，竟喝個點滴不剩。

俞秀凡愣住了，看姑娘嬌弱不勝，竟然一口乾杯，男子漢大丈夫，怎能示弱，只好也一口喝乾。

閱人多矣的玉姑娘，眼睛裏揉不下一粒砂，雖然那俞秀凡表現得已夠鎮靜，但玉姑娘冷眼觀察下，仍然找出了很多破綻，所有的破綻，以那俞秀凡賞賜兩個女婢時的破綻最大。

玉姑娘暗自盤算一下，緩緩說道：「公子，賤妾有幾句話，不知是當不當講？」

俞秀凡不善飲酒，猛灌一杯竹葉青這等烈酒，只覺臉上直發燒。但幸好他戴著人皮面具，外面瞧不出來，暗自運氣壓制，口裏應道：「姑娘只管請說。」

玉姑娘道：「十年一覺揚州夢，贏得青樓薄倖名，公子腰纏萬貫，天涯訪美，可是只爲了一遣情懷麼？」

俞秀凡笑道：「周幽王寵褒姒，爲博一笑失江山，在下花點銀子，又算得什麼？」

談到詩書一道，俞秀凡自是大大的行家，隨手拈來皆文章。

玉姑娘微微一笑，道：「公子滿腹經綸，出口有章有典。」

俞秀凡道：「姑娘才氣縱橫，言來能歌能舞。」

笑了一笑，玉姑娘又替俞秀凡斟了一杯酒，道：「公子論人，看賤妾是否風塵女？」

俞秀凡哈哈一笑，道：「千金買笑，只見天姿國色，論什麼張王李趙。」

玉姑娘突然有著被傷害的感覺，黯然一嘆，道：「薄命、弱女、斷腸花，自不配和公子煮酒論英雄了。」

俞秀凡道：「古往今來，大丈夫誰不兒女情長，姑娘想得太多了。」

玉姑娘有些失措，面對著才氣不凡的俞秀凡，暗生出驚懍之心。忖道：桃花童子說他身負絕技，論才似乎學富五車，究竟是一個什麼人物呢？難道他文武並具，深藏不露！

心念轉了轉，舉杯說道：「公子文才豐茂，賤妾何幸識荊，來，咱們再乾一杯。」

俞秀凡緩緩舉起了酒杯，心中暗道：俞秀凡啊俞秀凡，你不能再喝了。

但見玉姑娘舉杯一飲而盡，怎能對一個女子示弱，只好暗裏咬牙，再乾一杯。

目睹俞秀凡舉杯的赼趄神情，玉姑娘心中一動，暗道：莫非他不善飲酒，倒得灌他一下。打定了壞主意，嬌聲說道：「公子才氣折人，賤妾敬佩萬分，千金買笑，豪情萬斛，由來才子必善酒，賤妾捨命陪君子，願為公子一醉，咱們先行各盡三杯。」

俞秀凡道：「使不得，在下酒量不好。」

玉姑娘的動作很快，說完兩句話的工夫，已然斟好了酒杯，道：「那是公子的謙虛話，如何能當真，賤妾先乾為敬。」

仰首一杯，立刻又自斟滿，就這樣乾了三個滿杯。

俞秀凡雖然不甘示弱，但他心中明白，喝下兩杯，已然全身發熱，這三杯下去，非得當場出醜不可。

這不是逞英雄的時候，隨手抓起洞簫，道：「姑娘好酒量，在下吹一曲為姑娘祝賀。」舉簫就唇，吹了起來，吹的是一曲《合家歡》。但聞簫聲散發出一片歡樂的音韻，有如身沐春風，令人舒暢。

昔年俞秀凡家道貧苦，一面讀書，一面為人放牛；那牧牛時唯一的快樂，就是身騎牛背，一簫就唇，吹出心中的歡樂或悲傷。

但他吹的簫，都是一般圓竹隨手做成，哪裏像玉姑娘這管洞簫，湘妃竹身，名匠精製，簫身有三道聚音金匝，音律極正。

俞秀凡別說吹了，見也沒有見過這樣好洞簫，這是大姑娘上轎頭一回，吹得十分有勁。

忽然間，簫聲一變，聲音高拔，響沖霄漢，餘音裊裊，散入雲際。

玉姑娘本來是心頭有氣，聽完了一曲《合家歡》，悶氣忽散，連連讚道：「好功夫。公子，賤妾姐妹中都是音律好手，但像公子這樣，確還未聞。」

俞秀凡道：「近年未品，生疏多了。」

忽然間，兩個人都發覺說露了嘴，不禁相視一笑，但卻都未抓對方的小辮子追問下去。

玉姑娘取過琵琶，扶正弦音，道：「公子，賤妾獻醜了。」

玉手撥弦，妙音應手而出。彈的是一曲《金榜樂》。

琵琶聲忽轉繁急，如高山流水般一洩而下，霍然靜止。

俞秀凡低聲道：「姑娘彈得一手好琵琶。」竟然自動端起了面前的酒杯，乾了下去。

玉姑娘眨動了一下圓圓的大眼睛，臉上是一股很奇異的神色，望望俞秀凡。

忽然低聲說道：「公子，我陪你一壺。」挽起酒壺，喝了起來。

這是英雄豪客，大塊肉、大口酒的吃法，一個千嬌百媚的大姑娘，這樣子嘴對嘴的喝酒，倒是少見，俞秀凡看得呆了，不知如何是好。

玉姑娘一口氣喝完了壺中的竹葉青，放下酒壺，手扶著桌沿兒，笑道：「公子，你可是有些害怕了？」

俞秀凡道：「怕什麼？」

玉姑娘道：「怕我這樣瘋瘋顛顛的樣子。」

俞秀凡微微一笑，道：「姑娘好酒量啊！」

玉姑娘不知是有點酒醉，還是有意賣俏，扭動一下腰兒，媚笑說道：「扶我上樓去。」

那樣小的一雙腳，又喝了那樣多的酒，想像中，實在也是站立不穩。

兩斤像竹葉青那樣的烈酒，一口氣灌了下去，就算是玉姑娘好酒量，也不禁臉泛紅潮，隱現醉意，緩緩伸出了玉臂。

這就使俞秀凡有些義不容辭，而且這地方也不宜太嚴肅，伸手扶住了玉姑娘。

不知玉姑娘是有意還是無心，玉指兒一鬆桌沿兒，全身倒在俞秀凡的身上。

玉姑娘輕啓櫻唇，吹出來一股濃濃的酒氣，道：「扶我上樓去。」

俞秀凡依言扶著玉姑娘登上了樓梯。二樓是姑娘的閨房，紫檀雕花大床，掛著白綾帳。

笑了一笑，玉姑娘柔聲說道：「扶我上床去，我真的有些醉了！」

俞秀凡道：「姑娘不該喝下那壺酒。」

斜眼兒一瞟俞秀凡，玉姑娘嬌聲說道：「知道嗎？一醉解千愁，我愁緒千種，爲何不醉？」

俞秀凡笑了一笑，道：「你有什麼好愁的，錦衣美食，老奴，侍婢，一個人愛怎麼樣就怎麼樣，難道還不快樂麼？」

玉姑娘道：「說得是嘛！人就是不知足，得隴望蜀。再說，我每天香湯沐浴，身著綾羅，還不是都爲了給別人看。」

俞秀凡道：「女爲悅己者容，古往今來，其理不變，有那樣多人喜歡你。」

嘆口氣，玉姑娘打斷俞秀凡的話，道：「女爲悅己者容，這句話坑苦了我們無數姐妹。不管他是什麼人，我們都得打扮給別人瞧得順眼，卻不管我們喜不喜歡那個人。武則天做了皇帝，卻不知救救我們女人。有一天，我如能號令天下，我要改了這句話。」

俞秀凡啊了一聲，接道：「怎麼樣一個改法？」

玉姑娘道：「女爲己悅者容。我們打扮自己，應該讓我們喜歡的人看，如是不喜歡那個男人，爲什麼穿得花枝招展，爲什麼要纏這一雙小腳？披頭散髮，大腳丫環，那又有何不可，反正我們不喜歡他。」

俞秀凡眨動了一下星目，道：「話雖說得有一些離經叛道，但想一想，你的話也不是全無道理。」

玉姑娘嫣然一笑，接道：「你究竟是江湖浪子，還是位花花公子？」

俞秀凡道：「姑娘的看法呢？」

這時，玉姑娘已行到木榻前面，身子一歪，躺在床上，卻抬手拍拍床沿，笑道：「坐下來，讓我告訴你我的看法。」

俞秀凡幼讀詩書，非禮勿動、非禮勿視的禮教關防，早已在心中深植，雖然扮做了腰纏萬貫、訪美天涯的風流人物，但一時間，卻很難適應這改扮的身分，要他和嬌嬈絕倫的美女，同處一榻，不禁有些猶豫起來。

玉姑娘可是久歷風塵的人，經過了不少的大風大浪，側臥嬌軀，格格一笑，伸出一個嫩葱似的手指兒，指著俞秀凡的鼻尖兒道：「你不是江湖浪子，因為，江湖浪子沒有你這份拘謹。」

俞秀凡心頭一震，一跨步緊傍玉姑娘的身側坐下，接道：「玉姑娘看在下可像豪富之家的花花公子？」

玉姑娘格格一笑，道：「你不是出身豪富之家的花花公子。因為，他們都是急色兒，沒有你這份鎮靜工夫。」

俞秀凡道：「那麼姑娘看在下，又是什麼樣的身分呢？」

他生恐身分為人瞧出，壯著膽伸出手，捏一下玉姑娘的小腳尖兒。

玉姑娘沒有閃避，兩隻水汪汪的大眼睛，卻盯在俞秀凡的臉上瞧著。

幸好一張人皮面具，掩住了俞秀凡臉上的羞紅，他故作輕鬆地笑了一笑，接道：「姑娘看在下可是位風流人物？」

整整容色，玉姑娘肅然道：「你不過是一個初出茅廬的精明小子，只是你的運氣太壞。」

玉姑娘接道：「說出來，你別吃驚，也別生氣。」

俞秀凡道：「在下相信還可以自持。」

玉姑娘道：「那很好，取下你臉上的人皮面具。」

俞秀凡哈哈一笑，道：「好精明的姑娘，你是怎麼瞧出來的，我相信，在人皮面具上面加上了藥物，那應該不會被人發覺才對，再說，我連脖裏也抹上了易容藥物。」

玉姑娘道：「你的化妝確實很好，實在令人很難瞧出來。」

俞秀凡道：「那你又怎麼瞧出來的？」

玉姑娘道：「你不尙風流偏風流，爲什麼要捏我一下腳尖兒？」
俞秀凡道：「那是因爲我想證明一下，我是位久歷情場的花花公子。」
玉姑娘道：「可惡，爲什麼不再戴一雙手套？捏我一下腳尖兒，羞得你兩隻手都泛起紅霞，偏偏是一張臉瞧不出一點羞紅。」
俞秀凡嘆口氣，望著兩隻手，道：「這叫做百密一疏。」
玉姑娘又是一陣格格嬌笑，道：「怪你生杏偏當熟桃賣，挑情挑的羞紅了兩隻手，那倒是極爲少見。我的公子爺，嘗試一下風流滋味，怕不快把一顆心跳出口腔。」
俞秀凡伸手取下人皮面具，笑道：「套著這勞什子怪不舒服，既被你瞧出來，我就不用戴了。」
玉姑娘雙目放射出兩道情焰，盯在俞秀凡臉上瞧了一陣，一下挺身而起，嬌聲喝道：「坐著不要動！」
一扭柳腰兒竄出室外。
望著那玉姑娘飛躍而出的背影，快如脫弦之箭，這哪是一個弱女子，分明是身負絕技的高人。
只見玉姑娘端著一個銀盆，盆內滿是清水，和一條雪白的面巾進房。
放下手中的銀盆，玉姑娘笑了一笑，道：「洗洗臉吧！」
俞秀凡緩緩收起了人皮面具，道：「多謝姑娘。」
老實不客氣的就在銀盆洗去了臉上殘餘的藥物。
玉姑娘也不再裝作，靜靜地站在旁邊，像是在欣賞一件完美的傑作。

俞秀凡放下面巾，玉姑娘立刻端出銀盆。

但她很快行入房中，俞秀凡本想坐在對面的錦墩上，心念才動，玉姑娘已到了木榻前面，嫣然一笑，道：「你想跑？」

俞秀凡道：「我想換個座位，揭下了面具，總不能還坐在你的床上。」

玉姑娘道：「你自己心裏早已明白，這地方用不著拘謹。」

俞秀凡嗯了一聲，道：「這地方，究竟是什麼所在？」

玉姑娘道：「你找的是路柳牆花，桃花童子決不會帶你到旁的地方，所以你不用拘謹。」

俞秀凡回顧了一眼，道：「但這地方不像。」

玉姑娘追了一句，道：「不像什麼？」

俞秀凡道：「不像妓院。怎麼看這裏也不像花街柳巷。」

玉姑娘嬌媚一笑，道：「地方像不像什麼要緊，你找的是人哪！只要你看人過得去，不論什麼地方，都是一樣。」

俞秀凡道：「玉姑娘，你也不像。」

玉姑娘道：「為什麼？是我不解風情呢，還是長得太醜？」

俞秀凡道：「是長得太美了，美得不像風塵中人。」

玉姑娘道：「風塵女，臉上也不會刻上字，你怎能斷言我不是……」

語聲頓了頓，接道：「明白點說，這地方應該是高尚一點的花街，門前不掛招牌，女人也長得像點樣子。」

俞秀凡道：「玉姑娘，我問過了，這裏你就是女主人。」

玉姑娘道：「說得不算錯，正確點說，我該是這裏的當家花旦，要接待像你這樣的貴公子，那就非得我出馬不可。」

俞秀凡噢了一聲，道：「姑娘的意思是……」

玉姑娘道：「什麼馬兒什麼料，馬虎點的人物，派兩個丫鬟應付一下就是，這該說得很明白了。」

俞秀凡道：「你這麼一說，倒是有點像了。」

玉姑娘道：「你這人，還要我怎麼說，你如是再不信，那只有一個法子證實了。」

俞秀凡道：「什麼法子？」

玉姑娘道：「我這裏纏綿一宵，黃金百兩，公子願意花這筆銀子，我就可以留客。」

俞秀凡心中暗道：我們訂這個主意，原本就是要擺出奇異行徑，引人注意，鬧鬧吵吵，倒是無妨，像這樣子真的纏綿深閨，洞房春暖，那就有些過分了。何況這女人，適才飛躍的身法極快，論江湖經驗，我更難及她萬一。留此一宵，凶險萬端，中了她的陰謀詭計，那就大大的划不來了。但要一口拒絕，又很難有適當的措辭。」

玉姑娘有些失望，但她失望神色，一現即隱，格格一笑，道：「怎麼樣？害怕了，是麼？」

俞秀凡道：「怕什麼？」

玉姑娘道：「怕花錢，還是怕我吃了你？」

俞秀凡盡量保持著鎮靜，道：「百兩黃金，區區可以奉贈，留宿大可不必。在下覺著玉姑娘的身價，應該更高些。」

玉姑娘臉上閃掠過一抹訝異，道：「那你就出個價吧！」

俞秀凡哈哈一笑，道：「在下風流不下流，姑娘請好好休息，區區告辭了。」

玉姑娘呆了一呆，道：「你要走？」

俞秀凡道：「不錯，已睹姑娘姿容，我不信三湘地面上，還有美過姑娘的人，在下入湘訪美已得，心已無憾，明天該走了。」

他詞鋒曲折，婉轉有致，簡直使玉姑娘有些難測高深。見多識廣的玉姑娘也有瞠目結舌，不知如何措詞之感了。

呆了一會兒，才嫣然一笑，道：「是了，公子眼光高，賤妾配不上。」

俞秀凡笑了一笑，道：「玉姑娘言重了。」

抱拳一禮道：「夜深了，在下也該告辭歸去。」

玉姑娘欠身還了一禮，道：「不再多想想麼？」

俞秀凡道：「美物不能多用，秀色豈可常餐，人貴適可而止，在下已經很滿足了。」

玉姑娘輕輕嘆息一聲，道：「公子，你不覺著你已經到了寶藏的入口麼？」

俞秀凡心中一動，道：「什麼寶藏？」

玉姑娘微微一笑，舉手理一理鬢邊秀髮，笑道：「公子，一個走馬章台、訪美天涯的花花公子，大概用不著用易容術吧！再說，你公子用這人皮面具，細巧得很，一般人也不會存有此物。」

俞秀凡心頭暗暗震動，忖道：看來是入港了，這丫頭和那桃花童子，都不是平常的人物。

心中念轉，站起的身子，重又坐了下去。

俞秀凡笑道：「姑娘對在下有些什麼看法呢？」

玉姑娘道：「尋仇，或是訪查一些失物。」

俞秀凡忖道：這該是兩種最普通的理由，且也使人容易相信的理由。

正想擇一項承認下來，忽然腦際靈光一閃，又自想道：她雖然太過自負一些，但她的閱歷、見識，自非我所能及，編一套謊言出來，只怕要露出很多破綻，那就弄巧成拙了。

這一陣功夫間，他心中千迴百轉，換了不少念頭，最後才緩緩說道：「玉姑娘自己想吧！在下麼，無法奉告。」

玉姑娘道：「嗯！夠了，你能守口如瓶，就可抵消了很多閱歷上的不足。」

她似在說教，又似在指點俞秀凡增進江湖上的經驗。

俞秀凡坐著未動，也未出聲，但也沒有走的打算。

玉姑娘微微一笑，接道：「公子，我可不可以請教一件事情？」

俞秀凡道：「玉姑娘請說。」

玉姑娘道：「能不能告訴我你姓什麼？」

俞秀凡沉吟了一陣，道：「我姓俞，玉姑娘不是真的姓玉吧？」

玉姑娘嗯了一聲，笑道：「玉是我的名字，我姓郭，叫郭玉珍。滿意了吧？」

俞秀凡笑道：「應該叫郭姑娘才對，怎麼會叫玉姑娘呢？」

郭玉珍道：「這是什麼地方？我爲什麼應叫郭姑娘才對？」

俞秀凡微笑道：「郭姑娘似乎已承認不是風塵中人了？」

郭玉珍心中暗道：看來是快入正題了！

口裏卻微笑說道：「俞公子也不是真的腰纏萬貫、訪美尋歡的花花公子吧？」

鋒芒相對，各不相讓。

俞秀凡道：「郭姑娘是猜測，還是別有所見？」

郭玉珍道：「如是講猜測，桃花童子引你來此，我們已猜到你是別有用心，但這恐怕你心裏不服。」

俞秀凡心中大大地震動了一下，暗道：江湖上的人人事事，當真是狡詐萬端，可怕得很。

口裏卻笑道：「那是說，開始姑娘就對在下等動疑了。」

郭玉珍道：「哪只是動疑而已。因為你不像久走花街的玩家，開始就擺出一副火急的姿態，但也正因為如此，證明了你的來歷很單純，在你們身後，不會有老於世故的人物安排。不知小妹說的對是不對？」

俞秀凡想道：說得是哪！本來，這辦法是我和王翔、王尙想的。艾大哥並沒有指示我們應該如何，這才是拙打巧響。

點點頭，緩緩說道：「郭姑娘的論斷，使我們慚愧得很，不過……」

郭玉珍接道：「不過什麼，你心中還有些不服氣，對麼？」

俞秀凡道：「姑娘未能指出我們的破綻何在，實在很難叫人完全心服。」

郭玉珍道：「第一，是你沒有久歷情場的那股老練；第二，是你沒有紈褲子弟那種下流；第三，你沒有腰纏萬貫那股氣派。」

俞秀凡道：「我出手的賞錢太少，是麼？」

郭玉珍道：「賞錢少，是原因之一，而且，也沒那種付法。」

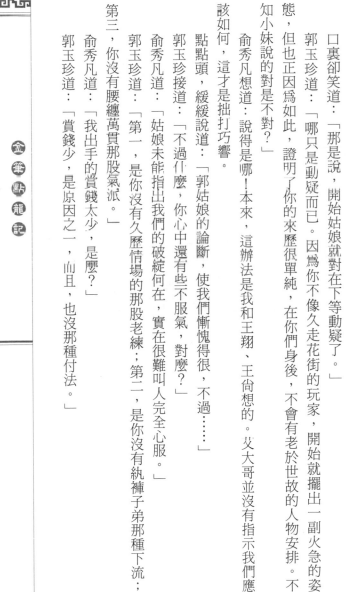

俞秀凡道：「這麼說來，在下是太嫩了一點。」
郭玉珍道：「你也有高明的地方。」
俞秀凡接道：「這就得請教了，在下全身破綻，哪裏高明了？」
郭玉珍柔媚一笑，道：「你讀了萬卷書，和一副伶俐的口齒。」
語聲微微一頓，接著追問道：「現在，你心中服是不服？」
俞秀凡道：「郭姑娘明知在下雖不願認輸，但又不能……」
郭玉珍接道：「嗯！說得很婉轉，你既然有些感覺，可以實話實說了吧！」
俞秀凡一時間還無法編出一個完整的故事，心知萬萬不能再有一步失錯，再錯一著，那就回天乏力，滿盤皆輸了。一時間，沉吟不語。
郭玉珍微微一笑，道：「不敢說，還是不願說？」
這一逼，倒是逼出了俞秀凡一點急智，笑了一笑，道：「姑娘，咱們彼此之間，還沒有深刻的認識，交淺言深，只怕誤人誤己。在下自知瞞不過姑娘精深入微的觀察，但在下也不願輕易說出此番訪仇……」心中若有警覺，立時住口。

六　奇功絕學

但這「訪仇」兩個字，用得太好了，隱隱間，點出此行用心，卻又用不著編一套很完滿的往事。

郭玉珍嗤地一笑，道：「剛剛我還誇你守口如瓶，想不到，立刻就失了控制。」

俞秀凡臉一紅，道：「多謝指教！」

郭玉珍微微一笑，道：「你不願說，我也不想多問。但你回去之後，不妨多想想，如是覺著應該告訴我，我隨時歡迎你來。至少，告訴我，對你沒有壞處。」

俞秀凡站起身子，一抱拳，道：「與君一席話，勝讀十年書。告辭了。」

郭玉珍忽然流現出黯然之色，輕邁蓮步，行到了俞秀凡的身側，低聲說道：「俞公子，能留在這裏一宵，最好留下，賤妾的身分，可以留客。」

俞秀凡道：「姑娘花容月貌，在下並非草木，怎不動心。但既然知道了姑娘的身分，是托身風塵的高人，怎敢心存輕薄。」

郭玉珍道：「我不該告訴你這許多事的，聯床夜話時，再慢慢告訴你，也不晚啊。」

嘆口氣，接道：「裝龍像龍，裝鳳像鳳，裝我這風塵女身分，就得捨身留客。」

俞秀凡道：「那是凡夫俗子的作爲，使姑娘白璧玷污，明珠蒙塵，在下不能這樣做。」

郭玉珍突然流下淚來，心中矛盾得很，俞秀凡這幾句話，聽得她無限感傷，也有著很大的欣慰，伸出一雙手，握住了俞秀凡的雙腕，柔情款款地接道：「你一定要回去，沿途上小心一些。你這人迂腐得可恨，也迂腐得可愛，我真的不懂了，你是憐惜我，還是嫌棄我？」

俞秀凡覺著她雙手滑膩、柔軟，緊緊地握住了自己的雙腕，不禁心神一蕩，趕忙一提真氣，緩緩地推開了郭玉珍的雙手。

道：「姑娘，你保重，在下告辭了。」

隱隱間，聽到一個低得不能再低的聲音，傳了過來，道：「回途小心。」

抬眼看去，只見郭姑娘似乎變了一副面孔，臉上的淚痕，早已拭去，代之而起的是一臉盈盈笑意。

俞秀凡暗暗忖道：這丫頭，好一副多變的面孔。

郭玉珍牽住俞秀凡的手，半側嬌軀，偎入了俞秀凡的懷中。

嬌聲說道：「公子一定要走麼？」

俞秀凡道：「夜色已深，改日再來拜訪。」

郭姑娘幾乎把櫻唇貼在了俞秀凡的耳朵上，道：「還叫我玉姑娘？」

俞秀凡微微一笑，代表了答覆，但心中卻在不停地轉動著，想著：這丫頭不知是何用意，似乎是心有所懼，難道這地方還有比她身分更高的人不成？

心念轉動之間，人已行入客廳。

郭玉珍回顧了一個坐在廳中的中年婦人一眼，道：「銀嬷，這位俞公子要走了，去招呼一下公子的兩個跟班。」

俞秀凡望了銀嬷一眼，內心中突然生出一種奇怪的感覺，只覺這中年婦人有一股凌人的氣勢，雖然她只是一個下人身分。

但見銀嬷一欠身，道：「老奴遵命。」轉身急步而去。

片刻之後，王翔、王尙和桃花童子，一齊行入大廳。王尙除了身上佩刀之外，手還拿著俞秀凡的長劍。

銀嬷沒有跟著來，跟來的是兩個青衣女婢。

桃花童子笑了一笑，道：「可是玉姑娘不肯留客？」

俞秀凡笑了一笑，未置可否，卻回顧王尙一眼，道：「王總管，放下酒資。」

王尙一欠身子，從懷中摸出一張五百兩的銀票放在桌面上。

俞秀凡一拱手，道：「不成敬意，在下告辭了。」

郭玉珍笑了一笑，道：「公子如是仍然留在長沙，希望再來坐坐。」

俞秀凡道：「在下如不走，定來拜望。」舉步向外行去。

郭玉珍送到廳門口，停下腳步，高聲說道：「公子慢走，賤妾不送了。」

俞秀凡道：「不敢有勞。」

兩個青衣女婢卻由郭玉珍身後，擠過來，道：「婢子們代姑娘送客。」

俞秀凡笑了一笑，也未攔阻。

送到大門口處，兩個女婢連招呼也未打一個，就關上大門。

這哪裏像是送客人，簡直是在攆人。

王尙回頭望望那關上的木門，忿忿說道：「這地方比衙門還厲害。」

桃花童子嗤的一笑，接道：「王總管，你剛才留下多少銀子？」

王尙道：「五百兩啊！」

桃花童子道：「那就難怪了。」

王尙道：「怎麼，五百兩還不夠？」

桃花童子道：「五百兩銀不算少，不過，我帶你來的地方不對。」

王尙冷哼一聲，道：「你這話什麼意思？」

桃花童子道：「我該帶你們到花街去逛逛，五百兩銀子，保證能轟動整個的花街柳巷。」

王尙道：「你轉彎抹角的，可是說我給的太少了？」

桃花童子笑道：「是少了一些。不過，這不能怪你王總管，只怪我事先沒有把話說清楚。」

談話之間，已穿過一條大街，行到了另一條僻靜巷口處。

忽然間人影一閃，兩個背對著王尙等來路的漢子，直向幾人身上撞來。似乎對面有人追殺兩人，所以，兩個只顧前面，忘了後面，就要撞在王翔的身上。

俞秀凡突然想起了郭玉珍三番兩次的提示，立時叫道：「小心！」

王翔心中一動，一掌向左面一人背心上拍去，口中喝道：「朋友，撞上人不要緊，別撞上刀尖。」

那人背後像生了眼睛一樣，王翔掌勢遞出，他已霍然轉過身子，五指反向王翔的右掌脈穴上扣去。出手快如電光石火，而且認位極準，竟然是一位高手。

王翔冷哼一聲，沉腕一收，一個撞肘，擊向了那人的前胸。

這等近身相搏，撞肘一擊，省去了變掌化招的時間，是搶制先機的快攻。

那大漢料不到王翔變招如此地迅快，冷哼一聲，向後退了兩步。

另一個漢子卻突然出手施襲，切向王翔的左肩。

王翔冷笑一聲，向前跨了一步，左臂一伸，一拳擊向那大漢面頰。

王尚迅快地把手中長劍給了俞秀凡，衝前兩步，看著三人動手，卻未出手相助。

三人拳來腳往，打得十分激烈。

桃花童子躲在俞秀凡的身後，但兩目卻注視場中的搏鬥。

雙方鬥了十幾個照面之後，王翔展開了拳擊、掌拍、指點、肘撞、膝撞，盡都是近身搏鬥的實用招術，力敵二人，猶能著著搶攻。

兩個大漢眼看以二攻一，仍被人著著搶先，步步危機，不禁心頭駭然，心中想再打下去，很難討好。呼嘯一聲，聯手一招，一阻王翔的攻勢，突然轉身而奔。

王翔並未追趕，只用兩道目光，望著兩人逃去的方向。直待兩人的背影消失，才回頭對俞秀凡道：「啓稟公子，兩個毛賊，已被屬下給打敗了。」

俞秀凡點點頭，道：「好！咱們回客棧。」

王翔應了一聲，當先而行。王尚錯後一步，緊隨在俞秀凡的身後。

桃花童子低聲道：「總管，我得走中間。」側身向王尚的身前搶去。

王尚冷笑一聲，橫跨了一步，攔住了桃花童子，答非所問地道：「閣下住在長沙府甚久，那兩個混混兒，你定然認識了。」

桃花童子道：「自然是認識。」

這答覆很意外，王尙聽得怔了一怔，詫道：「你認識？」

桃花童子笑道：「長沙府，花街柳巷中人和那些混混兒，我桃花童子如是不認識，那豈不是白在長沙混了。」

俞秀凡道：「王尙，叫他過來。」

王尙應了一聲，身子一側，讓開兩步。

桃花童子身子很滑溜，一側身掠過王尙，緊隨在俞秀凡的身後。

俞秀凡笑了一笑，道：「桃花童子，那兩人是什麼來歷？」

桃花童子道：「什麼來歷我不知道，姓名也不清楚，但我知道他們住在哪裏。明天，我可以帶公子去找他們。」

俞秀凡哦了一聲，忖道：這小子滑頭得很。

口中卻說道：「你知道麼？桃花童子，你跟在我後面走，並不安全。」

桃花童子笑了一笑，道：「怎麼，聽公子的口氣，還會出事情？」

俞秀凡笑道：「很難說啊！有一次，就可能再二、再三。」

突聞金風破空，數點寒芒，疾向幾人襲來。

王翔、王尙，早已暗中運氣戒備，齊地一閃身子避了開去。

俞秀凡只覺暗器來勢太快，閃避不易，心中一急，陡然拔劍擊去。那是疾如閃電的一擊，噹的一聲，一枚金錢鏢應聲而落。

俞秀凡心中實無把握這一劍能夠擊落暗器，但卻一擊成功，而且，時間很從容，暗器距身前還有三尺多就被擊落。如是他拔劍再早一些，可能劍勢出手，暗器還未到長劍可及的範圍之內。

桃花童子看得真切，心中大人的震動。暗道：好快的拔劍手法，簡直像閃電一般，目不暇接。

他走在俞秀凡的身後，就是想瞧瞧俞秀凡的能耐。他如願地瞧到了，那是驚人心魄的快劍。

桃花童子暗暗吁一口氣，道：「公子！好快的出劍手法。」

俞秀凡卻哈哈一笑，突然改變了話題，大聲說道：「咱們離客棧還有多遠？」

桃花童子道：「快了，轉出這條巷子就是。」

俞秀凡道：「看來，他們大概不會再安排一次暗襲了。」

桃花童子道：「公子，小的很奇怪，你們爲什麼不追查暗中施襲的人？」

俞秀凡淡淡一笑，道：「暗中施襲，狐鬼伎倆，在下麼，不願和他們一般見識。」

桃花童子道：「公子說得是。不過，這些人不擇手段暗施辣手，只怕和公子有什麼深仇大恨。」

俞秀凡道：「反正你已知曉他們的來歷和存身之處，明天再找他們也是一樣。」

桃花童子抓抓頭皮，道：「萍水相逢，公子對在下怎能如此信任？」

俞秀凡道：「用人不疑，疑人不用。在下既然相信你了，自然就不會對你再生疑心。」

這位流浪江湖、見多識廣的桃花童子，忽然間心頭怦怦亂跳，只覺俞秀凡處事、見解，和別人大大的不同，叫人無法猜測。一時間，竟不敢再逞口舌之能，多言刺探。

行到客棧，已然是三更過後的時分。高挑在客棧大門口的兩盞氣死風燈，在夜風中不停地搖動著。客棧的大門，已然關了起來。夜色太深了，俞秀凡不知道是否應該敲客棧的門。

就在他略一猶豫的當兒，桃花童子已閃到了俞秀凡的面前，推開了客棧木門，笑道：「公子，這等大客棧，通夜也不會關門。天色不早啦，公子請回客棧休息，明天如是公子需要我，不妨派人找我。」也不待人答話，轉身疾步而去。

王尚大聲叫道：「桃花童子，我們要如何找你？」

桃花童子奔行的身法很快，身子閃了兩閃，人已消失不見。

俞秀凡道：「不用叫他了，他沒有自主能力決定見不見咱們。」

這時，坐在門後面打盹的店小二已經清醒了過來，帶幾人直奔跨院。

掩上房門，王尚輕聲說道：「大哥，什麼人才能決定那桃花童子該不該見咱們？」

俞秀凡道：「很難說。」

王翔接道：「我瞧定是那位玉姑娘了。」

俞秀凡道：「郭玉珍並不是能夠完全作主的人，在那間大宅院，還有比她更高身分的決策人物。」

王尚高興地道：「大哥，咱們找對了。」

俞秀凡冷冷接道：「兄弟，別高興。今宵的際遇，使小兄感覺到我們的江湖歷練太差了，此後，我們要加倍小心。再說，我們已入棘叢，隨時有喪命的可能。江湖上的神秘組織很多，未必就是我們找到的這個。」

王尙神色一凜，道：「大哥教訓得是。」

王翔似是突然想起了什麼重大的事，低聲說道：「大哥，你已經取下了人皮面具，此後……」

俞秀凡接道：「此後，就以本來面目和他們相見，就是你們兩位，也要取下面具。」

王尙道：「爲什麼，就小弟所知，咱們多一層掩飾，就多一種變化。」

俞秀凡搖搖頭，接道：「咱們太欠經驗了，不論化妝得如何好，都會被人瞧出了毛病，乾脆以真面目和他們相見，倒也可減少他們一番戒心，要緊的是，咱們先得有一套身世來歷說詞，才能使人深信不疑。」

王翔突然穿窗而出，在房上巡視了一周，重又回入室中。

俞秀凡望著王翔，微笑點了點頭，讚道：「二弟很細心。」

俞秀凡吩咐了兩人一些事情，三人才分別安歇。

直到第二天日升三竿，仍未見桃花童子找上門來。

俞秀凡暗暗嘆一口氣，心中暗道：「目下已下了餌，來不來是人家的事了。」只好吩咐店家結帳備馬。

王尙低聲說道：「大哥，咱們不再等一天麼？」

俞秀凡笑了一笑，道：「人暗我明，咱們任何舉動，都在人監視之中。欲速則不達，準備上路。」

忽然間，王尙感覺到俞秀凡的才慧見解，無不高過自己甚多，心中大生敬佩。

三匹馬快行出了北門，進入郊野，忽見人影一閃，桃花童子陡然間出現路中。

王尙走在前面開道，一收韁繩，冷冷說道：「又是你。」

桃花童子微微一笑，高聲道：「俞公子，就要走了麼？」

俞秀凡淡淡一笑，答非所問地道：「玉姑娘告訴你我姓俞。」

桃花童子尷尬一笑，答非所問地道：「昨夜暗襲諸位的人，在下已摸清楚他們的底了。」

俞秀凡道：「當真是有勞了。」

桃花童子接道：「俞公子要不要找他們討還一個公道？」

俞秀凡搖搖頭，道：「那倒不用了，他們既沒有傷著我們，在下也不想多惹痲煩。」

桃花童子有些意外，道：「俞公子很大氣度。不過，就算俞公子不找他們，只怕他們也不會善罷甘休。」

俞秀凡道：「這麼說來，他們還想再暗算我們主僕了？」

桃花童子道：「大概是吧。」

王尙冷冷道：「你怎麼清楚？」

桃花童子笑道：「在下親耳聽到他們談論三位。」

王尙道：「都說些什麼？」

桃花童子道：「他們說三位武功高強，只有再用暗襲了。」

王尙冷笑一聲，道：「他們一直在施用暗算，幾時用過光明正大的手段。」

桃花童子道：「王總管，暗襲的方法很多，埋伏人手、施放暗器，大概是最笨的辦法了。」

王尙道：「那他們要怎麼對付我們？」

桃花童子道：「在下沒有參與其事，怎麼對付三位，倒是未曾聽聞。不過，在下可以舉出一個例子給你聽聽。譬如說，在酒飯之中下毒，巧裝老弱婦孺，接近到諸位身側之後，再暗中施放梅花針一類的細小暗器，諸位是否防不勝防呢？」

王尙呆住了，一時間答不上話。

想一想，這些事，確是很難預防。

俞秀凡道：「咱們主僕苦練十幾年的武功，自信遇上一流高手，也可以打上個百來回合，但對經驗閱歷這方面，卻是大不及人。你桃花兄弟，給咱們很多指教，咱們心中極爲感激。」

桃花童子哈哈一笑，道：「公子好氣度。」

語聲微微一頓，接道：「江湖行中雖是波譎雲詭，但以你公子的才華，兩位從僕的武功、精幹，只要能處處留心，常可自保，走上那麼一年、兩載，三位自然逐漸有經驗了。」

一直很少開口的王翔，突然啓口說道：「桃花兄弟，昨夜暗襲我們主僕的人，是什麼來路，爲什麼對我們主僕動手？」

桃花童子笑道：「大約是你們太有錢了，因爲能到玉姑娘家坐坐的客人，身上總要帶有三、五萬兩銀子才成。」

王尙道：「你是說那些人還不甘心？」

桃花童子道：「不錯，他們找上了三位，卻一無收獲，怎肯就此罷手，定然會有下一步行動。」

俞秀凡笑了一笑，道：「照你桃花兄弟的看法，咱們應該如何？」

桃花童子道：「照我的看法，那就不如先找他們，挑了賊窩，或是大大的教訓他們一頓，讓他們知難而退。」

俞秀凡道：「可惜，咱們不知賊窩在何處。」

桃花童子道：「這不用愁，有我帶路。」

俞秀凡微微一笑，道：「我們離去之後，他們不會找你報復？」

桃花童子道：「我本是天涯流浪人，這地方我也住膩了，教訓過他們之後，我也要離開這裏。」

王尙道：「回金陵去？」

桃花童子搖搖頭，道：「江南佳麗，我大都見識過了。這一次離開長沙府，想北上，去看看北地胭脂是什麼風情，所以，公子用不著替我擔憂。」

王翔、王尙都不再多言，望望俞秀凡等他決定。

俞秀凡沉吟了良久，長長嘆一口氣，道：「兵戰凶危，如是我們找上了那些人，只怕是很難免去一場搏殺了。」

桃花童子道：「不錯。如是人家不甘心束手就縛，那是自然要大打一場了，兵刃無眼，動上了手，就難保沒有傷亡。」

俞秀凡道：「這倒是一樁大大的難題了，彼此並無什麼大仇大恨，如是鬧到流血橫屍，豈不是有些太過殘酷了嗎？」

桃花童子聽得怔了一怔，才笑道：「俞公子，你讀過不少的書吧？」

王尙道：「咱們公子讀書萬卷，學富五車。」

桃花童子道：「那就難怪了。」

俞秀凡笑笑道：「讀萬卷書，不如行萬里路，桃花兄弟有意教我！」

桃花童子忽然覺著臉上一熱，道：「言重，言重。敵人已存下了謀圖你們之心，公子如不能未雨綢繆，只怕終難逃殺身之禍。」他危言聳聽，似是非要挑起一場搏殺不可。

俞秀凡道：「綢繆最上之策，莫若制敵機先。」

桃花童子道：「公子洞若觀火，小的正是此意。」

俞秀凡道：「既是如此，咱們就去瞧瞧吧！」

桃花童子道：「我替三位帶路。」放腿向前奔去。

王尙回顧了俞秀凡一眼，道：「公子，咱們當真要去麼？」

俞秀凡道：「不入虎穴，焉得虎子。」

王翔道：「公子，這好像是一個安排好的陷阱。」

俞秀凡低聲道：「大魚上鉤，很難免一番波翻浪湧，兩位請聽我之命行事。」

王尙道：「我追他去。公子請保持一些距離，以免暗襲突起，應變不及。」

王尙放開腳步，追了上去，俞秀凡和王翔也加快了行速。

桃花童子俟王尙趕到，立時說道：「快要到了。從現在開始，咱們隨時都可能碰上敵人的暗樁施襲，務必要多作戒備。」

王尙流目四顧，發覺西面是一片雜樹矮林，東、北兩面丘陵起伏，當下說道：「在哪裏？」

桃花童子道：「穿過那一片雜林，有一座青石砌成的莊院，就是他們的巢穴。」

談話之間，俞秀凡和王翔也趕到岔路口處。

王尙指指那一片雜林，道：「公子，咱們得穿過樹林去。」

俞秀凡哦了一聲，笑道：「好，走吧！」

王尙道：「公子，江湖上有逢林莫入的戒語。」

俞秀凡微微一笑，道：「那總比人家在酒飯中下毒的暗算容易防備多了。」

目光轉注到桃花童子的臉上，笑了一笑，道：「桃花兄敢為我們帶路麼？」

桃花童子不安地笑了一笑，道：「在下不過一個江湖浪子，生死之事早已不放在心上。」

舉步向前行去。

王尙疾行兩步，和桃花童子並肩而行，道：「桃花兄，那矮林後面的莊院，都是些什麼人物？」

桃花童子搖搖頭，道：「小的不認識。」

王尙微微一笑，道：「桃花兄為我們主僕帶路一事，那玉姑娘是否知道？」

桃花童子道：「這個麼，在下也不清楚。」

王尙聽他的口氣，不再多問，快步向前行去。

行近雜林，俞秀凡和王氏兄弟，拴好三匹馬，沿著穿林的小徑，向前行去。

桃花童子連蹦帶跳地越過王尙，道：「小的走前面。」

話剛出口，嗖的一支長箭，破空而至。箭如流星，來勢至快。

桃花童子一個側身避開箭勢，王尙一抬右手，接住了長箭，暗運功力，回手反擲出去。

但聞一聲悶哼，一片荊叢之後，站起了一人，疾向後面奔去。

王尙很沉著，仍然不緊不慢地向前走著，只冷冷地瞧了那疾走的大漢背影一眼。

桃花童子突然間有些震驚的感受，發現這主僕三人，竟都是身負絕技的高手。

行過荊叢時，桃花童了轉目一顧，只見一個黑衣大漢被長箭透心而過，雖然還未氣絕，但箭穿心臟，顯然是不得活了，身側還放著一張硬弓、一袋長箭，心中更是震動。

王尙手擲長箭，三丈左右的距離，透荊叢穿人心臟的這份手勁，如非有深厚的內功，決難辦到。

望過那重傷的黑衣人，桃花童子強自笑了一笑，道：「王總管好手法，小的開了眼界。」

王尙淡淡說道：「咱們公子，心地仁慈，不喜傷人，區區麼，就缺乏我們公子那份胸懷。」

林內並沒有太多的埋伏，除了那支冷箭之外，再未遇上暗襲。

穿過雜林，果然見一道青石砌成的圍牆內，隱現出幾重屋脊。

桃花童子指著那青石圍牆，道：「就是那裏了。」

王尙望了那高大的青石圍牆一眼，道：「看上去那圍牆很堅牢。」

桃花童子道：「不錯，裏面的人手也很多，咱們是從大門進去，還是越牆而入？」

俞秀凡接道：「大白天，翻牆越屋，成何體統，自然該由大門進去。」

桃花童子道：「那麼，在下給公子報門。」放腿疾奔過去。

俞秀凡、王翔、王尙，也同時加快了腳步，緊追在桃花童子的身後。

兩扇黑漆大門早已大開，但一眼望去，只見庭院寂寂，不見人蹤。

桃花童子朝大門裏高聲說道：「有沒有活的人，請出來一個。」

俞秀凡目光轉動，只見大門內庭院廣闊，但卻生了不少野草，不似有人常住的地方，心中立時了然，這是選擇好的陷阱。

庭院傳出一個洪亮的聲音，道：「諸位既然來了，何不入內談話？」

俞秀凡一揮手，道：「咱們進去。」

這一次，桃花童子未再搶先，王尙一側身，當先而入。

王翔緊緊跟在俞秀凡身旁而行，手握刀柄，全神戒備。

王尙一步踏進門內，立聞金風破空，兩枚亮銀梭，分由兩側襲至。

王尙早已暗作戒備，身子向前一探，雁翎刀閃電而出，左擺右揮，噹噹兩聲，兩枚亮銀梭全被擊落實地。

王尙還刀入鞘，仍然足踏原地，半分也未移動。

目光轉動，只見眼前是一座佔地畝許的庭院，滿生著雜草，一道白石鋪成的小徑，直通向後面的一座瓦舍之中。

這青石圍牆的內院很大，但房舍卻不多，而且都集中在最後面，形成一座三合宅院。

王尙一提氣，高聲說道：「朋友，玩夠了吧？」

一陣刺耳的笑聲，由十丈外三合宅院傳了過來，道：「由大門進入這宅院庭內，共有十二丈七尺的距離，這一段距離，共有五道埋伏，諸位能闖得進來，老夫自然會親身迎客。」聲音由十丈外遙遙飄來，但卻清晰如在耳邊。

俞秀凡回顧桃花童子一眼，笑道：「桃花兄，請走最後，刀劍無眼，別傷了你這局外之人。」

但見兩側草叢波動，兩條人影，疾躍而出，並肩站在兩丈左右處的白石道中。

俞秀凡目光轉動，只見兩側草深可以藏人之處，至少距小徑在一丈四、五尺外。

王尙抬頭看去，打量了兩個攔路人一眼，約在三十以上，也都用的單刀。

回顧了俞秀凡一眼，王尙低聲說道：「公子，可要留下他們的性命？」

俞秀凡道：「得饒人處且饒人，能留下兩人的性命更好。」

王尙一點頭，轉身迎了上去，冷冷喝道：「兩位請亮刀！」

四道目光一齊冷冷地看了王尙一眼，道：「你只管出手，我們該拔刀的時間自會拔刀。」

王尙怒道：「狗咬呂洞賓，不識好人心。」

突然拔刀一揮，擊了過去。刀光如電，打閃般向兩邊擴展。

寒芒捲旋，響起了兩聲慘叫，血光迸冒，兩具屍體一齊栽倒。

原來，兩個綠衣人未來得及拔刀，也無法閃避，就傷在那擴展的刀光之下。

桃花童子忍不住道：「好快的刀法。」

其實，連王尙自己也有些不大相信，近年時光，怎有如許大的進步，拔刀一擊間，竟有著這樣大的威勢。

愣了一陣，才低頭查看，兩個綠衣人，都已被刀芒劃破了咽喉，氣絕而逝。

想到了答應俞秀凡的話，忍不住回頭一瞥大哥。

俞秀凡並沒有責備的意思，臉上是一片嘉許的微笑。

王尚膽氣一振，飛起一腳，撥開兩具屍體，高聲說道：「第一道埋伏咱們已經闖過，第二道埋伏的人，可以請他們現身了。」

十丈外三合院內又飄出那冷厲的聲音，道：「閣下刀法高明，免去四道埋伏，請進入院中相見。」

王尚哈哈一笑，道：「你擺的什麼臭架子，埋伏由你安排，闖不闖得過要看咱們的手段，你免去了另四道埋伏，那是怕在下的手中刀快，就該現身迎客才是，躲在屋裏，大聲喊叫，算是哪門英雄人物？」

片刻之後，十丈外三合院大門口處，突然現出了一個穿著長衫的人，快步向俞秀凡等停身之處行了過來。

來者是個四十上下的中年人，一身青綢長衫，空著雙手，未帶兵刃。

停身在七尺外，一抱拳，道：「在下奉命迎接四位入廳。」

王尚還刀入鞘，一擺手，道：「你帶路。」

青衣人應了一聲，轉身行去，神態間極是恭順。

王尚暗暗冷笑道：「鬼怕惡人，大約剛才我那一刀，把他們全震住了。」

青衫人帶著俞秀凡等人直行到宅院門外，才停下腳步，道：「四位請稍候片刻，容在下通報。」

王尚冷冷說道：「不用通報了。」大步直入。

宅院內庭分兩行排著八個身著勁裝、懷抱鬼頭刀的大漢，大廳正中的一張大木椅上，卻端坐一個五旬上下，虎目濃眉的老者。

王尙適才出手一刀，對自己信心大增，暗道：這批人吃硬不吃軟，不用對他們客氣，擒賊擒王，直接找他們的頭兒說話。

心念一轉，大步直向廳中行去，對兩側排列的執刀大漢，望也不望一眼。

俞秀凡、王翔和桃花童子，卻是停下了身子，未隨入廳。

八個執刀大漢中，右首第一個抱刀大漢，陡然大喝一聲：「站住！」

刀光閃動，人影流轉，排列兩側的大漢已然布成了一個攔阻去路的刀陣，這座庭院，面積並不很大，刀陣橫列，堵塞了整個院落。

王尙冷笑一聲，緩緩地把右手握在刀柄上，道：「在下刀如出手，不死人也得傷人，你們非我敵手，快撤刀陣，讓開去路，我要找你們領頭的說話。」

八個執刀大漢齊齊揮動手中的鬼頭刀，刀光如波浪翻動，光燦奪目，布成了一片刀幕。原來這是一座布守很嚴密的刀陣，刀刀銜接，雀鳥難渡。

看過嚴密的刀陣，王尙心裏暗暗打鼓。實在沒有把握能夠闖得過去，但已騎上虎背，只好全力一試。

暗中提聚真氣，大喝一聲，拔刀擊出。

他一心衝破刀陣，這一刀擊出，人也隨著刀勢向前衝去。

艾九靈選了王翔、王尙輔佐俞秀凡，全心成全兩人，引薦兩人拜入天下第一名刀帥風的門下，兩人武功本已有很好的基礎，帥風又傾囊相授，把苦研五十年的捲雲十八刀，傳授了兩人。

捲雲十八刀，雖只有一十八招，但卻是帥風採天下刀法之長，孕化而成的奇學，刀出如捲雲排空，威力驚人。

王尙一刀揮出，正是十八招中一記「風捲殘雲」，刀光閃電一般直穿而入，分向兩側捲出。

八個黑衣大漢，只覺一陣刀氣沖了過來，心中大駭，急急揮刀合擊，希望封住王尙的刀勢。

但幾人如何能擋得住這天下第一等奇厲刀法，八人刀勢合璧，王尙長刀已分向兩側捲出，那正是八人刀勢攻出後的空位。

但聞一連串慘叫之聲，八個執刀大漢，手中的鬼頭刀連一截手臂，齊齊跌落在地下。

這凌厲絕倫的一刀，使八個人一齊斷臂，也使得桃花童子的臉色大變。

王尙緩緩把長刀還入鞘中，大步直向廳內行去。

大廳，半晌沒有聲音，顯然那廳中端坐的老者，已被王尙這一刀鎮住。

直待王尙行入廳中，那虎目濃眉的老者，才定了定神站起身子，一拱手，道：「兄弟周武。」

王尙冷笑一聲，道：「管你是周文、周武，你是不是這裏的土匪頭了？」

周武道：「區區是這裏的主事人。」

王尙道：「那些暗放冷箭、揮刀截攔我們主僕的人，都是你的手下？」

周武的個頭並不高，穿著一件深藍綢子的長衫，座椅的扶手上，靠著一把金背大砍刀，但他並沒有拿起來。欠欠身子應道：「是的，他們都是我的屬下。」
王尙道：「那很好，咱們和你無怨無仇，你們連施襲擊，用心何在呢？」
周武囁嚅了一下，道：「他們有眼無珠，開罪了三位，在下……」
王尙冷冷接道：「你如不下令，他們怎敢出手，我看你才是有眼無珠。」
周武似是被王尙那一刀傷了八人所震駭，竟不敢出言頂撞，緩緩說道：「閣下說得是，在下有眼無珠，不識高人。」
這時，俞秀凡帶著王翔和桃花童子行了進來。
王尙回身說道：「公子，這老小子白承看走了眼，咱們該怎麼整他？」
俞秀凡笑了一笑，道：「我來問他。」
目光轉到周武的臉上，接道：「閣下是……」
周武接道：「在下周武，在長沙府立窯，此番有眼無珠，不識高人，還望諸位高抬貴手。」說完話，抱拳一禮。
俞秀凡四下打量了一眼，緩緩說道：「周兄在長沙立窯很久了麼？」
周武道：「是的。兄弟在長沙府混了十幾年啦。」
俞秀凡道：「那你已經害過不少的人，是麼？」
周武道：「這個，這個……」
目光一掠桃花童子，接道：「朋友，江湖上，殺人不過頭點地，在下認了也就是了，閣下這等苦苦追問，未免欺人過甚了。」
俞秀凡一直很關心那周武的舉動，這時看他態度忽然強了起來，微微一笑，道：「你這些屬下，都爲你受了傷害，你如是一點也不受損傷，未免是有些說不過去了。」
周武怒道：「閣下的意思是……」
俞秀凡截口道：「我的意思很簡單，你是願意自作懲罰呢，還是放手一戰？」
周武道：「什麼叫做自作懲罰？」
俞秀凡道：「你在長沙府立窯了十幾年，想來已然做了不少傷天害理的事，斬下一條手臂，不算太過份吧？」
周武一伸手，抓起了靠在椅上的金背大砍刀，冷笑一聲，道：「要周某斬一條手臂，和砍周某的腦袋有何不同。」
王尙突然向前行了一步，手握刀柄，道：「閣下想動手，可以出刀了。」
周武想到王尙一刀斬下八個屬下手臂一事，心中忽生寒意。
回目望去，只見桃花童子，轉臉他顧，不再望周武一眼。
俞秀凡淡淡一笑，道：「周兄，你如是拔刀動手，可能是丟了腦袋，自作懲罰，只自斷一條手臂，孰輕孰重，還望你多多想想。」
周武心中實在害怕王尙，腦筋一轉，動到了俞秀凡的身上，急急說道：「你小子口氣很大，那也不過是仗人之勢罷了，敢不敢親自和我動手？」
俞秀凡聽得一怔，道：「你要和我動手？」
周武道：「不錯，如是周某人傷在你的手中，才能心服口服。」
王尙道：「就憑你們，還不配和我們公子動手。」
周武目睹王尙閃電一般的快刀，寧可受氣，也不願丟了生命；看那俞秀凡文弱俊逸，就算會武功，以自己這身功夫，也足可應付了。

他心中認定了俞秀凡，不理會王尙的話，望著俞秀凡道：「閣下是否敢和在下動手一戰？」

俞秀凡豪氣突生，微微一笑，道：「你一定想和我動手麼？」

周武道：「不錯！但不知公子是否敢接下在下的挑戰。」

王尙大步上前，道：「先過了我這一關再說……」

俞秀凡一揮手，接道：「王總管，站下去！」

王尙心中暗道：大哥的裝作工夫，倒是大有進步了。

口中連連應是，退到一側。

俞秀凡神情很平靜，目注周武，緩緩說道：「你可以出手了。」

周武心中仍然顧慮著王尙的快刀，暗自忖道：我如傷了他們的少公子，決難逃過他的快刀報復，倒不如設法把他生擒活捉，也好迫使他的隨行總管就範。

心念一轉，拱手笑道：「貴屬下刀如閃電，在下十分敬佩，我們雖然是理屈在先，但在下從屬已然一死八傷，在下不願把仇恨愈結愈深；因此，在下想向公子領教幾手拳掌，不知公子意下如何？」

俞秀凡緩緩把長劍交給王翔，笑了一笑道：「也好，你出手吧！」

周武久年在江湖上闖蕩，見識廣博，目光一掠俞秀凡，希望瞧出他的架勢，出身何門何派。

只見俞秀凡足下不丁不八，竟然瞧不出子午樁，不禁一皺眉頭，抱拳說道：「公子山藏海納，想是不肯搶佔先機，區區獻醜了。」

左手一探，迎胸拍出，右手緊隨左掌而出。這一招「深山藏虎」，雙手連環，可實可虛，全視對方出手封架的招式，再行變化。

哪知俞秀凡根本未理會攻來的掌勢，肅立不動。原來俞秀凡練成的都是化繁爲簡的奇學，只講究時機、分寸，已無招術變化的繁複。

周武掌勢逼近俞秀凡胸前一尺，仍不見俞秀凡出手，心中冷笑一聲，忖道：你這樣子托大，那是自找苦吃了！

惡念陡生，虛招變實，右手加速，忽然間超過左掌，點向了俞秀凡胸前的「神封」要穴。

掌勢近身三寸，俞秀凡才微微一側身子，右手一翻，正好拿住了周武右腕的脈穴，微微一帶，借力、施力，周武身不由己地打了一個旋轉，一時全身力道消失，直向廳門上撞去。

總算他武功不弱，俞秀凡鬆開他腕脈的一瞬，力道恢復，但頭已撞上木門，響起了砰然一聲輕震。

王翔、王尚原本大爲擔心，眼看周武掌勢接近身前，手已握著刀柄，俞秀凡只要稍受傷害，即將拔刀擊出，劈死周武。

及見俞秀凡出手拿穴的奇奧、快速，無一不恰到好處，又瞧得兩人驚奇不已。

兩人練了十幾年的武功，又得帥風的指點，但自己無法辦到俞秀凡這等制敵手法。

周武左手按在額上，望著俞秀凡出了一陣神，道：「公子，好高明的擒拿手法！」

俞秀凡淡淡一笑，道：「閣下可是心中不服？」

周武道：「在下還想討教兩招。」

俞秀凡道：「好！你再試試！」

周武雙掌一合，右手陡然擊出一拳。這一拳力道十分強大，竟然帶起了一片嘯風之聲。

俞秀凡仍然未動，直待拳勢近身，左手忽然斜裏劃出。

這是巧妙適時的一瞬，周武右臂已然快要伸進，俞秀凡的左手五指，卻從斜裏劃向他的「曲池穴」。拳未中人，穴道先傷，任何人都要設法先避開對方的截擊。但收招已來不及，只好右臂一沉，先讓開對方的掌指。

哪知下沉的右臂，正好撞上了俞秀凡由下向上橫切的掌沿，一上一下，掌指合擊，波然輕震，周武的右臂先折，穴道後傷。

俞秀凡既得少林高僧易筋洗髓，又得神醫花無果靈丹助成，一身功力，實非小可，只是自己不知罷了。

慘叫聲中，周武左手托著右臂，疾退五尺，折骨之傷，疼得他一臉大汗，滾滾而下。

這等巧妙配合的合擊之術，不但周武傷得莫名其妙，就是王翔、王尙也看得心神震蕩，竟不知俞秀凡如何傷了對方。

原來俞秀凡出手擊敵，直截了當，其間既無招式，亦無變化，簡簡單單，不著一點痕跡，直似探囊取物一般，只見他一揚腕、一揮手，再見到的就是對方的傷痕、反應。

一側冷眼旁觀的桃花童子，呆呆地站在門口，臉上是一片驚異神色。

俞秀凡伸手取過長劍，道：「咱們走吧！」大步向外行去。

王翔、王尙緊隨在俞秀凡身後向外行去。

這時，八個斷臂的大漢，都已包紮起傷勢，倚壁而坐，睜著眼，望著三人，臉上滿是驚懼之色。

庭院還有兩個未受傷的人，臉色一片蒼白，他們完好無傷，但內心中的恐懼，似是尤過受傷的人。

俞秀凡望了兩人一眼，微笑頷首，兩個人呆呆地站著，神情木然。

桃花童子快步追上三人，離開了這座荒涼的宅院。

桃花童子快行兩步，追上了俞秀凡，笑道：「俞公子，好高明的武功。小可浪蕩江湖、混跡風塵，本身雖不靈光，但卻見過不少武林高人，也見過幾場凶厲的博殺，像公子這等的高明身手，在下還是初見。」目光一掠王翔，接道：「這一位雖還未出過手，但想來亦必是刀法名家。三位武功高強，天下都可去得，只是有一樁事，對三位而言，未免有些缺憾。」

俞秀凡哦了一聲，道：「在下恭聆指教。」

桃花童子道：「那就是缺少了一點江湖上的閱歷經驗。在下覺得，以三位的武功，如能再配上我這風塵浪子的經驗，不論什麼風急浪大的所在，咱們都可以去得了。」

俞秀凡微微一笑，道：「不錯。咱們對江湖上的人人事事，知曉的不多，如能有閣下同行，對咱們幫助很大。」

桃花童子笑道：「同時，也可使諸位多一位好玩的伙計。」

俞秀凡點點頭，道：「好吧！咱們就這麼說定了，不過，你姓什麼，咱們長年同行，總不能一直叫你桃花童子吧！」

桃花童子臉上突然泛現出黯然之色，道：「公子，你叫我小桃也好，小童也罷，實在說，我不知道自己的身世，我能記事那年起，就是個野孩子。」

俞秀凡微微一笑，道：「我們叫你小桃童就是。」

桃花童子道：「隨便什麼都行，反正我是有人生沒人養的野孩子。」

王尙突然接道：「小桃童，你說咱們現在應該行往何處？」

桃花童子道：「怎麼，三位真的沒有行向去處？」

俞秀凡道：「沒有。」

桃花童子道：「公子總該有一個目的吧！你是要訪問仇家呢，還是要準備揚名立萬，闖出一番事業？」

俞秀凡哈哈一笑，道：「小桃童，老實說，我沒有什麼仇家，也不想在江湖上開宗立派，自立門戶，也沒有闖名揚威的用心。」

桃花童子道：「公子是……」

俞秀凡道：「師父傳了我一身武功，希望我能做些有益於人間的事，除暴安良，積些善功，不負這一身所學。」

桃花童子道：「很博大的境界。不過，江湖中事，傳誦極快，公子雖然沒有爭名之心，但以公子這身武功，只要出手管事，不出一年，必然名傳大江南北，人的名兒，樹的影兒，想蓋也蓋不住，名大遭妒，樹大招風，那時，公子不想捲入江湖是非之中，只怕就由不得你了。」

俞秀凡道：「這些事，我也想到，但咱們行事爲人，但求無愧於心，那就不用管別人的看法了。」

桃花童子笑了一笑，道：「公子，江湖上事，不會這麼單純，牽一髮而動全身，你不要名，但名會來。每件事，都可能節外生枝，除非你遠離江湖。」

俞秀凡搖搖頭，道：「我們既然敢在江湖行走，自然不怕事情。」

桃花童子道：「這就行了，咱們走吧！」

四人行出樹林，三匹健馬仍在。

王尙笑道：「四個人，三匹馬……」

桃花童子接道：「三位騎馬，在下走路。」

俞秀凡道：「前面有集鎭，再買一匹馬就是，但不知咱們現在應該先到何處？」

桃花童子道：「先到江州。那地方是水旱碼頭，熱鬧得很。」

俞秀凡道：「好吧！咱們先到江州玩玩。」

有了桃花童子同行，確然好玩很多。他年紀不大，見聞甚廣，再加上一副好口才，談起江湖上事，只聽得三人有時大笑，有時嘆息。

三日後，四人四騎，到了一處形勢險要的狹谷入口之處。

只見三個穿著勁裝、佩帶兵刃的大漢，站在路中，攔住了四人的去路，居中一人，抱拳說道：「四位請繞繞路吧！」

王尙回顧了俞秀凡一眼，看俞秀凡沒有攔阻的意思，翻身下馬，不退反進，向前行了兩步，道：「朋友，爲什麼?這條道路，莫不成還有收買路錢的山大王?」

那漢子，二十七、八的年紀，臉上隱隱透出憂苦，搖搖頭，道：「諸位佩刀掛劍的，想來都是練過幾手的會家子。不過，在江湖上走動的人，都該有個避諱，多一事，不如少一事。多走幾里路，總比沾惹上一場麻煩好些。」

人家和和氣氣一番話，倒使得王尙沒了主意，這三人雖然存心在江湖上找事情，但究竟不是具有惡性的人，一個是詩書滿腹的讀書人，兩個是忠厚傳家的弟子。

伸手摸摸頂門，王尙道：「我看，我們還得從這條路走。咱們公子不願繞路，也不怕麻煩，你朋友就讓讓路吧！」

桃花童子嗤的一笑，忖道：這哪像是江湖人物。

低聲問道：「公子，咱們可是要蹚這次渾水？」

俞秀凡道：「怎麼，事情很嚴重？」

桃花童子道：「看樣子，好像是兩幫人馬在解決一件什麼紛爭。」

俞秀凡道：「哦，想來是挺熱鬧了。」

桃花童子道：「熱鬧是熱鬧，不過，只怕要招惹上一身麻煩。」

俞秀凡笑了一笑，道：「只要不背江湖大義，瞧熱鬧就不怕麻煩。」

桃花童子一躍下馬，抱抱拳，道：「這位大哥，有道是路歸路、橋歸橋，不論你們有什麼事，也不該攔住陽關大道。」

只聽兩聲冷笑，站在兩邊的大漢，突然一齊上步圍了上來，冷冷說道：「世上盡多有悍不畏死的人，你閣下這法子打發不了人。」

居中漢子道：「兩位，話不說不明，木不鑽不透，何不讓別人一步。」

左側漢子冷笑一聲，接道：「人家不買這個帳，你閣下丟得起人，我們丟不起人，咱們早就說好了，你的辦法如是不靈光，就要照我們哥倆的意思辦。」

俞秀凡借機會打量了三人一眼，發覺這三人雖都是穿著疾服勁裝，但卻有著顯然的不同。

那居中大漢，左臂上戴著黑紗，似是爲長輩戴孝，眉目含愁；但另兩個勁裝大漢卻是一臉凶悍，雙目帶著濃厚的殺氣，臂上也未戴黑紗。

只聽居中大漢道：「四位，划不來啊……」

兩側的漢子已然越過了居中大漢，冷冷接道：「四位是非要走這條路不可了？」

桃花童子笑了一笑，道：「說得是啊！陽關大道不能走，要我們翻山越嶺不成？」

左側大漢怒吼道：「不用和他多費唇舌了，不讓他吃點苦頭，他不知道天有多高。」話才落口，一隻右手，已然抓向了桃花童子。

滴溜溜一個轉身，桃花童子堪堪避過了五指，笑道：「你們是不是一夥的，怎麼領頭的挺和氣，你們這兩個小子卻是渾得很啊！」

右側大漢本來沒有出手，聞言動怒，欺身而上，拍出一掌。

桃花童子一轉身，閃到了王尙的背後。

王尙一直留心著桃花童子的身法，希望能瞧出他一點真實功夫。

桃花童子的武功並不好，閃避兩人的掌勢，都是險險避過。

腿勁、腰功，都還差著一截火候。

兩個勁裝漢子把桃花童子迫到王尙身後，也不過是略一遲疑，立時又欺了上來。

原來，兩人看王尙身體健壯，全身都透出一股勁道，微微一怔，但立時就欺身攻了上來。

王尙冷笑一聲，提氣戒備。

左首大漢右手護胸，左掌一探，抓向王尙身後的桃花童子，右邊大漢，卻疾出一拳，擊向王尙。

王尙左掌猝然切出，阻止了左面大漢的攻勢，右手也握拳擊出。這是蠻悍的硬接硬打，兩個拳頭實實在在地撞在了一起。

王尙站在原地未動，右側那向前奔出的大漢，卻哇的一聲大叫，左手托住了右臂，向後暴退三尺。鬆開了右拳，五指腫脹了一倍，食、中二指的關節，也被生生撞斷。但他的左手，卻是抱在肘間，想來，肘間也被震得傷勢不輕。

只一拳硬撞，立時使兩個大漢的氣焰完全消失，左首大漢疾退了三步，呆呆出神。

他久走江湖，身經百戰，卻是從未見過這等打法。他心中很明白，自己沒有受傷是運氣好，再動手，只有皮肉受苦的份。

桃花童子緩緩由王尙身後行了出來，拍拍手上的灰塵，笑道：「兩位，這叫強中更有強中手，兩位眼珠不認人，活該倒霉。怎麼樣？現在讓不讓我們過去。」

他這一番話，是沖著那左面大漢說的，因爲，右側的大漢和王尙相撞了一拳之後，就抱著右臂蹲在地上，沒有站起來過。

左側大漢抬頭望望桃花童子，想說話，但見王尙怒目橫眉，立刻閉上了嘴巴，向後退了兩步。

原居中的大漢，迎上來低聲道：「四位雖然高明，不過……」

桃花童子一拱手，接道：「你讓讓路吧！咱們決心要走這條路。山也擋不住，你省些口舌吧！」

居中大漢嘆息一聲，默默走向一側。

桃花童子笑了一笑，走在前面，俞秀凡緊跟著王尙、王翔，牽著四匹馬走在最後。

俞秀凡沉聲叫道：「小桃童。」

桃花童子立刻折了回來，低聲道：「公子，有什麼吩咐？」

俞秀凡道：「你瞧出是怎麼回事了麼？」

桃花童子道：「似是兩個不同的門戶，在這裏火併，三個攔路的人，是屬於兩個不同的門戶。公子是不是要插手此事？」

俞秀凡道：「目下我還沒有決定，要看雙方面的是非，如是能夠排解了這場搏殺，也算是一大功德。」

桃花童子道：「很難。公子，大凡這等率眾而來的火併，很可能是積存著深仇大恨，只怕不是言語能夠排解得開。」

俞秀凡道：「試一試看，真要不行，咱們就強行制止。」

桃花童子道：「那好，咱們得走快一些。」

這是一道險峻的官道，一面是深過百丈的懸崖，一面是起伏聳立的峰巒。

行約三、四里路，道旁出現了一條林木蒼鬱的山谷。

桃花童子低聲道：「公子，雙方火併之處，就在前面不遠處，咱們把馬匹拴在林中，爬上這座高峰，可以避開他們的樁卡。」

俞秀凡點點頭，四人行入林中，掛好健馬，向一道陡削山壁上爬去。

這是一片百丈峭壁，但峭壁間突出了不少的山石矮材，都可用做手足攀著之處。

仍由桃花童子帶路，只見他攀樹登石，爬行甚快，但卻並不見有什麼傑出的輕身之術。

俞秀凡暗暗嘆息一聲，忖道：這人似是故意的深藏不露。

原來他看到那桃花童子閃避適才那人的攻勢，雖是險險避過，但卻毫不慌亂。

此刻攀樹登山，靈巧適度，手攀、足著之處，無不恰到好處，但表面上卻又不著痕跡。

攀上峰頂，向下看去，只見一片平坦的山坡地上，對峙著數十個人。

山峰距離那片平坦之處，約有五、六十丈，既看得不太清楚，又無法聽到雙方談些什麼。

桃花童子湊過來低聲道：「公子，咱們要不要下去瞧瞧？」

俞秀凡打量山坡的形勢，低聲說道：「咱們可以借草叢巨石掩護，偷偷下去，大家小心一些，別要驚動了他們，以便聽聽他們說些什麼。」

桃花童子微微一笑，道：「我帶路。」當先向前行去。

四人身法靈巧，又極小心，竟然接近到五丈左右處，仍未被人發覺。

四個人隱藏在一個巨石之後，這時，已然清晰的可以看到雙方對峙的人群，聽到雙方的談話聲音。

七　義無反顧

但聞一個沉重的聲音，說道：「鐵掌門，別的條件我們都可以答應，唯有開棺查驗一事，我們萬萬不能答應，這一點，還要鐵兄體諒。」

一個森冷的聲音接道：「趙掌門，如是你們問心無愧，開棺查驗，又能如何，令師已經死了，而且還停棺未葬，開棺檢查，也不過是片刻間事，如是趙掌門不能答應，你想到拒絕的後果麼？」

俞秀凡探頭望去，只見那說話之人，是一個鷹眼雞鼻的中年人，穿著一身灰色長衫，身後一排橫列著三十位身著灰色勁裝的大漢，每人都佩一柄鬼頭刀，腰裏斜掛著一個黃布袋。

武林掛著革囊鏢袋的人，不足為奇，但三十個人，掛著一樣顏色、一般大小、一樣形狀的袋子，這就有些扎眼了。

再看這邊的人，都穿著青色的勁裝，每一個人的臂上，都纏著一條黑紗，為首的是一個四旬左右的中年人，五短身材，穿著一件青色長衫。

他背對著巨石，無法看清楚他的神情。

俞秀凡暗中數了一下，穿青衣的人，只有十九個人，連那為首穿青衫的人算上，也不過二十個人。雙方面的人數，有了很大的差距，而且穿青衫的人，年齡老少不同，有十幾個二十多歲的年輕人，四、五十歲的中年人，身上佩帶的兵刃，也不相同，有刀有劍，也有判官筆一類的兵刃。

雙方面比較，有一個很大的不同，一邊是訓練有素的精銳，一邊是臨時集合起來的人手。

但聽那五短青衣人緩緩說道：「鐵兄，家師已然死去，我們做弟子的，如若連他的屍體都不能保護，還有何顏面立足於天地之間。」

面目森冷的灰衣人道：「趙掌門，在下早已得到消息，《劍譜》就藏在令師的棺木之中。趙兄不肯答允我們開棺檢查，那是說趙兄是做賊心虛了。」

不待姓趙的接口，灰衣人仰天大笑三聲，接道：「再說，如若雙方動手搏戰，趙兄不幸丟了性命，又有什麼能力保護令師的棺木呢？」

姓趙的青衣人長長嘆息一聲，道：「鐵掌門，你不要聽別人的挑撥，先師遺體入殮時，兄弟一直守在身側，就沒有見過什麼劍譜。」

隱身在大石後的俞秀凡，聽得一皺眉頭，低聲對桃花童子道：「那姓鐵的似是有備而來，盛氣凌人，姓趙的似是在委屈求全。」

王尚一旁插嘴道：「公子，這姓趙的也太窩囊了，如是連師父的棺木都保不住，要被人開棺查看，何不放手一拚。」

桃花童子道：「王兄，他們不能拚。」

王尚道：「爲什麼?大不了戰死而已。」

桃花童子道：「他一人戰死，也許無所謂，但他不能拿整個門戶孤注一擲。」

王尚道：「你是說姓趙的非敗不可？」

桃花童子點點頭道：「不但非敗不可，而且一敗下來，就要全軍覆沒，只怕很難有一個逃得過毒手。」

王尚道：「雙方武功相差如此懸殊，那也只好認命了，開棺就讓人開棺吧，只要他們沒有拿什麼劍譜，豈不是可使一場風波平息？」

桃花童子道：「他們倒未必是怕對方的武功如何，而是怕他們身上的黃袋。」

俞秀凡奇道：「黃布袋之中是什麼暗器？」

桃花童子道：「湘西『五毒門』名動江湖的『五毒追魂沙』。」

俞秀凡心中暗道：看來這桃花童子知道的事情不少。

口中卻說道：「那姓鐵的是五毒門掌門人了？」

桃花童子搖搖頭，道：「不清楚。但他們那黃布袋，放的五毒追魂沙決然不會錯了。」

俞秀凡道：「他們若非五毒門人，爲什麼會帶著五毒追魂沙呢？」

桃花童子搖搖頭，道：「這個，我就不知道了，也許是拿銀子買的吧！」

俞秀凡突然站起身子，行出巨石。

王翔、王尚眼看俞秀凡行了出去，急急飛躍而出，緊隨在俞秀凡的兩側，向前行去。

那鐵姓大漢，眼看巨石後突然行出四個人來，立時臉色大變，冷笑一聲，道：「姓趙的，原來你還有伏兵，無怪敢這樣倔強了。」

姓趙的漢子聽得一呆，回頭看去，果見四人大步行了過來。

還未來得及開口，俞秀凡已搶先說道：「閣下是鐵掌門了？」

那姓鐵的漢子，打量了俞秀凡一眼，冷冷說道：「不錯，在下鐵飛。」

俞秀凡微微一笑，道：「鐵掌門不用冤枉這位趙掌門，在下和雙方全無關係，只是路過此地，碰上了這件事。」

鐵飛道：「路過此地？咱們在路口放的卡哨，閣下沒有見到麼？」

俞秀凡道：「見到了。而且他們也攔阻了在下，可惜，他們沒有攔住。」

鐵飛冷笑一聲，道：「你傷了他們？」

俞秀凡微笑道：「不敢，不敢，教訓了他們一頓就是。」

鐵飛冷哼一聲，道：「這筆帳咱們以後算，你們現在可以走了。」

俞秀凡淡淡一笑，道：「鐵掌門，咱們如是這般容易的就走了，豈不是不如不來？」

鐵飛微微一怔，道：「那你們要幹什麼？」

俞秀凡道：「既然叫在下趕上了這場紛爭，不希望眼看到流血搏殺。」

鐵飛冷冷說道：「就憑你閣下麼？」

俞秀凡道：「怎麼樣，閣下可是覺得在下沒有這個身分？」

鐵飛道：「人的名兒，樹的影子，你朋友先報個名字出來，讓鐵某人掂掂你的份量。如是你閣下真有這個身分，咱們也許會賣你這個面子。」

俞秀凡微笑道：「很可惜，區區在江湖上沒有什麼名氣。」

鐵飛一皺眉頭，道：「你連一個名字也沒有？」

俞秀凡微微一笑，道：「俞秀凡。」

鐵飛臉色一變，道：「在下沒有聽過這個名字。」

王尙冷冷接道：「你現在聽到了。」

鐵飛回頭瞧了一眼，道：「不錯，我聽到了，不過，在下覺得很可笑。」

王尚道：「姓鐵的，我要你立刻笑不出來！」

俞秀凡一揮手，道：「王尚，退下去。」

目光轉注在鐵飛的臉上，接道：「鐵掌門，我想，除了人的名字之外，應該還有別的辦法。」

鐵飛道：「還有一個很笨的辦法，但也最有效。」

俞秀凡道：「實力。是麼？」

鐵飛道：「是的。閣下準備如何消弭這場紛爭，可以試試了。」

俞秀凡道：「鐵掌門很急？」

鐵飛冷然道：「在下沒有太多時間，和諸位做口舌之爭。」

俞秀凡道：「鐵掌門希望見識些什麼？」

鐵飛冷冷說道：「最真實的武功，就是臨陣動手搏殺。」

俞秀凡道：「打架？」

鐵飛沒有理會俞秀凡的話，舉手一招，兩個身著灰衣的勁裝大漢應手而出，一指俞秀凡道：「你們向這位俞少俠領教、領教，記著，咱們的時間不多。」

兩個灰衣大漢一欠身，突然拔出了佩刀。

桃花童子叫道：「要動傢伙？」

兩個灰衣人已得鐵飛的暗示，鬼頭刀出鞘之後，一語不發，兩把鬼頭刀，突然以雙龍出水之勢，朝俞秀凡合擊過去。

王翔、王尚想不到這兩人一拔刀就劈了過去，變生意外，想出手已來不及。

但見俞秀凡雙手伸出，左右一揮，已扣住了兩個大漢的脈門。

只是出手一揮，輕輕易易地抓住兩人的腕穴，出手比兩人先發動的刀勢還快。

俞秀凡不知自己已經伐毛洗髓，再由花無果靈藥助成，內力十分雄渾，眼看兩人刀勢猛惡，握住兩人的腕脈十分用力。

但聞兩人同時發出一聲慘叫，一連串腕骨碎裂之聲，腕骨已被俞秀凡指力捏碎。

俞秀凡很意外，一放雙手，兩個灰衣人都疼得抱著右腕蹲了下去。兩柄刀同時落地。

鐵飛愣愣地望著俞秀凡，他想了半天，仍然沒有想出俞秀凡用的什麼手法。

俞秀凡目光轉注到鐵飛的臉上，冷冷地說道：「鐵掌門，還要試試麼？」

鐵飛很震驚俞秀凡的手法，但他係預謀而來，實不甘如此退走。何況，還有最厲害的暗器，沒有施用。

冷笑一聲道：「俞少俠的武功很高明，不過，除了武功之外，還有很多別的東西。」

俞秀凡心中微微一震，暗道：他們看來準備用「五毒追魂沙」來對付我了。

心中念轉，口中卻冷笑一聲，道：「你可是想仗憑『五毒追魂沙』？」

鐵飛哈哈一笑，道：「俞少俠既然知道『五毒追魂沙』這名字，想必早已知道它的厲害了。」

俞秀凡點點頭，道：「鐵飛，這就是你狂傲的仗恃了。」

王翔、王尚，突然向前疾行幾步，站在俞秀凡的身側。

俞秀凡冷冷地說道：「你們下去，站遠一些。」

王翔、王尚同時一怔，但見俞秀凡神色嚴肅，不敢不聽，只好向後退去。

俞秀凡緩緩解下了身上的佩劍，道：「鐵飛，我只是想排解你們兩家的紛爭，但你想用毒沙逞凶，那是打錯主意了，你將付出很大的代價。」

鐵飛沒有答話，卻暗中下令，八個灰衣刀手，行入場中。各站方向，把俞秀凡圍在中間。

不知何時，八個入場的灰衣大漢，左手上都套上了一個皮手套，而且，手已伸入了黃色的袋中，右手握著鬼頭形刀柄。

看樣子，他們在等待一聲令下，立時出手，毒沙和刀勢，一齊攻上。

面對著險惡形勢，俞秀凡表現得很鎮靜，目光微微轉動，似是打量什麼，口唇不停張啓，又像數著數字。

王尚低聲說道：「大哥，奇怪，公子爲什麼把咱們攆出來獨自拒敵？」

桃花童子臉上是一股很奇怪的表情，說不出是愁苦還是歡愉，緩緩說道：「五毒追魂沙太惡毒了，俞公子把兩位攆出來，是怕兩位傷在毒沙之下。」

鐵飛似也被俞秀凡的武功鎮住，實不願蠻橫強敵，緩緩說道：「如若閣下願意立刻退走，擊傷本門兩個弟子的事，在下也不追究了。」

這時，那姓趙的漢子，突然接口說道：「鐵掌門，咱們兩家的事，用不著扯上別人。」一面說話，一面向前行來。

桃花童子一皺眉頭，突然橫身攔住了姓趙的漢子，道：「你站住。」

姓趙漢子呆了一呆，道：「這位朋友，你……」

桃花童子接道：「咱們公子自有對敵之策，你這麼衝上去一攪，非把事情鬧壞不可。」

姓趙的漢子道：「貴公子用不著替我們冒險。」

桃花童子道：「你們擋不住五毒追魂沙。」

這是很真實的話，趙姓漢子微微一嘆，默然無語。

鐵飛望也沒有望那姓趙的漢子一眼，冷冷說道：「閣下作何打算？」

俞秀凡肅然說道：「你如還不知懸崖勒馬，只怕要付出很大的代價。」

鐵飛一揮手，道：「殺！」

正南方位上兩個灰衣人突然向前移動，左手拔出袋口，手中緊握一把追魂沙。

忽然間寒芒一閃，掠身而過，兩個灰衣大漢，急舉左手向前打去，可是，他們甩出的不是毒沙，而是一串血珠。

原來兩人手還未離袋口，已被俞秀凡快劍斬去，只因劍勢太快，兩人還不知道手腕已被斬斷，看到了血珠子，才覺著手腕上一陣劇疼，殺豬也似的嚎叫一聲，向後退去。

俞秀凡已然還劍入鞘，屹立場中。

一連串驚呼慘叫，傳了過來，圍在四周的八個灰衣大漢，都已經失去了左手，一個人左手斷在滿裝毒沙的袋裏，兩個最後被斬斷左手的人，左手總算離開了袋口，和著毒沙、鮮血，跌落在地上。

鐵飛呆住了。

桃花童子也愣住了，王翔、王倘、連那姓趙的漢子，都站在那裏兩眼發直。

三十個灰衣人，八個斷手，兩個碎腕，片刻間傷了十個。還有二十個人，臉上都變了顏色，直直地站著。

俞秀凡目光轉到鐵飛的臉上，緩緩說道：「你還要試試麼？」

鐵飛的神經似是已有些麻木，半晌才像是聽到俞秀凡的話，急急說道：「你用的是什麼劍法？」

這個闖蕩江湖數十年，經歷過無數風浪的一派掌門，完全失去了一派尊長的氣度。他見得太多了，但卻從沒有見過這樣子的快劍。

俞秀凡淡淡一笑，道：「我問你還想要試試麼？」

鐵飛目光轉動，掃掠了列隊而立的屬下一眼，個個臉上都泛現驚懼之色。心理已經崩潰，哪還有勇氣可言。

搖搖頭，鐵飛說道：「不，俞少俠……」下面的話，似是無法再說下去，但那已經很明白了。

俞秀凡高聲說道：「雙方下令，命從人退後五丈，兩位掌門的請過來。」

鐵飛和那姓趙的漢子，似是中了邪般，依言下令，然後大步行了過來。

俞秀凡選了一片草地坐下來，道：「你們兩位也請坐下。」

鐵飛和那姓趙的相互望了一眼，同時坐下。

姓趙的不待俞秀凡開口發問，先行一抱拳，道：「在下趙重山，是青龍門的現任掌門，家師上一代掌門，逝世還不過七七，在下這個掌門人，也不過接下一個半月。」

俞秀凡點點頭道：「紅花、白耦、青蓮葉，三教本是一家，武道一脈，諸家同源，兩位有什麼過不去的事情，竟然各率領門下精銳弟子，在此荒谷拚命？」

趙重山道：「究竟為了什麼，在下現在還不清楚。鐵掌門率領人手，要開家師的棺材，被在下和門下弟子阻止，雙方發生了一次衝突。」

鐵飛冷哼一聲，接道：「趙重山，你怎麼不說實情呢？」

趙重山見問微怔，繼道：「那一次搏殺，鐵掌門吃了點虧，三死五傷。」

俞秀凡接口問道：「貴門呢，就沒有傷亡麼？」

趙重山道：「青龍門也傷了兩個人。」

鐵飛道：「趙掌門爲什麼不說你們人多勢眾，合力圍擊，在下只有十人同往，三死五傷，只有區區在下和一個門下弟子全身而退。」

趙重山道：「鐵掌門當時氣勢洶洶，非要開啓家師的棺木不可，激起了青龍門人的怒火，趙某實也無法約束那個局面。何況，兄弟接掌門戶不過一個月多些，又正值家師喪事，權威未立，這一點，鐵掌門應該諒解才是。」

鐵飛冷冷說道：「貴門放倒了我們，死傷八人，自然是心平氣和。」

俞秀凡輕輕咳了一聲，道：「兩位不用再爭執，在下覺著此是非已很明顯了。」

鐵飛、趙重山四道目光，齊齊投注在俞秀凡的臉上，等候他的裁決。

俞秀凡道：「鐵掌門先行帶人登門生事，理屈在先，而且要開啓人家師父的棺木，那就無怪青龍門弟子們全力搏命了。」

鐵飛急道：「俞少俠，我鐵某並非無中生有，故意到青龍門惹事生非，實是因爲尋找一件重要之物。」

俞秀凡道：「劍譜？」

鐵飛道：「不錯。」

俞秀凡道：「那劍譜可是貴門之物麼？」雙目炯炯，盯住在鐵飛的臉上。

鐵飛搖搖頭道：「不是。」

俞秀凡笑了一笑，接道：「貴門人人用刀，和劍譜似乎是扯不上關係吧？」

鐵飛嘆口氣，道：「那劍譜雖非本門之物，但也非青龍門之物。」

俞秀凡道：「既非你們雙方所有之物，爲什麼卻又要彼此爭奪呢？」

鐵飛道：「那是一本無上的劍譜，由本門長老，在下的一位師叔，和青龍門上一代掌門人，在一座武林前輩坐化的山洞，撿得此物。原本雙方商定，離開山區之後，照樣子繪製一份，不料青龍門的掌門人，意圖獨佔劍譜，突然施下毒手，暗算了本門長老，獨自吞下劍譜。」

俞秀凡接道：「這件事你怎麼知道？」

鐵飛道：「本門長老雖然身受重傷，但他並未死去，卻僞裝死去，瞞過了青龍門的掌門人，俟他去遠之後，勉強行到　處獵戶之家，許以重金，由那獵戶通知在下。」

俞秀凡道：「你見過令師叔麼？」

鐵飛道：「在下趕到之時，師叔已然重傷而逝。」

俞秀凡道：「這些事，是那獵戶轉告於你了？」

鐵飛道：「是的。」

俞秀凡目光轉注到趙重山的身上，道：「令師和你談過這件事麼？」

趙重山道：「沒有提過。」

俞秀凡道：「令師是怎麼死的呢？」

趙重山嘆口氣，道：「先師的死因如何，我等還未查出。」

俞秀凡一皺眉頭，道：「你不知令師的死因？」

趙重山道：「是的。先師歸來之後，就躲入了一間靜室之中，嚴囑我等，非得他召喚，七日內不許開啓門扉查看。」

俞秀凡哦了一聲，道：「說下去。」

趙重山道：「第三天的時候，先師召人送去了一些食用之物，立刻又閉上了門窗，因爲有了中間送上食物的人，我們就放了心。但以後四天時間，先師就未再招呼送上應用之物，到了第七天，我們依約打開了靜室門戶，想不到家師已坐化在木榻之上。」

俞秀凡一皺眉頭，道：「你是說令師坐化在木榻之上？」

趙重山道：「是的。先師盤坐在木榻上，早已氣絕而逝。」

俞秀凡道：「死得很離奇，各位可曾檢視過令師的死因麼？」

趙重山道：「當時我們有五個人，同時行入靜室，目睹室中情形，心中還是不敢相信，不敢移動家師，我們等候了兩個時辰之久，確定了家師死亡之後，開始在室檢查。門窗未動，家師全身無傷，沒有中毒的徵象，不知何故死去。」

俞秀凡奇道：「這當真是一件很奇怪的事情。」

趙重山道：「不錯。但我們檢查得很仔細，靜室每一寸地方，和家師全身上下，實在找不出任何可疑的傷痕。」

桃花童子突然接口道：「趙掌門也是老江湖了，就算找不出傷勢，也該瞧得出一點內情。」

趙重山沉吟了一陣，道：「在下瞧是瞧出了一點原因，似乎是氣岔奇經而死，但在下不能確定。」

俞秀凡道：「你是說令師運氣岔了經脈？」

趙重山道：「在下是這樣的看法，本門幾位師弟也有這樣的看法，事實上，這也是先師致死唯一可能的原因了。」

俞秀凡道：「令師今年幾歲了？」

趙重山道：「六十三歲。」

俞秀凡道：「令師武功如何？」

趙重山道：「勝過在下十倍。」

俞秀凡道：「那怎麼可能把真氣岔入奇經？」

趙重山心中一動，道：「俞少俠武功深博，必可鑒明原因。如是少俠願意折節屈臨敝門一行，在下願和同門商議，重開棺木，讓少俠檢查一下先師致死的原因，也可讓鐵掌門了然在下不是信口應付。」

俞秀凡回顧了鐵飛一眼，問道：「鐵掌門有什麼高見？」

鐵飛欣然道：「俞少俠如是願意一行，在下極願奉陪。」

俞秀凡道：「可以，爲了使鐵掌門消去心中之疑，咱們同往青龍門一行。不過，在下有一個條件，希望鐵掌門答應。」

鐵飛道：「少俠吩咐，在下無不從命。」

俞秀凡道：「在下既然管了這件事，希望能辨個是非曲直出來，爲了免得雙方面造成衝突，在下希望你鐵掌門只帶兩個從人，而且，不要帶五毒追魂沙，至於鐵掌門的安全，由我俞某人擔保。」

鐵飛略一沉吟，道：「少俠這麼吩咐了，鐵某人怎敢不遵，在下帶本門兩位長老同行。」

俞秀凡道：「好！咱們就這樣一言爲定。」

鐵飛果然遵照俞秀凡所提條件行事，留下兩個六旬左右的老者，其餘的人飭回鐵家寨等候消息。

一場群毆血拚，就在俞秀凡的快劍鎮壓之下，消弭無形。

趙重山先遣了幾個弟子，趕回青龍堡，準備酒飯，自己卻陪著鐵飛等同行。

桃花童子悄然行到了俞秀凡的身側，低聲說道：「公子，死了幾十天的人，只怕屍體已腐，如若想找出致死的原因，只怕是有些不太可能了。」

俞秀凡心中實無把握，能在死了數十天的屍體上找出什麼，但他才智過人，心中有了底。一個練了數十年武功的人，在靜室突然死去，既無外傷，又無中毒之徵，而又有氣岔奇經的現象，唯一的可能，就是他在修習一種新的內功，不小心，真氣岔行而死。如是這推想能夠成立，那鐵飛說的話，就有八成可信了。

心中有了這麼一個念頭，所以他並不太急，笑了一笑，道：「咱們去瞧瞧總不妨。」

語聲一頓，轉過話題，道：「小桃童，湘西五毒門是怎麼樣的一個門派？」

桃花童子道：「一個很神秘的門戶。」

俞秀凡道：「他們在江湖上的聲譽如何？」

桃花童子道：「他們賣毒藥，各型各類的毒藥，還包括出賣各種奇毒的暗器，像那鐵飛門下的五毒沙，八成是購自五毒門。他們不但賣，而且還教導買主使用，不過，價錢卻是貴得駭人，所以，五毒門不但很神秘，而且也很有錢。」

俞秀凡道：「小桃童，辦完了青龍門的事，咱們不用去江州了，到湘西五毒門去瞧瞧如何？」

桃花童子接道：「那地方去不得，江湖之上，也曾有很多人去過湘西，進入了五毒門的區域，可惜的是，所有進去的人，都是有去無回。」

俞秀凡道：「爲什麼會這樣厲害？」

桃花童子道：「據說進入那五毒門的區域，要經過一個毒區，在那個區域，所有東西，都沾滿著各種不同的劇毒，任何人能逃過一種毒，無法逃過另一種劇毒，那地區，有一百多種不同的毒，再好的解毒藥物，都無法解得那些錯綜複雜的奇毒，所以，他們還沒有見到五毒門人，都已毒發而死。」

俞秀凡道：「聽起來果然是很厲害，不過，我還是希望去瞧瞧。」

桃花童子道：「好吧，如公子一定要去，我桃花童子自然捨命奉陪。」

青龍堡距離這山谷並不遠，也就不過是三、四十里。

所謂青龍堡就是一個磚土寨，大約有千戶人家，堡裏有兩條大街，飯店、酒樓、各業齊全。

原來這青龍堡有青龍門撐腰、保護，堡中居民，既不受刀客的搶劫威脅，也沒有土混頭兒欺人，因此，附近的人都想遷來居住。

本來只是一個兩百戶人家左右的小寨，但近三、五年，卻發展成了方圓三十里內，百業茂盛的一個大集鎮，每逢雙日，人群如潮，酒館、茶樓，家家客滿。

幸好，這是單日無集，但兩條主要的大街上，也是人來人往，十分熱鬧。

趙重山帶幾人行入了一座大宅院內，大廳果然擺著一副紅漆棺木。

先拜過師父的棺木，趙重山把客人讓入了左面廂房。房中早已擺好了一桌酒席。

趙重山肅客入座，頻頻敬酒，賓主之間，都盡量避免談到開棺搜找劍譜的事，但人人心中，卻都想著這個問題。

忍了又忍，還是趙重山先忍不住，道：「鐵兄，搜查家師棺木的事，鐵兄是否早已胸有成竹？」

鐵飛道：「這個，等一會兒再談吧。來！趙兄，我敬你一杯。」

俞秀凡盡量克制自己不講話，看他們兩人如何處置這件事情。

趙重山端起酒杯，一飲而盡。

用過酒飯，趙重山帶幾人行入大廳。兩盞長命燈，在神案上微微晃動。大廳內很靜，除了那大棺木外，幾乎已別無陳設。

趙重山揮揮手，示意守在廳中的人，都退出去，然後，才低聲對鐵飛道：「鐵兄，可以開棺了。」

鐵飛道：「趙兄，上代貴掌門穿的衣服還在麼？」

趙重山搖搖頭，道：「鐵兄，那些衣服，都已燒掉了。」

鐵飛一隻手搭在棺木上，暗暗運氣，內力湧出，喝道：「起！」棺木蓋子，在鐵飛精湛的內功操縱下，緩緩升起。大家都閉住了呼吸，想到這棺木開啓之後，定然會有一股屍腐之氣，沖鼻而入。

哪知大謬不然，棺蓋開啓之後，不但未聞腐屍氣息，而且，棺木的屍體，竟然是栩栩如生。

鐵飛一上步，托起木蓋，緩緩放到一側，探首望去，只見棺中人，仰面而臥，全身上下不見傷痕。

俞秀凡心中甚感奇怪，暗道：這人死了數十天，屍體不腐，不知是何原因？回目望去，只見趙重山神情肅然，並無驚駭、奇怪的表情，似乎這屍體不腐，早已在他的意料之中了。

鐵飛卻是神情凝重，望了那屍體一眼，回頭道：「趙兄，在下想搜查一下令師的屍體，不知趙兄的意下如何？」

趙重山黯然說道：「在下已經答應了俞少俠，鐵兄儘管搜查。」

突然對著棺木跪了下去，沉聲說道：「爲了表明心跡，延續青龍門存於江湖，弟子不能保護師父屍體不受驚動，此事過後，弟子當按門規領罪。」恭恭敬敬，對棺木大拜了三拜，才站起身子。

鐵飛神情冷肅，伸手向屍體上抓去。

俞秀凡突然伸出右手，擋住鐵飛，道：「鐵掌門，以你鐵掌門的武功，只要掌指所至，大約就可以分辨出是否有物，既稱劍譜，該是一本很大的冊子，如是收入這棺木之內，應該很容易找到。」

鐵飛沉吟了一陣，道：「俞少俠，是否真有劍譜，還在其次，主要的是關係本門長老的大仇，在下如是動手搜查了，自然要搜查得十分仔細，不會有所遺漏，這就難免動到屍體了。」

俞秀凡暗道：這鐵飛言來倒也有理，目下真相未明，實不能太過壓制於他。當下向後退了一步，未再多言。

鐵飛果然搜查得很仔細，但也很小心，盡量避免傷害到屍體。

王翔、王尙對那鐵飛的舉動，很不滿意，但卻不能反對俞秀凡，心中賭氣，退到了大廳外面。

桃花童子卻一直站在俞秀凡的身後。他瞧得很仔細，每一個細微的動作，都不肯放過。

趙重山神情悲忿，站在大廳的木窗之下，望著天空出神。

好一會兒，鐵飛搜完了棺木每一寸地方，但卻沒有搜出劍譜。

俞秀凡看他停下了手，才緩緩說道：「鐵掌門，搜查完了麼？」

鐵飛道：「搜完了。」

俞秀凡道：「沒有找到劍譜？」

鐵飛搖搖頭，沒有吭聲，但神情卻是一片惶然。

這當兒，突聞一陣哭聲，由內堂傳了過來，一個全身孝衣的五旬老婦，帶著一個全身縞素的少女，一路啼哭而至。

兩人行到了大廳前面，停住了啼哭之聲，四道滿含淚水的凌厲目光，投注在趙重山的身上。

白衣老婦人厲聲喝道：「重山，是你答應人家搜查你師父的屍體？」

趙重山快步行了過來，屈下一膝，抱拳說道：「弟子無能，不能保護師父遺體不受驚擾，此事過後，弟子自會在師父的靈前，領受門規，但為了保存青龍門，弟子又不得不答應。」

白衣老婦人怒聲喝道：「你這般貪生怕死，怎能領導青龍門，怎能擔起這掌門重擔，你……還有何顏見你師父於泉下！」

趙重山嘆口氣，道：「師母，弟子的生死事小，青龍門能否存在於江湖事大，弟子早已有過深思熟慮，師母請回內宅，弟子自有應對之道。」

白衣老婦人大聲叫道：「你是掌門人，別的事我可以不過問，但那大廳是你師父的屍體，我這做師母的也不能問麼？」

她立刻一陣吼叫，十幾個青龍門弟子，都聞聲奔了過來，大部分都帶著兵刃。

趙重山緩緩站起了身子，冷冷地望了圍攏過來的弟子一眼，說道：「都給我退下去！」

他有掌門之威，這一聲呼喝，圍過來的弟子，立刻向後退去。

但聞那白衣老婦人喝道：「都給我站住。」

就指著趙重山接道：「你不配再當青龍門的掌門人，你連死去的師父遺體都無法保護，我要召集青龍門弟子，廢了你的掌門之位。」

那一身縞素的白衣少女，一直沒有講話，只是冷冷地望著趙重山。

桃花童子打量那少女一眼，只見她二十一、二年紀，長得不算美，但也不醜。雖然悲痛之中，但還能保持著適當的鎮靜。雙目神光閃閃，透出一股精明之氣。

王翔、王尚，守在大廳門口處，冷靜地望著那白衣老婦人。

趙重山嘆口氣道：「師母！廢弟子掌門之位，是咱們的家務事，弟子答應師母，決不戀棧，如何處置弟子，悉憑師母之意。但弟子唯一的要求，等客人去後，再辦咱們的家務事。」

白衣老婦人冷笑一聲，道：「走？他們動過了你師父的遺體，還能整頭整臉的走出去麼？你這掌門人可以不管，我老婆子卻不能不問。來呀！亮兵刃給我砍了，掌門人如若怪罪，都由我老婆子承擔。」

十幾個青龍門人，在趙重山的揮喝之下，本已退走，但在聽得那白衣老婦人喝叫之後，又都停了下來，橫列在她身後。

白衣老婦人一聲「砍了」，十幾個排列在那老婦人身後的青龍門下弟子，全部亮出了兵刃。

趙重山大吃一驚，急急叫道：「師母，使不得，使不得。」

白衣老婦人向前走了兩步，道：「趙重山！」

趙重山大步出廳，接道：「弟子在，師母，這位俞少俠……」

白衣老婦人怒聲喝道：「住口，你如一定要阻攔這件事情，那就先把我老婆子殺了。」

趙重山接道：「重山怎敢犯上。」

白衣老婦人道：「那很好，你既然不敢，那就讓開去。」

趙重山接道：「師母，弟子……」

白衣老婦人厲聲喝道：「你閃不閃開，你是掌門人，他們不敢抗命，但老婆子不怕，你不讓開，我就先死給你看。」一揚手，一把匕首，抵在前胸之上。

這時俞秀凡和鐵飛，都已行到大門口處，並肩而立，桃花童子站在兩人身後三尺左右處。

鐵飛的神色很平靜，似是對俞秀凡的保護承諾，充滿著信心。

俞秀凡卻是大感煩惱，輕輕嘆一口氣，道：「老夫人，請聽在下……」

白衣老婦人道：「你是什麼人？」

俞秀凡道：「在下俞秀凡。關於啓棺搜查的事，在下想奉告老夫人一句。」

白衣老婦人打斷了俞秀凡的話，冷冷地接道：「我不要聽。什麼人動過了先夫的屍體，都別想活著離開。」

一揮匕首，道：「你們殺上去！」

十幾個青龍門弟子，應聲仗兵刃向前衝了上去。

王翔、王尙同時急急說道：「公子，怎麼辦？」

兩人原本對青龍門十分同情，但見這白衣老婦人蠻不講理，心中有些生氣，對青龍門的一點同情，消去了不少。

俞秀凡沉聲說道：「擋住他們，但盡量不要傷害他們。」

話未說完，十幾個青龍門弟子，已然衝到了大廳門口。

王翔、王尙同時大喝一聲：「退下去！」

兩道寒芒，霄奔電閃一般，由兩側捲射而出。只聽一陣兵刃交擊和慘叫之聲，傳入了耳際，衝近大廳口的六個人，一齊被震退下來。

六個人中四個兵刃被震脫出手，兩個人身子受了重傷，摔倒在地上。

只是揮手一擊，強弱之勢，已然人爲明顯。

那白衣老婦人原本氣勢洶洶，但看到對方一擊之後，不禁爲之一呆。她定了一下心神，感覺到這是相差懸殊的搏殺，青龍門弟子，只是白白去送死，幾乎是完全沒有還手的力量。

俞秀凡神情冷肅地說道：「老夫人，先把事情弄清楚，再行發作不遲，如非趙掌門處置得宜，青龍門人，只怕要傾巢覆沒。」

白衣老婦人全身微微顫抖，不知是在氣怒或是驚懼。

那一直未開口的白衣少女，緩步行了上來，低聲道：「娘，這些事還是由趙掌門師兄處置吧！你老人家請到後院去歇一會兒。」

她學過武功，明白厲害，心知再鬧下去，只有吃虧的份。

白衣老婦人突然放聲大哭起來，搶天呼地，哀痛欲絕。

這一下，倒是大出了俞秀凡的意外，不禁有著手足無措之感。

幸好，那老婦人在白衣少女的勸扶之下，回到了後宅。

青龍門兩個受傷的弟子，早已被同門抬了下去。

趙重山輕嘆一聲，緩步行了過來，一抱拳，道：「在下慚愧。」

俞秀凡搖搖頭，道：「不能怪你。」

趙重山忍辱負重，回身對鐵飛抱拳一禮，道：「鐵掌門，對本門是否還有懷疑？」

鐵飛緩緩說道：「鐵某只能說我沒有找到劍譜，對移動令師屍體一事，在下抱憾萬分。不過，趙掌門可以放心，鐵某人如若無法找出新的有力證據，決不會再來麻煩貴門。」

趙重山道：「希望這只是貴我兩門一次誤會。」

鐵飛回顧了俞秀凡一眼，道：「多謝俞少俠的保護，在下告辭了。」

趙重山道：「鐵掌門不再留一會兒麼？」

鐵飛道：「多有打擾。」帶著兩個從人，急急出門而去。

趙重山回顧了俞秀凡一眼，道：「俞少俠是我青龍門的恩人，請留此幾日，好使在下稍盡地主之誼。」

俞秀凡道：「在下持平論事，對擾動令師屍體一事，心中甚感不安。不過，如此一來，也可證明了貴門的清白，令師泉下，當可原諒你這番心意了。」

趙重山苦笑一下，道：「本門事情，如何演變，目下還很難說，趙某人也只能盡其在我，但你俞少俠對我們青龍門的一番恩情，在下自當對師門解說清楚。」

俞秀凡道：「對令師母在下感到很抱歉。」

趙重山接道：「這不怪俞少俠，敝師母情緒激動，俞少俠只要不見怪，那就是敝門之幸了。」

俞秀凡道：「既是如此，我們也告別了。」

趙重山送到青龍堡外，才長揖止步。

俞秀凡嘆口氣，道：「解決江湖事，很難全憑口舌收效，以理服人，實非易事。」

桃花童子道：「江湖上本是武功第一，武功越強的人，名聲越高，說話也越有份量；實力越大的人，也愈有一語解紛爭的力量。」

目光一掠王翔、王佾，接道：「如非兩位王兄的一刀，很難使那位青龍門的老婦人安靜下來。」

王翔道：「鐵飛堅持開棺搜查劍譜，未免欺人過甚，趙重山也居然答應了下來，也難怪他師母發作了，如非公子早已答允了他，在下就不許他開啓棺木。」

桃花童子微微一笑，道：「這就叫做賊心虛。」

王佾聽得一怔，道：「小桃童，你說什麼人做賊心虛？」

桃花童子道：「趙重山。」

俞秀凡哦了一聲，道：「你是說趙重山早已把劍譜收了起來？」

桃花童子道：「趙重山很老實，確然不知道劍譜的事，但看鐵飛堅持開棺搜查，心中反而有些相信了這件事。」

俞秀凡微微一笑，道：「劍譜不在趙重山的手中，他爲什麼心虛？」

桃花童子道：「鐵飛的堅持，使趙重山想起了什麼事，所以，他心中有些疑慮。」

俞秀凡道：「那麼你的看法，是不是有一本劍譜，落在了青龍門的手中？」

桃花童子道：「照我的看法，鐵飛說的是真話，青龍門確得了一本劍譜，不過那劍譜現在何處，小的就不知道了。」

俞秀凡肅然說道：「小桃童，如若你說得不錯，這問題似乎不只是一本劍譜的事了。」

桃花童子道：「公子有何高見？」

俞秀凡道：「鐵飛找青龍門討取劍譜的事，那暗收有劍譜的人，自然也是知道了。他竟然不惜犧牲掉青龍門精銳之士，用心可謂狠毒了。」

桃花童子由衷地佩服道：「公子高明，小的還未想到這些。」

他夠聰明，再加上豐富的閱歷，細心的查察，確能見人所不能見。

但俞秀凡卻又不同，他滿腹經綸，一腔才華，所差的是經驗、閱歷，桃花童子有了一個題目，他就能深思遠慮，舉一反三。

嘆口氣，王尙緩緩說道：「那人是誰呢？如是青龍門人，又爲什麼要害死這麼多的同門兄弟？」

俞秀凡淡淡一笑，道：「小桃童，你說說看，什麼人取到了那本劍譜？」

桃花童子道：「這個，小的本不敢妄言，但公子既然問了，小的就斗膽猜上一句，是不是那位老夫人？」

俞秀凡道：「雖不中，亦不遠矣！」

這一次，輪到桃花童子震驚了。呆了一呆，道：「公子之意，可是說另有其人？」

俞秀凡道：「我的看法，那位姑娘的成份大些。」

王翔、王尙，兩個人瞪大著一對眼睛，道：「公子是說那位一身縞素孝衣的姑娘？」

俞秀凡道：「不錯。」

王翔大爲驚奇道：「那不是故去青龍門掌門人的女兒麼？」

俞秀凡道：「她可能不是那一對老夫婦的親生女兒，而且，就那年紀，一個足不出戶的女孩，顯得太過深沉了。」

桃花童子嘆道：「公子才慧過人，我等難及。小的就未留心到她的身世問題，但細想起來，她當時的冷靜，確然是超過了她的年齡。」

王尙道：「公子，咱們可要再回青龍堡去麼？」

俞秀凡道：「自然要去。不過，不是現在。」

王尙道：「什麼時間去？」

俞秀凡道：「今夜二更後。」

半天沒有說話的王翔開口道：「公子，還有一件事，屬下也想不明白。」

俞秀凡道：「什麼事？」

王翔道：「那掌門人的屍體既未腐亦未臭，豈不有些奇怪？」

俞秀凡回顧了桃花童子一眼。

桃花童子笑了一笑，道：「他們用松油薰過屍體，據說松油煎過的屍體，再放在上好棺木之中，可以百日不腐。」

王尙道：「原來如此。」

桃花童子嘆道：「我有些想不明白，他們既然想吞沒劍譜，為什麼要保留下那掌門人的屍體，如是屍體未經松油煎過，數十日之久，這屍體早已腐爛了，那鐵飛查看起來，也得大費一番手腳。」

王翔、王尙都被引起好奇之心，心中暗道：看來，這青龍門糾紛甚多，非得查它個水落石出不可。

四人為了隱秘行蹤，行出了數十里之遙，才找了一處雜林停了下來。

林中一座小廟，四人把馬匹拴在林木深處，然後，坐息了一陣，等夜幕低垂，才徒步折回青龍堡。

到了青龍堡，已然是二更時分。

今晚上陰雲遮月，正是夜行人出動的大好時光。

王翔、王尚，施展開輕功身法，躍上堡牆。

俞秀凡卻未立刻跟著上去，雙目盯注在桃花童子的臉上。

桃花童子道：「公子，請先上吧！」

俞秀凡微微一笑，道：「小桃童，你先請。」

桃花童子抬頭望望堡牆，道：「我這一點武功，如何能上得了這麼高的堡牆？」

俞秀凡淡淡一笑，道：「小桃童，你如真上不去，我留在下面，也可助你一臂之力。」

桃花童子微微一笑，道：「我有我的法子。」

突然間雙手探入懷中，取出來時，雙手各多一把匕首。只見他奮身一躍，右手匕首刺入了牆，雙手交替，很快地爬了上去。

俞秀凡一提氣，躍過護城河，施展壁虎功，順著那桃花童子用匕首爬上的痕跡，向上游去。

那匕首刺入壁間的痕跡很淺，而且一丈之後，就不再見痕跡。

這證明了一件事，那桃花童子是一位身負絕技的人，但他一直深藏不露。

俞秀凡證實了心中之疑，立時一個翻轉，躍上堡牆。

王翔低聲道：「公子，堡內還有甚多人走動。」

俞秀凡道：「二更已過，怎的還有人走動呢？」

王翔道：「屬下也覺著奇怪。」

桃花童子接道：「青龍門有了防備，但他們又不願做得太露骨，所以，裝作行人，來回走動，兩位如果留心一些，就可以瞧出來了，他們走的地方，一直不離青龍門掌門人那座高大宅院的四周。」

俞秀凡望望天氣，道：「不入虎穴，焉得虎子，咱們走。」

這一次，俞秀凡當先帶路。四條人影，借夜色掩護，撲向了一座高大的宅院。行到那宅院外面，四個人同時爲之一呆。

原來青龍門那座巨大的宅院，外面大門緊閉，不見防守，但內部卻是燈火通明，耀如白晝。

桃花童子微微一笑，道：「他們早有了防備，不過，不是防我們。」

王尚道：「不是防我們，防哪一個？」

桃花童子道：「鐵飛。」

俞秀凡低聲道：「走！咱們到那棵大樹上，先查看一下宅院防衛形勢，再決定進去的辦法。」

四個人，迅快地奔向一株大樹。這棵大樹雖然距離那宅院很遠，但卻高過那宅院很多，居高臨下，看得十分清楚。

但見那寬大的宅院，到處高挑著氣死風燈，特別幽暗的所在，還高燃著幾支火炬。四進院落，無不如此，但卻不見有巡行之人。顯然，那些人都是埋伏在暗處。

俞秀凡搖搖頭，道：「光如白晝，雀鳥難渡。」

但聞一聲輕輕嘆息，道：「是俞少俠麼？」

王尚右手一抬，長刀出鞘道：「什麼人？」

「在下趙重山。」隨著答話之聲，樹頂一處枝葉濃密所在，飛落下趙重山。

桃花童子微微一笑，道：「閣下藏在這大樹之上，院內燈火通明，當真是防守得森嚴得很。」

王尚冷笑一聲，道：「口蜜腹劍的小人，可恨，可恨！」

趙重山黯然說道：「俞少俠，不知可否讓趙某人說幾句話？」

俞秀凡倒是很冷靜，笑了一笑道：「趙掌門請說。」

趙重山道：「青龍門今夜是防備鐵飛，卻沒……」

俞秀凡接道：「沒有想到我們會來，是麼？」

趙重山道：「唉！在下想到俞少俠也可能去而復返，沒想到來得這麼快。」

俞秀凡道：「趙掌門可知道在下去而復返，爲了什麼？」

趙重山道：「爲了劍譜。」

俞秀凡道：「趙掌門快人快語，不知可否告訴在下，那劍譜現在何處？」

趙重山道：「不瞞俞少俠說，到目前爲止，在下還未見到那劍譜，不過，在下心中確然已經有些動疑。」

俞秀凡道：「趙掌門懷疑什麼？」

八　驚天劍譜

趙重山道：「我那位小師妹，也就是先師從小收養的義女。」

一切都應了俞秀凡的判斷，連桃花童子，也聽得暗暗心服。

俞秀凡輕輕咳了一聲，道：「趙掌門怎會有此懷疑呢？」

趙重山道：「因為，在下忽然想到了一件事，先師入關第六天的夜晚，四更時分，在下到先師打坐靜室巡視，遇上了一個人，就是先師義女詹小玲。」

俞秀凡道：「當時，你沒有懷疑麼？」

趙重山搖搖頭，道：「沒有，她是先師收養的義女，也是先師唯一的晚親。她巡視一下先師的靜室，自也是人情之常，當時，行過家師的靜室，似乎是覺著後窗微微開啓。」

桃花童子接道：「那麼，你們移出令師的屍體時，可曾檢查過窗戶？」

趙重山道：「查過了。兩扇窗，都關閉著，當時在下忽略了。如今想來大是可疑。」

桃花童子道：「就只有這些證據麼？」

趙重山道：「諸位去後，在下曾去仔細的查看過那座後窗，發覺了一部分窗紙稍有不同，那是一樣顏色的窗紙，只是新舊之分。稍有差別，不留心便很難看得出來。」

桃花童子故作不解道：「令師妹為什麼要竊取那本劍譜呢？」

趙重山緩緩說道：「詳情在下還不明白。同時，在下覺著，先師之死，也有值得追究之處。」

王尙道：「那小丫頭難道還敢殺父不成？」

趙重山道：「這個，在下不敢妄言。不過，她怎知先師身上有本劍譜，是一件很奇怪的事，但她是先師膝下唯一的晚親，先師生前對她呵護備至。」

俞秀凡逐漸開始了解江湖上的人人事事，因有滿腹學問，進境神速，大異常人。目光轉注到趙重山的身上，道：「趙掌門，咱們既然見了面，我們就不想在暗中行事。你說說看，我們應該如何？」

趙重山道：「不知爲什麼，我那師母在諸位去後，竟然沒有發作。但那不會太遠，至遲三天內，她定然會召集本門中人，廢我掌門之位。」

桃花童子接道：「她能夠廢得了麼？」

趙重山道：「應該是廢不了。不過，我不願傷害她老人家，也無意戀棧這掌門之位。」

俞秀凡道：「趙掌門，我現在應該如何？」

趙重山道：「少俠對本門恩同再造，本門十之六、七的人，都對少俠感激萬分，老實說，你少俠說一句話的力量，比我這掌門人說什麼都更受重視。所以，在下不準備干涉諸位的行動。」

俞秀凡略一沉吟，道：「貴門防備森嚴，咱們如何才能進入宅院，而不爲人發覺？」

趙重山道：「只有一個辦法，諸位從第三進院落的邊門進去。」

俞秀凡點點頭，目光一掠王翔，道：「你陪著趙掌門守在這裏，沒有得到我的招呼之前，兩位都不要隨便離開。」

話雖說得客氣，但卻無疑是下令王翔看住趙重山了。

王翔一欠身，道：「屬下領命。」

俞秀凡一招手，帶著王尚和桃花童子，飄然下樹。

三人依照那趙重山的指示，繞路行至第三進院落之旁。

目光一顧桃花童子，俞秀凡低聲說道：「先進去看看！」

桃花童子不禁微微一怔，道：「小的這份輕功，只怕……」

俞秀凡冷冷接道：「最好別驚動了人，萬一驚動了，自己想法衝出來，別指望我們出手援救。」

桃花童子嘆了一口氣，道：「公子，這是打鴨子上架。」

俞秀凡笑了一笑，道：「在下相信，你一定可以勝任愉快。」

桃花童子雙目盯注在俞秀凡的臉上瞧了一陣，突然微微一笑。雙臂一振，人已沖霄而起，閃入了那座院落之中。

王尚低聲道：「公子，他行麼？」

俞秀凡點點頭，使用傳音術，道：「他身懷絕技，不知何故要和咱們混在一起。以後，你們當心一些，別受了他的暗算。」

王尚臉上現出了震驚之色，呆呆地望著俞秀凡。

俞秀凡笑了一笑，仍用傳音之術接道：「你們只防備著，不要露出聲色，他想從咱們身上找出些什麼，咱們也可以在他身上找一些內情。」

王尙點點頭，未敢答腔。

只見一枚綠葉，由院內飄飄飛出。這正是俞秀凡和桃花童子約好的信號，說明了裏面已經得手。

俞秀凡一提氣，身子突然飛了起來，飄入牆內。

王尙卻伸臂長腰，越牆而入。

凝目望去，只見桃花童子，站在暗壁一角，舉手相招。

俞秀凡、王尙緩步行了過去，低聲說道：「這是什麼地方？」

桃花童子低聲道：「似乎是內眷的住處。」

俞秀凡點點頭，道：「這就是了。」低頭沉思，良久無語。

桃花童子低聲問道：「公子，你想什麼？」

俞秀凡四顧一眼，道：「小桃童，你去摸摸那位姑娘的閨房，我們再等一個時辰，如是還不見異徵，咱們就只好下手了。」

桃花童子一轉身，舉步而去。

俞秀凡微微一笑，道：「這些事，咱們都做不了，那只有麻煩小桃童了。」

王尙隱在暗影中，全神凝注，果然瞧出了桃花童子的功力。只見他身子貼在壁上暗影之內，轉身奔走，疾如飄風。雖然是凝神傾聽，也是聽不到一點聲息。

一去一來，也就不過是一盞熱茶的工夫，桃花童子已然出現在兩人面前。

俞秀凡低聲說道：「找到了麼？」

桃花童子點點頭道：「找到了，那丫頭熄了燈，全身衣著整齊，坐在窗口出神。」
秀凡皺皺眉頭，沉重地道：「這丫頭果然是早有預謀。」
桃花童子道：「看樣子，她似是在等人。」
王尙道：「此刻戒備森嚴，除了這一座院落之外，到處是埋伏巡邏，她能約什麼人呢？」
俞秀凡道：「這戒備有一定的時限，大約四更左右，他們就會休息。」
因爲，任何外來侵入的夜行人，都不會在四更過後再來。
三人很有耐心地在暗影中等候到四更時分。果然，各處燈光，都在陸續熄去。原來亮如白書的大院落，突然間黑了下來。
但俞秀凡等三人，卻在燈光熄去之後，立時分散開去。
這時，三人早已分配好了位置，在六道目光的監視之下，這座院落，任何方位進來的人，都無法避過三個人的監視。
就在那燈火熄去不久，突見一條人影躍落院中。只見那人躍落院中之後，突然舉手按唇，發出咪咪咪三聲貓叫。三聲貓叫過後，一扇門輕輕打開，一條人影悄無聲息地行了出來。
正是那白晝身著素衣的少女，不過，此刻她換上了一身黑色的疾服勁裝。
那學貓叫的漢子，是一個二十四、五歲的少年，背插單刀，一眼看去，長得甚是英俊。
只見那黑衣少女舉手一招，佩刀少年舉步向那少女行去。
佩刀少年低聲道：「蘭妹，那老太婆睡著了麼？」
那叫蘭妹的少女，微微一笑，道：「她中了迷藥，人已暈了過去。」
王尙直聽得熱血沸騰，暗暗忖道：這丫頭當真是已到喪心病狂之境，不但加害義父，而且還要加害義母。想到激忿處，只氣得全身微微發抖。

俞秀凡似是已經感覺到王尙的激動，以目示意，不要王尙輕舉妄動。

但聽那英俊少年說道：「蘭妹，你瞧過那本劍譜了麼？」

黑衣少女道：「瞧過了。」

英俊少年道：「那上面的記述如何？」

黑衣少女道：「記述的不多，而且看上去很深奧，也許是我的書讀得太少，或是我的武功太差，我有些看不懂。」

英俊少年道：「蘭妹，咱們得早些走了，今天幾乎出了事情，趙重山那老小子外貌忠厚，內心卻是極爲聰明，我看他已經動了疑，咱們還是早些走吧！」

黑衣少女道：「你準備好了麼？」

英俊少年道：「都準備好了，外面有兩匹健馬，咱們趕快一些。等他們發覺，咱們已到了百里之外了。」

黑衣少女道：「他們還沒發覺，再等幾天，也不要緊。我想看到鐵飛到來，身中暗算而死，使他們雙方仇恨無法化解，拚個同歸於盡，我才甘心。」

英俊少年道：「蘭妹，別太貪心了，再說，你今晚又用了迷藥，迷倒了那老太婆，只要她一醒，你的僞裝就要拆穿了。」

黑衣少女沉吟了一陣，道：「好吧！你在後門等我，我帶上東西就走。」

英俊少年點點頭，轉身而去。

俞秀凡低聲道：「咱們在外面截住他們。」

三人雞犬未驚地重又退了回去。

俞秀凡飛上大樹，揮手對趙重山道：「你可以回去了。」

正待飛身下樹，俞秀凡的聲音傳入耳中，道：「趙掌門，希望你別說起看到我們的事。」

趙重山道：「是。在下什麼也沒有瞧到，什麼也沒有聽到。」飄身下樹而去。

俞秀凡和王翔緊隨而下，隱於暗處，片刻之後，果見一個黑衣少女，閃身而出，沿著屋簷的黑影，放腿疾奔。

俞秀凡等分成兩路，暗暗追隨在那蘭姑娘的身後。

她地形熟悉，走起來十分迅快，只見她轉折疾奔，不一會兒已到了堡牆。

堡門暗影中閃出那黑衣少年，低聲道：「蘭妹，堡門已開。」

兩人疾出堡門，行約里許，那黑衣人閃入一座大院落，牽出兩匹馬來。馬上鞍鐙早齊，顯然這逃亡計劃早已有了很充分的準備。

俞秀凡低聲對桃花童子說道：「繞過去，攔住他們去路。」

但見桃花童子弓身長腰，捷逾飄風一般，從旁側繞了過去。

王氏兄弟目睹桃花童子快速的身法，心中駭然，兩人都有著自己很難強過人家之感。

蘭姑娘和那黑衣少年，縱馬急馳，奔出了約四、五里路，忽見路中站著一人。

這時，正是黎明前一段黑暗之時，夜色太濃，只能隱隱瞧出一個人影。

那英俊少年一面收韁帶馬，一面冷冷喝道：「什麼人？」

桃花童子道：「我！兩位可以交出劍譜了。」

蘭姑娘一揚手，打出兩枚銀針。

桃花童子仰身倒臥，銀針掠胸而過，但立刻又挺身而起，道：「好惡毒的丫頭。」

這時，兩匹馬已然衝到了桃花童子的身側。那黑衣少女長劍一探，刺向桃花童子的前胸。

桃花童子右手一揮手中匕首，閃起一道寒芒，封開了長劍，左手卻攻向了蘭姑娘。

蘭姑娘一探長劍，撥開了匕首，嬌叱道：「你是什麼人？」

忽見刀光一閃，健馬長嘶，人立而起，幾乎把蘭姑娘摔在地上。

原來，王尙恨她殺父毒母，但目下不能殺她，一刀削下了馬耳。

蘭姑娘一躍下馬，健馬負傷狂嘶，向前疾奔而去。

王尙橫刀而立，攔住了蘭姑娘的去路。

蘭姑娘看清楚了，正是白晝一刀逼退十幾個青龍門下的人物。

王翔也趕到了，攔住那黑衣少年。

桃花童子淡淡一笑，道：「不服教師能挨打，兩位如是要動手，只怕是自找苦吃了。」

那黑衣少年道：「我們和諸位無怨無仇，爲什麼攔住了我們的去路？」

俞秀凡道：「你也是青龍門下弟子吧？」

黑衣少年道：「不錯。」

俞秀凡道：「這就夠了，你勾結師妹，圖謀劍譜，用心可誅。」

黑衣少年突然飛身而起，人離馬鞍，破空沖去。

王翔怒喝一聲，一招「乘風破浪」，人刀並起，飛撲劈去。他刀勢快捷，取位極狠，刀光破空斬下，正好要把那黑衣少年腰截兩半。

這時，天色已透曙光，景物可見。

蘭姑娘尖聲叫道：「別殺他，我交出劍譜。」

如是她這聲呼喝，能救那黑衣少年之命，這一呼喝，也是晚了一步。

但就在她呼喝的同時，一道劍光飛起，金鐵交鳴聲，封開了王翔的刀勢。

是俞秀凡，只有俞秀凡的快劍，才能在這間不容髮的瞬間，封開王翔那疾如雷奔捲雲的刀法。

但黑衣少年並沒有逃出去，俞秀凡拔劍封刀的同時，左手掠出，擊中黑衣少年的左臂，掌力奇重，生生把他擊落在實地上。

蘭姑娘奔了過去，抱住了黑衣少年，道：「師兄，你沒有受傷吧？」

黑衣少年嘆口氣，道：「蘭妹，咱們不成。這些人，都是江湖上第一流的高人，舉手投足之間，都可以置咱們於死地。」

王翔一刀被劍勢封開，覺著右臂一震，急急一吸氣飄落實地，望著俞秀凡，雙目流現出無比的敬佩。

王翔是由衷的敬佩了，但他卻想不出艾九靈用什麼方法，在短短年餘，把俞秀凡造成這麼一位高手。

但見蘭姑娘珠淚雙垂，道：「師兄，我可以交出劍譜，只要保住你的性命。」

黑衣少年道：「我死不了。人家手下留情，只打斷了我兩根肋骨。」

蘭姑娘緩緩轉過臉去，望著俞秀凡，道：「我可以把劍譜交給你們，但我有條件。」

俞秀凡接道：「君子愛財，取之有道。如是該是你們所有，咱們決不妄取。」

蘭姑娘眨動一下眼睛，道：「那是非要我們的性命不可了！」

俞秀凡道：「殺父毒母，大逆不道，豈不是死有餘辜！」

蘭姑娘突然尖聲叫道：「他不是我的父親，他是我的仇人，殺死了我一家人，我不該報仇麼？」

俞秀凡呆了一呆，道：「當真麼？」

蘭姑娘道：「我爲什麼要騙你。我們就要死於你們的劍下、刀下，難道我心中的冤、胸中的恨，也不能說出來麼？」

俞秀凡道：「你可以說，而且可以暢所欲言，但你得說實話，只要是有理，沒有人會傷害你。」

蘭姑娘道：「你說的是真話？」

俞秀凡道：「自然是真的。」

桃花童子低聲說道：「公子，這地是要道，青龍門人，天一亮發覺了內情，很可能追出來，咱們到那寄馬的樹林去吧！」

俞秀凡道：「好！你替他接上兩條斷去的肋骨，讓他騎著馬走。」

桃花童子笑了一笑，道：「公子怎知小的會接骨的手法？」

俞秀凡嗯了一聲，道：「我知道你無所不能。」

桃花童子道：「公子誇獎了。」伏下身子，替那黑衣少年接上斷骨，扶他上馬。

這時，天色已亮，趁曦色一陣緊趕，到了那片雜林之中。

俞秀凡神情冷肅，目注那黑衣少女，道：「你據實而言，述明內情。希望你說的是句句實話，如是被我聽出一句謊言，不論你下面的話如何真實，在下就不願聽下去，兩位也就死定了。」

黑衣少女緩緩說道：「苦命人本姓張，小名秋月，父爲鏢師，中年退休，隱居蘆州白沙集。布衣暖、菜根香，日子過得很平淡，但卻一家歡樂，想不到來了個潘世旺。」

俞秀凡插嘴接道：「潘世旺是什麼人？」

張秋月道：「青龍門弟子，也就是我死去的義父，一個外貌忠厚，內藏奸詐的人，先父久隱白沙集，未和武林中人來往，眼見潘世旺是一位武林健者，心中甚喜，盛情留宴，想不到那一席酒，竟爲先父招來殺身之禍……」

俞秀凡接道：「福禍無門，唯人自招，潘世旺總不會無緣無故的殺死你的父親吧？」

張秋月道：「先父酒興豪發，和潘世旺對拚百杯，先父已薄有醉意，取出了一顆珍藏的夜明珠，潘世旺竟有吞沒之心，奪珠欲跑，被先父攔下相搏，潘某施下毒手，擊斃了先父，惡賊殺心已起，爲了滅口，又動了殺我母親之心。」

俞秀凡道：「那個時候你幾歲了？」

張秋月道：「先父中年娶妻，以家爲重，第二年就辭鏢師退隱林泉，三年之後生下秋月，那時，我不過剛剛周歲。」

俞秀凡道：「那時你還不解人事，怎會知曉這些事情？」

張秋月道：「家母曾隨家父稍習武功，但潘賊擊斃先父時，家母已然有備，自知難以力敵，裝出不會武功之狀，潘賊掌勢發出，立時裝做倒地死亡，潘賊酒後，未加細查，臨去之際，又放了一把野火，幸我年紀幼小，潘賊未加殺害。也許他良心發現，也許是先父的陰靈相佑，竟使他把我收留膝下，做爲義女。」

俞秀凡接道：「這些事情是什麼人說的？」

張秋月道：「我母親。她逃出火窟，費時兩年之久，才找出潘賊的下落。毀容賣身，投入潘府做一僕婦，直等我長大成人，能知利害輕重，她才把事情的本末告訴我，而且告訴我要我的師兄，也投到青龍門。」

俞秀凡回顧了那黑衣少年一眼，道：「是他麼？」

張秋月道：「不錯，就是他王德強。他是先父唯一的弟子，也是我母親娘家的姪兒，也是我的表哥。」

俞秀凡道：「令堂呢？」

張秋月道：「死了。」

俞秀凡一愣，道：「爲什麼？」

張秋月道：「因爲她怕我控制不住，特別去照顧她，潘老賊很奸滑，一旦露出了馬腳，就會被他找出內情。還有她要把這報仇的大事，加到我的身上。」

俞秀凡道：「青龍門勢力不小，你和令堂之間，自然是你報仇成功的機會大些。」

張秋月道：「所以，我報了仇。」

俞秀凡道：「聽來不似謊言。」

張秋月道：「你可以去打聽，如若我說的有一句謊言，以後你們再見到我，可以把我亂刀分屍，我是死而無怨。」

俞秀凡道：「好！你們可以走了。」

張秋月怔了一怔，道：「你就這樣放了我們？」

俞秀凡道：「你報殺父母大仇，出手一片孝心，何罪之有？」

桃花童子道：「慢著，他們的劍譜還未拿出來。」

張秋月伸手從懷中摸出一本薄薄的冊子遞過去。

桃花童子伸手接過，目光一掠封面，恭恭敬敬交給了俞秀凡。

俞秀凡接過劍譜，目光一轉，只見羊皮封面上，寫著「驚天三劍」四個字。只是那驚天三劍四個字，寫的是梅花篆字，看上去像四朵梅花一樣，除了像俞秀凡這等學富五車、滿腹詩書的人，很難看得懂這四朵花一般的字寫得是什麼。一本劍譜，如是只講三式劍法，那定是一種很高深的劍學。

俞秀凡並沒有翻閱劍譜，卻緩緩把手中的劍譜，交給了張秋月。

桃花童子低聲說道：「公子，你瞧過劍譜了麼？」

俞秀凡搖頭道：「不用瞧了，這本來就不是咱們的東西。」

張秋月搖搖頭，道：「這本劍譜也不足我們的東西。而且這劍譜上除了有十二幅圖之外，都是些奇奇怪怪的字，我一個也看不懂。這劍譜留在我身上，也沒有用。」

長長嘆一口氣，接道：「看過了諸位的武功，賤妾自覺十幾年的苦練，成就實在是有限得很，就算這劍譜是天下最精奇的劍法，對我們也沒有什麼用處，我們參悟不透，也無法學習，我們只適合居於農莊，做一個安分守己的農夫、村女。」

俞秀凡道：「知足常樂。姑娘能存此念，足見高明。」

張秋月一欠身道：「公子如肯放我們，我們現在就告辭了。」
俞秀凡道：「在下想奉勸姑娘一事，青龍門不像一個邪惡的門戶，錯就錯在潘世旺一個人，如今姑娘大仇已報，潘世旺已死在你暗算之下，希望你和青龍門的恩怨到此爲止。」
張秋月道：「我有殺死他們更多人的機會，但我沒有下毒手，我只要潘賊一人償命。」
俞秀凡讚許地點點頭，道：「姑娘，你是恩怨分明的人，孝義、仁慈，兼而有之，你們請吧！」
張秋月臉上泛現出難得的笑容，道：「公子，這本劍譜，賤妾送給公子了。公子如何處置，悉憑尊便。但賤妾心中有一點愚見，斗膽說出。」
俞秀凡道：「悲慘的身世，坎坷的境遇，已把姑娘磨練得人情練達，識見過人，在下洗耳恭聽。」
張秋月道：「劍譜上十二張圖，六幅打坐姿勢，六幅是劍式變化，但那打坐的姿勢，會使一個人經脈受傷。潘世旺如非打坐受傷，我決無能暗算到他，置他於死地。」
俞秀凡點點頭，道：「多謝指教。」
張秋月道：「這劍譜如是太惡毒，公子可以把它毀去；如是太精奧，也不能留在人間，利器可助人爲善，但也可助人爲惡。」
俞秀凡道：「姑娘請吧！」
張秋月淡淡一笑，眼望俞秀凡道：「公子，還有什麼指教麼？」
俞秀凡道：「在下唯一的希望，就是你說的句句真實。」
張秋月道：「公子儘管查證，如是賤妾說有一句虛言，決逃不過公子的快劍。」

俞秀凡一揮手，道：「你去吧，青龍門那方面，我會叫他們放手。」

張秋月又行了一禮，才轉身而去。

目睹兩人身影消失，桃花童子才回頭一笑，道：「世情曲折，內幕重重，單從一面觀察，實是很難找出真相。」

王尙臉一熱，道：「慚愧，慚愧。看來，這行俠仗義，也不是一件容易的事。」

俞秀凡微微一笑，道：「咱們也不能全信那張秋月的話，這件事要趙重山去查證明白。」

桃花童子目光轉注那劍譜之上，道：「公子，這是本什麼劍譜？」

敢情他未認出那幾個梅花篆字。

俞秀凡笑道：「你可是很想知道這是一本什麼劍譜麼？」

桃花童子道：「小的只不過是隨便問問罷了。」

俞秀凡道：「驚天三劍。」

桃花童子臉色一變，駭然說道：「驚天三劍？」

俞秀凡目睹桃花童子震駭之情，心中一動，道：「怎麼，你知道驚天三劍的來歷？」

桃花童子已領教了俞秀凡的厲害，心知決無法騙得過俞秀凡的雙目，只好點點頭，道：「不錯，小的聽說過驚天三劍。」

俞秀凡道：「小桃童，你年紀不大，但見識的豐博，卻是很少人能及得上。說說看，這驚天三劍，是怎麼回事？」

桃花童子嘆口氣，道：「對驚天三劍，我了解的太少，就是當今武林之士，也沒有幾個人能夠了解，但它卻是近百年來武林一直盛傳的奇技絕學。」

俞秀凡道：「原來如此。」

桃花童子突然把目光轉注在俞秀凡的身上，道：「公子的劍招之快，似是已到了劍隨意動的境界，突破了一切招術變化，但不知這驚天三劍，對你俞公子是否有用？」

俞秀凡心中暗道：武功一道我實在知道太少。幾招擒拿、幾招掌法，出劍擊敵，更是不成章法，如何能知曉深奧的驚天三劍呢！

他心中念轉，口中卻淡淡一笑，道：「我還沒有瞧過這本劍譜，是否真的如武林傳說一般的玄奇，還不知道。」

桃花童子道：「公子，何不打開瞧瞧？」

俞秀凡笑了一笑，道：「你要不要先看看？」

桃花童子吃了一驚，雙手連搖，道：「不敢不敢。再說，小的也看不懂。」

俞秀凡道：「小桃童，如是我沒有猜錯，你說的都是違心之論。你不但希望看看這本劍譜，而且，最好據爲己有，君子有成人之美，我不能送給你，但你可以瞧。我看得出你讀過不少書，也很聰明，能夠記得下多少，那就看你的造化了。」

桃花童子不由呆住了，望著俞秀凡，臉上是一股茫然和驚異混合的神色，張口結舌，卻又想不出一句回答的話。

俞秀凡緩緩遞過劍譜，桃花童子不由自主地伸手接住。

笑了一笑，俞秀凡道：「快些看吧。」

桃花童子翻開了劍譜，很用心地看了起來。上面有圖、有字，有著很詳盡的解說。

俞秀凡知道這驚天三劍，可能是武林人人夢寐以求的精深奇學，既然稱之爲奇學，那就不是人人都看得懂。滿腹文學的人，也許能看懂，但卻無法領受，只會武功的人，又未必能看懂這文學，這就要文武兼備的人，才能夠看出竅道。

王翔、王佾，根本就不注意驚天三劍這檔事。他們自覺十八招捲雲刀法，已經是天下少有的奇學，是最具有威勢的刀法，驚天三劍，未必就能勝過捲雲十八刀。

雖然，桃花童子約略提過驚天三劍，但兩人也未放在心上。

桃花童子雖然看得很仔細，但他心中老在嘀咕著俞秀凡的用意難明，王氏兄弟虎視眈眈，這就分了他不少的心神。他看的時間很長，俞秀凡一直很耐心地守在旁側，冷眼旁觀看著他臉上的變化。

但王翔、王佾，卻是等得有些不耐，輕輕咳了一聲，道：「小桃童，你看完了沒有，一共那幾頁，你怎麼瞧了老半天啊！」

桃花童子應道：「這就看完了。」後面的一大半，忽然間看得快了，默記著文字、圖形，已無法深思求解。合上了劍譜，桃花童子立刻雙手奉上。

俞秀凡接過劍譜，含笑道：「怎麼樣，你記下了好多？」

桃花童子道：「說得太深奧，小的難求甚解，字倒是記下了十之三、四。」

俞秀凡讚揚地笑道：「很難得啦！」

把劍譜藏入懷中，接道：「咱們也該上路了。」

桃花童子道：「到哪裏去？」

俞秀凡道：「我記得告訴過你。」

桃花童子道：「湘西五毒門？」

俞秀凡道：「不錯。咱們繞到青龍堡告訴趙重山幾句話，就趕往湘西瞧瞧。」
桃花童子道：「湘西五毒門充滿著神秘，很多自負才智、武功的人，都想揭穿它的神秘，但去的人，沒有一個回來過。」
王尙笑了一笑，道：「很夠刺激啊！」
俞秀凡突然插口接道：「小桃童，你如是覺著太危險，那就不用去了。」
桃花童子微微一笑，道：「在下如是還有一次重新選擇的機會，我就不會跟著你們離開長沙了。」
俞秀凡未再多解，解開轡韁，上馬而去。
王翔、王尙、桃花童子也只好上馬追隨而去。
俞秀凡馬過青龍堡，交代了趙重山幾句話，果然直奔湘西而去。
桃花童子原本是一個喜愛玩笑的人，但現在卻突然間變得很沉默，每日愁眉苦臉的一語不發，好像此去湘西，絕無生機。
王尙皺皺眉頭，道：「小桃童，你這副德行，好像咱們是死定了？」
桃花童子道：「你知道九死一生這一句話吧！那是說還有一分生機的冒險，但咱們這一次，卻連一分生機也沒有，這是一場絕無生機之旅，咱們明知道是死定了，還能夠高興得起來麼？」
王尙冷冷道：「既然是死定了，你爲什麼還要跟著同去？」
桃花童子嘆口氣，道：「不論我小桃童在你們心目中的分量如何，但我卻認爲你們是難得遇上的好朋友，士為知己者死，雖然用於此不太恰當，但此時此情，也只有這句話可以說明了。」

俞秀凡在這段行程，很少說話，他細讀過《驚天三劍》劍譜，也仔細思考桃花童子再三提出的警告。驚天三劍確如其名，深入探求之後，發覺它確有石破天驚的威勢。

他學的雖都是武功絕高的技巧，但卻是艾九靈化繁為簡的心血結晶，所以，他胸無萬流千緒的博雜技藝，這就有著很大的底細空間，不知不覺間已把驚天三劍深印腦際。

俞秀凡也後悔未能在花無果那裏多留幾天，他相信，以花無果的精博醫道，必有克制五毒門的用毒之術。可惜的是，時間太倉促了，自己竟沒有學得一點花無果的神奇醫技。

湘西多山，除漢人之外，聚居有苗、傜二族，原為古三苗之裔，雖經改土歸流，還未完全變化。

這時，正是午時，到了辰州。

桃花童子在街上藥店，購了不少防毒的藥物，帶在身上。

俞秀凡笑了一笑，道：「看來，你對防毒用藥一道，也還有些研究。」

桃花童子道：「是聊勝於無的準備，五毒門的毒術，就算集天下名醫於此，也未必能夠救得。」

王翔道：「由公子和咱們兄弟奉陪，就算死在湘西，你也不算孤魂野鬼啊！」

桃花童子嘆息一聲，道：「咱們本來可以不去的，五毒門並未招惹咱們，為什麼非去不可呢？」

俞秀凡道：「應該誰去呢？五毒門的神秘，總該有人揭穿，咱們就算不幸死於湘西，亦必有繼承之人。他們雖未直接為惡，但卻把毒物、毒器出賣給江湖上各大門戶，原本沒有野心的人，因爲持有毒物、毒器，自會生出併吞別人之心，追根究柢的說起來，五毒門是江湖上禍亂的根源之一。」

桃花童子眨了一下眼睛，道：「果然是很偉大的抱負，不過，咱們完成的機會太小。」

俞秀凡凜然說道：「大義所在，你們如是不願去，可留辰州等我，我如一月不歸，你們可以自定去處，不用再等下去了。」

王翔、王佾一欠身，道：「公子怎出此言，咱們追隨公子，赴湯蹈火，死而無憾，如是公子堅要我等留下，咱們立時拔刀自刎。」

桃花童子雙目凝注在俞秀凡臉上瞧了一陣，嘆道：「江湖上只有仁俠的傳說，但我小桃童今日才算見到了真正的仁俠之士。」

目光一掠王氏兄弟，接道：「俠主、義僕，看來我小桃童也只有沾點俠、義之氣，跟你們死在一塊兒了。」

俞秀凡淡淡一笑，道：「小桃童，有一件事，我們一直瞞著你。」

桃花童子怔了一怔，道：「什麼事？」

俞秀凡道：「他們兩位不是我的從僕，而是我的好兄弟。」

桃花童子笑道：「他們兩位也該升級了，今後由小的抵這空缺，做你公子從僕。」

王翔、王佾齊聲說道：「咱們已經習慣了，只怕一時也改不過來。其實，你是大哥，做兄弟的服侍大哥，也算份內之事。」

俞秀凡道：「咱們志同道合，有什麼主僕之分，大家都是好兄弟。」

桃花童子臉上神情一陣激動，但很快又平復下去，嘆口氣，道：「公子，過了辰州，西行三十里，踏進武陵山，就到了五毒門的區域。江湖傳說雖多，但都是臆測之詞。因為，行入五毒門禁區，從未有生還歸來之人。公子準備如何一個走法？」

俞秀凡笑道：「我倒想了一個辦法，但不知能否適用？」

桃花童子凝目思索了一陣，道：「什麼辦法？」

俞秀凡道：「買毒物、毒器。」

桃花童子接道：「對啊！我怎麼就想不起來。辰州城定然有五毒門的人，咱們找找看。」

一路上愁眉苦臉的桃花童子，突然之間變得開朗起來。

王尙輕輕咳了一聲，道：「小桃童，你好像忽然間不怕死了。」

桃花童子微笑道：「公子一番指點，使在下頓悟了生死的意義，朝聞道夕死可矣，小桃童剛剛聞道，生死一事已然不放在心上。」

王尙道：「原來如此。」

桃花童子道：「咱們先找一個大的客棧住下來，找找五毒門的人。」

行走江湖，借道問話，桃花童子強過他們太多，這些事自然由桃花童子作主。四人在街上走了一轉，找了一家最大的客棧行了進去。

辰州和別的地方，有一個很大的不同之處，那就是所有的客棧，都沒有拉客的情形，頗有店門大開，愛來不來的味道。

四人行進了店門，才有店小二迎了上來，道：「幾位是住店，還是打尖？」

桃花童子笑道：「住店。先把這幾匹馬拉去加料，準備些好酒好菜，我們要先好好的吃一頓。」

店伙計把四匹健馬送入馬棚，回頭來，才帶四人行進一間客房。

桃花童子走過了不少的地方，但從來未見過像辰州這地方店小二那副面孔，心中實在不舒服，重重地咳了一聲，道：「伙計，你們這五福客棧，是不是辰州最好、最大的一家？」

店伙計臉上不見笑容，語氣也很冷漠，緩緩說道：「不錯。」

桃花童子嗯了一聲道：「不少店伙計吧？」

店小二道：「連招呼客人，帶餵馬加上我們的帳房先生，上上下下都算上，一共四人。」

桃花童子愣了一愣，道：「那是說只有三個店伙計。」

店小二道：「所以我們很忙。」

俞秀凡暗暗忖道：這座五福客棧兩、三進的院子，幾十間的客房，三個店小二接客、餵馬，實在夠累了。

桃花童子本來一腔怒火想發作，但聽說只有三個店伙計時，立時忍了下去。

換個地方，這樣一家大客棧，少說也得十幾、二十個人照顧。

三個人，單是打掃這麼大一個地方，就夠累了。

忍下了一肚子怒火，笑了一笑，道：「伙計，掌櫃的好客嗇啊！怎麼不多請幾個人？」

店小二道：「這年頭，咱們這地方賺錢容易，誰也不願意做這受氣挨罵的店伙計。」

桃花童子嘆口氣，道：「你老兄，爲什麼不找點別的事做，我看你心情很壞。」

店小二接道：「沒有法子，誰要我蓋這麼一家大客棧呢？」

桃花童子一呆，道：「怎麼，你是店東主？」
店小二道：「請不到伙計，店東主也只好充當店小二了。」
桃花童子心中一動，道：「爲什麼這地方的人手如此難請？」
店東主道：「因爲，咱們這裏太富足了。」
桃花童子接道：「深山峻嶺，沙石田地，難道生金不成？」
店東主道：「此地不生金，自有送金人。就拿四位說吧，在敝棧吃一頓、睡一夜，沒有個三、五兩銀子，就無法出去。」
桃花童子冷笑道：「當真是三年不發市，發市吃三年。」
店東主道：「來這裏的客人不多。因爲，這裏不是水旱碼頭，但來這裏的客人，都很有錢，不在乎多花幾兩銀子。」
桃花童子道：「說得倒是有理。」
略一沉吟，道：「店東主，想不想多賺點銀子？」
店東主道：「君子愛財，取之有道。該賺的少一個也不行，不該賺的，給我也不要。」
桃花童子道：「咱們想在此地買點東西，煩你老兄搭個線。」
店東主道：「可是五毒門的毒藥、毒器？」
桃花童子道：「對啊！看來你店東主也是位老中人了。」
店東主道：「你先別高興，我做不做還不一定。」
桃花童子一愣，道：「爲什麼？」
店東主道：「我得先問清楚，你們是做大件、中件還是小件？」

桃花童子道：「何謂大件？何謂中件、小件？」

店東主道：「十萬兩銀子以上爲大，一萬兩銀子以上爲中，千兩銀子以上爲小。」

桃花童子道：「千兩銀子以下呢？」

店東主道：「不做。最小交易，也得個三、五千兩銀子。」

桃花童子道：「咱們做大件。」

店東主突然泛起一片笑容，道：「大件啊，成！中人費三千兩銀子，先付。」

桃花童子笑道：「十萬生意，三千銀子的中人費，倒是不算太貴。但要先付，未免不合情理了。」

店東主道：「五毒門的毒物、毒器，近半年來供不應求，諸位不要麼，要的人多得很。」

桃花童子回顧了俞秀凡一眼，只見俞秀凡一面愁苦無措之色。

原來，艾九靈給了俞秀凡有限的金銀、財物，省吃儉用一些，自然也可以在江湖上闖蕩幾年，但俞秀凡沒有節省，一、兩個月，已用了近半的費用。此刻，要一下拿出三千兩銀子的中人費，傾其所有，也難湊足此數。

桃花童子微微一怔之後，立時了解俞秀凡的爲難所在，輕輕咳了一聲，道：「公子，三千兩銀子，也算不得什麼，咱們就先付他算了。」一面說話，一面從口袋摸出了一疊銀票，挑挑揀揀地送了一張銀票過去。

俞秀凡目光微轉，發覺那是一張整數三千兩的銀票，再看桃花童子手中上面一張，赫然是一萬兩銀子的大票。

桃花童子手上一疊銀票，如若每張都過萬兩，那又何止十萬兩銀子。四人同行，桃花童子穿得最壞，身分也最低，但他卻是最有錢，當真是腰纏十萬貫。

俞秀凡暗叫兩聲慚愧，忖道：我冒充富家公子，卻料不到盡我所有，也不及桃花童子手中一張銀票的半數。

店東主接過銀票，打眼一瞧，那是山西柳記長福號的號票。長福號的號票，那是比金子還硬，南七北六，一十三省，通用無阻。

收好了銀票，店東主轉身而去。

目睹店東主背影消失，桃花童子笑了一笑，道：「財不露白，今兒個我小桃童抖出了底，只怕要引起你公子心中之疑。」

俞秀凡笑了一笑，還未來得及開口，王尚已搶先說道：「乖乖，你有多少銀子？」

桃花童子揚揚手中的銀票，道：「全部家當，不過十幾萬銀子而已。」

王翔道：「喝！你可真是扮豬吃老虎！穿了一身破爛衣服，見人伸手要銀子，但你卻是隨身帶了十幾萬的銀票。」

桃花童子笑道：「我要沒有帶這多銀票，咱們也做不成這檔生意了。」

俞秀凡並未追問桃花童了的銀票來自何處，卻淡然一笑，道：「小桃童，你瞧那店東主是不是五毒門的人？」

桃花童子道：「我看不是。他如是五毒門人，決不敢開口要銀子，就算他心中想要，也會繞著圈子磨咱們，頂多暗示一下。」

俞秀凡道：「說得很有道理。」

談話之間，步履聲響，店東主去而復返，手拿著文房四寶筆墨紙硯，放在桌上，道：「四位把來歷、姓名寫出來，我明天就把它傳過去。」

桃花童子一皺眉頭，道：「店東，咱們是來作買賣，又不是來相親、招贅的，還要把祖宗三代都寫在紙上。」

店東主冷然一笑，道：「朋友，這是姜子牙釣魚，願者上鉤，四位如不想買，就此作罷，如是要買，那就得照規矩行事。」

俞秀凡一揮手，坐在木案前，提筆寫道：「登天摘日月，下海鎖蛟龍，毒短英雄氣，湘西會高明。」一鐵劃銀鉤，一揮而就。

桃花童子雙手捧起白紙，目光一掠紙上時，不禁臉上微笑。但他立刻恢復了鎮靜，交給了店東主。

店東主接過白紙，瞧了一陣道：「這上面沒有名字啊？」

桃花童子冷冷說道：「咱們眼睛不留砂，你也作不了主。呈上去，給五毒門的頭兒裁奪，再囉嗦，那就是自討苦吃。」

店東主果然不敢再說，捧著白紙，轉身而去。

桃花童子一豎大拇指，道：「公子，上兩句豪氣干雲，下兩句不亢不卑，五毒門如是有人才，必然給咱們安排個大迎貴賓。」

臉色一整接道：「可也有很多難題，說不定還會給咱們排一個五毒大宴。」

俞秀凡道：「只要能見到五毒門人，總比無聲無息的中毒死去好些。」

桃花童子點點頭，道：「公子說得是。」

一宵過去，第二天午時過後，那店東主，匆匆行了進來。

桃花童子站起身，攔住了店東主，問道：「什麼事？」
店東主道：「諸位的生意很大，我連夜就把它送了上去，沒有想到啊……」
俞秀凡心中一緊，道：「怎麼樣？」
店東主道：「真沒有想到，這一次竟是快馬加鞭，今兒個上午，就有了回信。而且，還來了一位很有身分的人。」
桃花童子道：「人呢？」
店東主道：「人已到了客棧，請你們的頭兒過去說話。」
桃花童子冷笑一聲，道：「來的是不是五毒門中的門主？」
店東主搖搖頭，道：「不是。」
桃花童子道：「既然來的不是五毒門主，用不著咱們公子去見他，要他來見咱們公子。」
店東主還在猶豫，桃花童子已然暗運內力，突然回手一揮，一般強大的暗勁湧了出來，硬把那店東主的身體給托了起來，摔出了一丈多遠。
店東主似是沒有受傷，但卻受了很大的驚駭，站起身子急步而去。
桃花童子拍拍手，笑道：「有很多人，不見棺材不掉淚。這一推，省了咱們不少的口舌。」
俞秀凡微微一笑，道：「你守在門口，他們先派人來，定是想掂掂咱們的份量了。」
桃花童子應了一聲，大步行出室外。
俞秀凡又吩咐了王翔、王尚幾句。緩步退回一張木椅上坐了下來。
片刻之後，店東主帶著一個三旬左右，身軀修偉的大漢，行了過來。

那大漢穿著一件青色長衫，白面無鬚，五官端正，赤手空拳，舉止瀟灑，行雲流水一般地走了過來。

桃花童子見多識廣，看得微微一怔。暗道：五毒門中，竟有這等人物，看來，五毒門能有今日聲勢、成就，並非完全憑仗毒物了。

店東主對桃花童子，似是已有很深的畏懼，距離還有七、八尺就停了下來。

青衫人一邁步，越過了店東主，倏忽之間，已到室門口處。

他也許走了兩步，也許走了三步，但在人的感覺，他似乎只是那舉步一跨，人就到了門口。

桃花童子早已有了戒備，冷冷說道：「貴賓留步！」左手橫裏推出一掌。這一掌，指影四張，封住了整個的門戶。

青衫人道：「在下關飛，奉敝門主之命，特來拜會貴公子。」口中答話，右手駢指如戟，點向桃花童子的腕脈。

這是截脈突穴的手法，桃花童子不得不收回掌勢。但他左手收回，右手卻立即攻出一掌，拍向關飛的後背。

關飛身子未轉，左手向後點出，封住桃花童子的右手攻勢。

桃花童子攻了兩招，被關飛封開了二招，已來不及再攻第三招，關飛已行入了門內。不禁暗自吃驚道：這小子身手不俗，我連攻兩招，竟然未能阻攔住他行進之勢。

關飛腳未停步，進入室中，自行停住。目光流轉，只見一個俊美少年，端坐在一張木椅之上，左右兩側，各站著一個佩刀的少年。

關飛冷笑一聲，道：「你們哪一位是可以作主的頭兒？」他口中在問，雙目早已盯注在俞秀凡的臉上。這句話顯然是明知故問。

俞秀凡緩緩移動目光，盯住在關飛的臉上，瞧了一陣，冷冷說道：「在下俞秀凡，閣下有何見教？」

關飛冷哼一聲，道：「在下想找一位朋友，故而尋到此地。」

雙方心裏都已明知對方是要會之人，但誰也不肯先自承認下來。

俞秀凡冷冷道：「你找的那位朋友，可有一個姓名麼？」

關飛道：「那位朋友的姓名，在下不知。但卻記著他作的一首打油詩，口氣狂妄得很。」

俞秀凡道：「嗯！不知是什麼樣的一首詩？」

關飛道：「登天摘日月，下海鎖蛟龍，毒短英雄氣，湘西拜高明。」

俞秀凡笑了一笑，道：「閣下唸錯了一個字。」

關飛道：「哪裏錯了？」

俞秀凡道：「就在下所知，那原句上似乎是未用拜字，好像是湘西會高明。」

關飛道：「全詩之中，只有這一句謙虛的話，如把會字易作拜字，那就高明多了。」

俞秀凡笑了一笑，道：「閣下非作詩人，怎知他作詩的心情呢？」

關飛道：「區區今日來此，就是要找他。」

俞秀凡冷冷說道：「找他作甚？」

關飛仰天打個哈哈，道：「那人能做下如此誇張的詩，想必是一位很狂妄的人了。」

俞秀凡道：「閣下是求見那作詩的人呢，還是想在區區面前罵他幾句？」

關飛冷笑道：「聽公子的口氣，似乎是和那作詩人十分熟悉了。」
俞秀凡道：「關飛！不用再裝作了，你要找作詩人麼，區區便是。」
關飛雙目閃過一抹冷厲的神采，仰天大笑三聲，道：「失敬啊，失敬！」用詞雖然不錯，但那聲音古古怪怪，尾音拖得很長，聽起來，顯然是一種極大的諷刺。
俞秀凡倒還能沉得住氣。
王尙卻是忍受不住，怒聲喝道：「你這是恭維呢，還是藐視？」
關飛冷冷說道：「閣下是什麼人？」
王尙道：「俞公子的跟班，怎麼，你可是覺著在下不該問麼？」
關飛冷笑一聲，道：「因爲那詩句口氣太大，在下還認爲是什麼三頭六臂的人物，想不到竟然是這麼一個少不更事的年輕人。」
王尙道：「你小子說話，最好客氣一些。」
關飛面泛殺機，目光卻投注在俞秀凡的身上，道：「閣下最好約束一下你的屬下，太過放縱他們，對他們有害無益。本門對顧主一向和氣，但如太過放肆的，也得受點懲處。」
俞秀凡嘆口氣，道：「貴門果然是氣勢凌人。」
臉色一整，冷冷地接下去道：「閣下可是覺著很委曲麼？」
關飛道：「區區只是在強按著心頭的怒火。」
俞秀凡冷然道：「因爲，我們是購買毒物、毒器的顧主。」
關飛道：「不錯，而且還是大件。本門對顧主一向有相當的容忍。」
俞秀凡哦了一聲，道：「貴門對顧主，一向就用你閣下這樣的迎客之法麼？」

關飛道：「那是你姓俞的先違背了我們交易的規則，不肯留下門派、姓名，卻寫了那麼四句詩，大有輕視本門之意。」

俞秀凡希望能對五毒門多一些了解，故而很鎮靜。

當下，笑了一笑，道：「任何門派，向貴門買了毒物之後，就留下了一個把柄在貴門之中。所以，任何江湖上的仇殺、搏鬥，只要用上毒物，貴門都可以瞭如指掌了。」

關飛道：「你不要以小人之心度君子之腹。本門素來守信，何人購去毒物，為本門絕對機密，閣下可曾聽過，何人因購買本門毒物的消息外洩。」

俞秀凡道：「既然如此，你們留下購毒人的出身、姓名何用？」

關飛道：「本門毒物，千百餘種，每種妙用不同。留下的底案，用作代為配製解藥之用，以免他們解藥用完之後，無法再行配製。」

俞秀凡心中暗道：這真是很惡毒的用心。哪一家門戶，購去了什麼解藥，他們清清楚楚，可以向一方出售解藥，敲詐更多的金錢；也可控制購藥門戶，使他重金購得的奇毒，完全失去效用。想不到那些購買毒物的人，竟然未能思慮及此。

他心中感慨萬端，但卻沒有直接揭穿，淡然一笑，道：「在下覺著生意歸生意，做顧客的不願留下出身、姓名，貴門沒有理由，迫使他們非要說出不可。」

九　威懾五毒

關飛道：「但你輕侮本門，卻是理所不該。」

王尙冷笑一聲，道：「這是什麼話，橫說直說，都是你們的理了。」

關飛臉色本已稍復鎮靜，此刻又泛出濃重的殺機，道：「俞公子，你僕從三番兩次冒犯在下，我要教訓他們一次了。」

俞秀凡道：「那很好，他們確然有些多口，只要你不用毒，代我教訓他們一下也好。」

關飛目光轉注到王尙的身上，道：「有一句話，不知閣下是否聽過？」

王尙道：「什麼話？」

關飛道：「禍從口出。由於你的多口，你已經闖下了大禍，輕則受傷，重則殞命。」

王尙只覺一股怒火，由胸中直沖起來，冷笑一聲道：「姓關的，就憑你這副德行，也配教訓我麼？」

關飛氣得一張臉全變成鐵青顏色，一上步，直向王尙欺去，右手拍出一掌。

王尙厲喝道：「回去。」呼的一聲，拔刀擊出。刀如閃光，劃出了一道寒虹。

關飛只覺那一刀不但來勢快捷，且無懈可擊，被逼得疾退到大門外面。因爲，那一股森寒的刀氣，似是整個湧滿了全室，只有退出門外，才能避開那一刀！

關飛的感覺之中，有生以來，從未遇上過這等凌厲的刀勢。頓然間，怒火消退，變得十分持重起來。

緩緩說道：「動傢伙？」

王尙還刀入鞘，冷冷道：「閣下爲什麼不也亮出兵刃呢？」

關飛道：「因爲你們是本門顧客，在下不願壞了我們立下的規矩，傷到顧客。」

俞秀凡嗯了一聲道：「關朋友，怎麼樣，區區可不可以寫下那幾句狂妄的詩句？」

忍著心中怒火，關飛冷然一笑，道：「咱們還沒有到底。在下總有機會，領教閣下從僕的刀法。」

俞秀凡生怕事情鬧僵了，點點頭，道：「以後的事，以後再說。此刻，閣下準備如何？」

關飛道：「破例帶諸位去見在下門主，至於能否談成生意，在下無法奉告。」

顯然，那一刀威勢，使得關飛見風轉舵，已默認了俞秀凡有那份狂妄的本錢。

俞秀凡道：「那很好，咱們幾時可以動身？」

關飛道：「早已備好快馬，最好能立刻動身。」

俞秀凡一揮手，道：「有勞帶路。」

關飛一抱拳，道：「在下在客棧外面候駕。」轉身大步而去。

桃花童子緩步入室，笑了一笑，道：「公子，這人的成就如何？」

俞秀凡道：「對江湖上事，咱們知曉不多，你看那人的武功如何？出手何門、何派？」

桃花童子道：「關飛的武功，應該列入武林一流高手，但他仍然被王兄一刀給逼出室外。」目光投注在王尙的身上，神色間流露出無限的羨慕。

俞秀凡輕輕咳了一聲，道：「小桃童，你看咱們應該有些什麼準備？」

桃花童子道：「如是想防止五毒門在咱們身上下毒，不是我小桃童滅咱們自己的威風，那是沒有一點辦法，不過，我感覺到未見到他們的門主之前，他們不會在咱們身上用毒。」

俞秀凡沉吟了一陣，道：「看來，咱們進入了五毒門的區域之後，生離的機會不大，諸位如是不願去，現在還來得及。」說完話，舉步向外行去。

王翔、王尙、桃花童子相視一下，緊隨在俞秀凡的身後，向外行去。

客棧門外，備好了五匹馬，關飛早已在門外等候。

俞秀凡望望那五匹健馬，卻沒有一匹是自己四人騎來的。

關飛似是已瞧出了俞秀凡心中之疑，緩緩說道：「老馬識途。此去晉見本門門主，需要走過一段天險路途，如無這長年行走的識途老馬，那將是十分辛苦的行程。」

俞秀凡哦了一聲。

關飛一躍上馬，放轡向前奔馳而去。

俞秀凡、王翔、王尙、桃花童子也一躍上馬，緊追關飛，桃花童子突然一加檔勁，胯下馬衝刺而出，越過了俞秀凡，走在關飛身後。

五匹馬，出了辰州，行向西北。

忽然間，衣袂飄動，快馬減緩，一陣冷風，迎面吹來，敢情五匹健馬，已然登上了一座高峰之上。

只聽關飛的聲音說道：「諸位要相信胯下的老馬，這是一段險途，馬行懸崖，下臨絕壑，摔下去，屍骨不存。」

俞秀凡低頭看去，果見峭壁千尋，馬行在絕壁之上，荒草蔓徑，座下馬一步踏空，即將摔下峭壁，粉身碎骨。

但座下健馬，卻走得十分穩健，步步踏實，越過了巨險。

又轉過一個山彎，關飛當先下馬，道：「這就到了，四位請下馬走幾步吧！」

俞秀凡四人下了馬，山壁一側，突然鑽出來幾個大漢，接過馬韁而去。

關飛舉步而行，帶幾人行入了一座竹林之中。

就是那麼一片竹林分隔，卻有著兩種完全不同氣象，那是面淺山斜坡，短草如茵，夾著不少盛開的山花，自然的形勢，再加上龐大人工的修整，在這片荒山窮野，構成了一幅特殊的畫面。一座灰色磚砌成的大宅院，矗立在淺坡中間的草坪中。

宅門口處，站著兩個佩刀的大漢，兩個人對關飛都有著跡近畏懼的客氣，連連欠身作禮。

關飛只輕輕揮了揮手，帶四人直入宅院，步向大廳而去。

大廳布置得十分豪華，鵝黃毛氈鋪地，鵝黃色綾羅幔壁，鵝黃色的桌巾、椅墊，總之，是一色鵝黃。整個大廳，看不到第二種顏色。

兩個年約十七、八，身著鵝黃衫裙，梳著雙辮的丫頭，辮子上也打了兩個鵝黃色的蝴蝶結。

關飛一路行來，對迎接之人，神情都很冷漠，一副高高在上的味道。

但對這兩個女婢，卻是很客氣，一抱拳，道：「門主在麼？」

左首女婢微一欠身，道：「關爺一路辛苦，請到廂房休息，這些人交給我們姐妹。」

關飛很乾脆，拱拱手，道：「有勞兩位姑娘了。」轉身自去。

左首黃衣女婢，打量了俞秀凡等四人一眼，道：「諸位，請解下身上的兵刃如何？」

王尙冷哼了一聲，道：「兩位姑娘有本領，何不自己來取？」

黃衣女婢皺皺眉頭，道：「閻王好見，小鬼難纏。只聽你這句話，就知你不是正主兒。」目光轉注到俞秀凡的身上，道：「你怎麼說？」

俞秀凡淡淡一笑，道：「這是貴門的規矩呢，還是江湖上的禮數？」

黃衣女婢道：「江湖上雖無明文規定，但如晉見一派尊長時，大都會自解兵刃，公子難道這一點也不懂麼？」

俞秀凡回頭望望桃花童子。桃花童子微微頷首。俞秀凡解下佩劍，王尙立刻伸手接過。

黃衣女婢緩緩說道：「兩位不願解下佩刀也行，但必得守在大廳門外。」

王尙冷冷說道：「守在門外也成。」

黃衣女婢不再理會王尙，引著俞秀凡和桃花童子入廳就座。

黃衣女婢奉上了兩杯香茗，蓮步細碎地行了過來，道：「兩位請用茶。」

桃花童子淡淡一笑，道：「姑娘這杯香茗之內，是否下的有毒？」

黃衣女婢笑了笑，道：「如若對你們幾位下毒，你們每人有八條命，也到不了這地方。」

桃花童子吁了一口長氣，道：「話是不錯，一個人如是中必死之毒，那也沒有什麼可怕，大不了一條命，說起來比一刀砍了腦袋，死得還舒服一些……」

只聽一個清朗有如銀鈴般的笑聲，傳了過來，打斷了桃花童子未完之言。

轉頭望去，只見一身著黃緞衣裙的麗人緩步行了過來。一道黃綾，橫束著披肩長髮，慢步行來，從容瀟灑得很。

黃衣麗人緩緩在俞秀凡對面一張木椅上坐了下來，伸出纖長白嫩的玉手，理一理鬢邊的散髮，道：「你就是寫下那首狂詩的人？」

俞秀凡道：「正是不才手筆。」

黃衣麗人哦了一聲，道：「你姓俞？」

俞秀凡微笑應道：「雙名秀凡，姑娘可是五毒門的門主？」

黃衣麗人淡然一笑，道：「江湖上對我有一個很不雅的稱號，都叫我五毒夫人，你不是本門中人，用不著稱我門主。」

俞秀凡道：「貴門大賣奇毒，財源廣進，夫人近年，集聚了不少財物？」

五毒夫人道：「單以財物而論，五毒門集聚之豐，不輸天下任何門派。」

俞秀凡道：「一個人就算把金塊堆積成山，死後也無法把它帶走，不知夫人對此看法如何？」

五毒夫人大感意外的呆了一呆，道：「你這話什麼意思？」

俞秀凡道：「也許是在下說得太直接了，夫人無法適應，所以一時間會不過意。」

五毒夫人眨動兩下大眼睛，突然格格一笑，道：「你可是勸我收手，不再出賣毒物、毒器？」

俞秀凡莊容道：「夫人悟性過人，實乃武林朋友之幸。」

五毒夫人忽然臉色一寒，冷冷說道：「俞秀凡，你當真狂妄得可以。我還沒有對你作那首狂詩問罪，你倒先發制人，勸起我來了。」
俞秀凡道：「在下那首詩，確也是狂妄了一些，但非如此，只怕也見不到夫人之面。」
五毒夫人道：「說得倒也有理。可惜的是見了我，對你並沒有什麼好處。」
俞秀凡嘆口氣道：「夫人，不知有多少江湖凶人，仗著貴門出賣的毒物、毒器為惡，不知有多少武林同道，死於出售的毒物、毒器之下。」
五毒夫人冷笑一聲，接道：「他們買去了毒物、毒器，用以殺人，和我有什麼關係？」略一沉吟，接道：「千百年來，江湖上從未有過真正的平靜，每一個年代，都有著無法調和的衝突，就算五毒門不賣毒藥、毒器，他們也一樣不會停下衝突、搏殺。」
俞秀凡道：「夫人之言，大有商榷的餘地。」
五毒夫人冷笑了一笑，道：「那一定有一篇很高明的道理了。」
俞秀凡道：「江湖上萬流歸宗，三教一家，能互相爭殺的，大都是實力相差無幾的門派。要他們各以武功相搏，敗者固可悲，勝者亦極慘，這就使得雙方有著很多的顧慮。如果有人從旁勸說一番，一場紛爭，就可免去。但有了毒物、毒器，那就大大的不同了。」轉頭望去，只見五毒夫人臉色一片冷肅，似是在強自按捺著性子，聽他的話。
俞秀凡暗暗嘆息一聲，接道：「擁有毒物的人，仗持毒物傷人，就增多下手的機會，在下親眼看到兩派門戶之爭，一面因擁有毒物，使另一面還手無力，幾乎造成束手待斃的局面。」
五毒夫人冷冷說道：「如是兩處門戶，都買有本派的毒物、毒器，豈不是秋色平分，各有所忌了。」
俞秀凡道：「夫人，因為還有　個最為人所不恥之處，那就是講究暗算，有失武林光明磊落的傳統氣度。」

五毒夫人道：「俞公子，你是來買毒呢，還是來教訓本門？」

俞秀凡道：「在下一非買毒，二非教訓貴門。」

五毒夫人道：「這倒叫我不明白了，你的用心何在？」

俞秀凡道：「夫人已財源廣聚，收手此其時也。在下的來意，是想勸夫人不再出賣毒物，以維護武林安寧。」

五毒夫人格格一笑，道：「俞公子，我倒也想勸你幾句，不知你願否聽聞？」

俞秀凡道：「在下洗耳恭聽。」

五毒夫人道：「關飛這人如何？」

俞秀凡道：「英雄人物！」

五毒夫人道：「關飛並非出身不正，本門像關飛這樣的人物，收羅了不少。」

俞秀凡接道：「夫人的意思是……」

五毒夫人道：「人活百歲，難免一死，何不活得快樂一些。湘西地區，一向為世人誤解，覺著這地方充滿著神秘、詭異。其實，本門已在此地建立了世外的樂園，善飲者，我可供給他最好的酒；喜色者，我有南北佳麗，華屋美酒，麗姝如仙，人生追求的，莫過如此，你如願意留下來……」

俞秀凡淡然接道：「夫人，不可能。我如能留下來，就不會到這裏來了！」

五毒夫人冷然說道：「到湘西五毒門來的人，只有兩件事：一件是購買毒藥，一件是前來投靠。」

俞秀凡接道：「除此兩件事外，就不能到湘西貴門一遊了？」

五毒夫人道：「是的。那很不幸，有很多人來過，但他們都長眠於此。你俞公子假托購買藥物，混入本門，老實說，犯了我們很大的忌諱，你唯一可以選擇的，就是投靠本門。」

俞秀凡冷冷一笑，道：「夫人，五毒門在江湖上凶名卓著，但咱們既然來了，自然也有一點準備。」

五毒夫人平和地笑了一笑，緩緩說道：「你們準備些什麼？」

俞秀凡仰大大笑三聲，道：「一條命，和不畏死亡的勇氣。」

五毒夫人道：「很可惜，俞公子，那嚇不住我。我看得太多了，很多成名、自負的人，都不幸埋骨於此。我們講求的是實際，不尚虛名。」

俞秀凡神情冷肅，一字一句地說道：「夫人之意，是也要我們埋骨於此了？」

五毒夫人道：「是的。俞公子，沒有外人見過五毒門的掌門人。你如堅持不願投入五毒門，看來，也只有死路一條了。」

俞秀凡嘆口氣，道：「夫人，區區在死去之前，只怕你夫人要先我而去。」

五毒夫人霍然站起身子，道：「放肆！」

俞秀凡站了起來，道：「夫人不相信？」

五毒夫人冷笑一聲，道：「俞公子，你狂妄得太過份了。」突然一揮右手，拂了過來。

隨著她拂出的右手，一片無味的毒粉，直撲過來。俞秀凡早已運氣戒備，閉住了呼吸。

但哪裏知曉五毒夫人的毒粉，並不要人吸入腹中，只要有那麼一點肉眼難見的粉粒中人，立刻就有反應。

俞秀凡感覺到右手背腕上似有微物相觸，肌骨上立時有火炙的感覺。但他仍然一把扣住了五毒夫人的腕脈！

五毒夫人一身武功，亦非小可，想不到一交手，就被扣住了腕脈要穴，不禁一呆。就在她一呆之間，俞秀凡已施出震脈、拂穴手法，傷了她五處大穴。

這都是艾九靈畢生精研的奇學，在化繁爲簡之後，都傳給了俞秀凡。慌急之間，俞秀凡全都施展了出來。

雙方都快得不可思議。局外人看到的，只是那五毒夫人一揮手，俞秀凡迎出一掌。只是那一眨眼的工夫，雙方就收手後退。但已經有了結局。

俞秀凡手腕、手背上，都已起了白色的膿包，而且迅快地向臂上漫延。

五毒夫人的神色，也有著無比的痛苦。一條右臂軟軟垂著，但肌肉卻不停地抽動、顫慄，頭上滿是汗珠，一顆接一顆，滾落下來。

兩個黃衣女婢，急急地奔了過來，但見主人肌肉抽動的痛苦之狀，乃過去從所未見之事，一時間手足無措，不敢伸手攙扶。

王翔、王尚，也舉步向室中衝來。

但聞俞秀凡大聲喝道：「退出去！這室內毒粉飛揚，你們守住廳門，不准任何人出入。」

王翔震驚地叫道：「公子，你中了毒？」

俞秀凡厲聲道：「守住門，咱們收回本利。」

王翔、王尚，不敢抗命，重又退到室外，但兩人滿懷著激忿怒火，雙目盡赤，手握刀柄，作勢欲撲。

桃花童子呆呆地望著俞秀凡，只見他劍眉聳立，星目放光，中毒後望過臂上漫延的水泡一眼之外，就未再多看過一次。桃花童子從沒有見過這樣勇敢的人，那不止是泰山崩於前而色不變，而是面臨著死亡時，絲毫無懼。

五毒夫人舉起衣袖，拭一下臉上的汗珠兒，冷厲地說道：「我化肌毒粉，中人之後肌骨就開始起泡、潰爛，十二個時辰內，全身化作膿血。」

俞秀凡淡然接道：「五毒門名揚天下，這一點化肌毒粉，又算得什麼，在下相信，你夫人會有更毒的毒粉。」

五毒夫人道：「不錯。有一種毒粉，可以中人立死，但那只是取人生命，有些人不怕死，死亡就對他構不成威脅，但化膚成膿，變肉成血的痛苦，決非一個人所能忍受。」

俞秀凡毫不在意地微微一笑，道：「你這藥粉，有多大威力，身受者自會知曉。」

五毒夫人神色大變，她日睹過名滿江湖的大英雄，中了這化肌毒粉後的震驚、畏懼。也有人咬牙苦撐，但神情間，卻流現出內心中的恐怯。也有人立刻自碎了天靈要穴而死。

五毒夫人從沒有看過一個人，在中了化肌毒粉後，仍然保持著如此平靜，就像那條手臂完全和他無關一樣。忽然間，五毒夫人感覺到害怕，俞秀凡的勇敢，使她自己受到了死亡的威脅。

化肌毒粉誠然是人間至毒之物，在死亡的過程，給予人無比的痛苦，但不能立刻致人於死。俞秀凡有很從容的時間，出手取她的性命。她已半身僵木，消失了大部分反抗的能力。她也了解以俞秀凡快速的身手，再出手取她性命時，兩個女婢絕對救援不及。

何況，大廳中還有桃花童子。

陡然，大廳外面，刀光閃動，緊接著響起了兩聲慘叫。五毒夫人站的角度，清晰看到了大廳門口，只見兩個門下弟子衝向大廳，但守在門口的王翔、王佾，只拔刀一擊，兩個人頭落地，兩人只叫出了短暫的一聲。

桃花童子疾快地行到了廳門口處，由王佾手中取過寶劍，行入室中，低聲道：「公子，劍。」

這一次，俞秀凡沒有拒絕，伸出左手，接過長劍。

桃花童子瞧清楚俞秀凡的手背，整個成一個大白膿泡，似乎已延展到小手臂上，可惜被衣袖蓋住了，無法瞧到。

心頭一陣劇烈的跳動，桃花童子的聲音也變得有些發抖了，道：「公子，你的手背……」

俞秀凡淡然地笑了一笑，道：「告訴我，是什麼樣子。」

桃花童子道：「我……我看到的，只是一片膿泡。」

俞秀凡道：「看來，五毒門，果然有些古古怪怪的毒物，告訴王翔、王佾，不要殺太多人，但不准有人衝入廳中。」

桃花童子道：「他們已經聽到了公子的話。」

忽然間，兩個女婢像兩道黃色閃電一般，衝向了俞秀凡。原來，二婢看無人能衝入廳中，相互使了一個眼色，分由兩路行來。

但見寒光一閃，啪啪兩聲，兩個女婢驚叫著退到了五毒夫人的身側。兩個女婢的長髮披散，辮梢上的蝴蝶結，已被利劍削掉，長髮散亂，披垂肩上。同樣在右肩的衣袖上，留下一道兩指多的劍痕。

敢情俞秀凡用劍身拍了兩婢的右臂，把兩人震退回來，同時又削去兩女辮結。如是俞秀凡想取二女之命，二女長八個腦袋，也被削去了。二婢驚魂歸竅，凝目望去，俞秀凡早已還劍入鞘。

五毒夫人長長吁一口氣，是震驚和佩服混合的一口長氣，回顧二婢一眼，道：「去，替俞公子敷上療治化肌毒粉的解藥。」

二婢呆了一呆，道：「大人！你……」

五毒夫人冷冷地接道：「快些去！聽清楚了？」

二婢同時伸手由懷中摸出一個翠玉小瓶，拔開瓶塞，倒了很多藥丸，選出了一粒，又把另外的藥丸放入瓶中，合上瓶塞，放入袋內，緩步地向俞秀凡行了過去。

桃花童子暗裏留心，看清二婢選出的解藥顏色，默默記下。

俞秀凡冷然一笑，道：「大人，俞秀凡不拒絕你下令女婢療治毒傷，但我也不領你這份情。」

五毒夫人道：「你不用領情，我不想同歸於盡，替自己也留下一點餘地。」

俞秀凡道：「夫人，就算咱們互解了對方之傷，吃虧的還是夫人。」

五毒夫人道：「別得寸進尺威脅我，我看到你的快劍，也看到你兩個從僕的刀法。」

俞秀凡道：「那很好，兩位姑娘請動手療傷。」緩緩坐了下去，左手握劍支地，伸出右手。

五毒夫人嘆道：「唯大英雄能本色，公子無畏懼，無虛偽，不矜飾，不矯情。」

俞秀凡道：「誇獎了。」

五毒夫人道：「撇開咱們的敵對不談，你是我這一生所見的第一個真君子、大丈夫。」

俞秀凡輕輕嘆息一聲，道：「苦海無邊，回頭是岸，夫人爲什麼一定要出售毒物、毒器？」

五毒夫人冷冷說道：「俞秀凡，現在不談這些，等那腫起的毒泡，超過了肩頭，療治起來，就麻煩多了。」

這時，右首的黃衣女婢已托起了俞秀凡的右肩，道：「閣下是否能相信我們？」

俞秀凡淡然一笑，道：「兩位姑娘儘管出手療傷。」

右首女婢嗯了一聲，伸手從懷中取出一把鋒利的匕首，一揮手間，俞秀凡的右袖已齊肩脫落。

就在這一陣工夫，那隆起的水泡，已然漫延過肘關節。大半截手臂上，都是腫起很高的水泡，看上去極爲恐怖。

俞秀凡暗暗忖道：極短的時刻，能使一個人大半條手臂，腫起了這樣大的水泡，這毒性之烈，實是駭人聽聞。

但見那右首女婢舉刀一劃，那巨大的水泡，立刻破開。一股膿水，飆射而出。

左首女婢迅快地捏碎了一粒丹丸，灑在傷口處。另一粒丹丸，送入了俞秀凡的口中。

五毒夫人冷冷說道：「普通的人，總要一日時間，才能完全復元。但你內功精深，大約你內腑根本就沒有毒。」

俞秀凡道：「夫人打出毒粉時，在下已經閉住了呼吸，不過……」突然住口不言。

五毒夫人道：「不過什麼？」

人的身後。

俞秀凡道：「如若把毒粉吸入了腹中，是否會和這手臂一樣，腫起水泡？」

五毒夫人道：「會！所以我給你服下了一粒解藥。」這時，兩個女婢早已退回到了五毒夫人的身後。

俞秀凡低頭看去，只見臂上的水泡，已然完全消退了下去。他手中長劍交給了桃花童子，緩步行向了五毒夫人。

五毒夫人兩道奇異的目光，盯注在俞秀凡的臉上，緩緩說道：「我的右臂能醫好麼？」

俞秀凡道：「能！像夫人的解毒藥物一樣有效。」

一面說話，一面暗中運氣，揮手點出。他雙手連環動作，右指、左掌或點或拍，很快地活開了五毒夫人身上的受傷穴道。

果然，和五毒夫人手配的解藥一樣，五毒夫人一條麻木的右臂，很快地恢復了活動，收縮的經脈也完全復常。

伸動了一下手臂，五毒夫人緩緩說道：「你用的什麼手法？不像是點穴，也不像是拂穴手法。」

俞秀凡實在無法說出自己用的什麼武功，只好淡然一笑，道：「在下的手法很博雜，很難說出它是什麼手法。」

五毒夫人淡淡一笑，道：「你既然不願說，我也不想多問。不過有一件事，我要告訴你，我這一生，是第一次被人傷了穴道。」

俞秀凡道：「彼此，彼此。我也是第一次中毒。」

五毒夫人道：「你解了我的傷穴，我醫好了你的毒傷，咱們彼此已互不相欠，你可以離開了。我派人為你帶路。」

俞秀凡道：「夫人可是下逐客令？」

五毒夫人道：「你已可對江湖同道誇耀，出入過湘西五毒門，也見過五毒門主。」

俞秀凡仰天大笑三聲，道：「見過五毒夫人，算不得什麼榮耀之事，也不值誇耀於武林同道之間。」

五毒夫人臉色大變，冷冷說道：「俞秀凡，從沒有人像你這樣的對我說話。」

俞秀凡道：「夫人可是覺著在下不太敬重夫人？」

五毒夫人道：「何只是不大敬重，而是粗魯無禮。」

俞秀凡肅然說道：「夫人說得也是。在下敬重的是忠臣、義士、仁俠、孝子，像你這樣製造毒物，售於江湖之人，確也不值在下敬重。」

五毒夫人雙目漲紅，怒聲喝道：「你……」

俞秀凡接道：「我說的是真情實話，也是至理名言。不過苦海無邊，回頭是岸，只要你夫人能答允從此不再製造毒物出賣，立刻就受到我俞某人的敬重。」一面說話，一面伸手由桃花童子手中，取過了長劍。

突然間，五毒夫人發覺了俞秀凡堂堂正正的氣勢，有著一股凜然難犯之威。

俞秀凡神情冷肅地接道：「很不幸的是，在下很容易的見到了夫人，如夫人不能對在下所求之事，有一個肯定的答覆，只怕要鬧出一個血流五步的慘局。」

五毒夫人道：「你敢殺我？」

俞秀凡道：「俞某不敢，但那些屈死於夫人毒物之下的冤魂，會給在下拔劍的勇氣。」

五毒夫人看到過他的快劍，那真如閃電一般的迅快，不禁為之氣餒，緩緩說道：「你要我答應你不再出賣毒物、毒器？」

俞秀凡道：「最好是五毒門從此後也不用毒傷人。」

五毒夫人道：「湘西五毒門結仇甚多，如是不能用毒，不出半年，就要瓦解、冰消。」

俞秀凡沉吟了一陣，道：「夫人可以不再出賣毒藥。」

五毒夫人心中恨得緊咬銀牙，但她知道目下的情勢，決難避開俞秀凡的快劍，只好強忍怒火，緩緩說道：「我得仔細想想這件事。」

俞秀凡接道：「不行，你非得立時答允，而且付諸行動。」

五毒夫人道：「你這算是仁俠之道麼，傲氣凌人，目無餘子。告訴你，你逼我過甚，那是玉石俱焚之局面。你可能殺了我們三人，你和你的從人，也都將身中奇毒而死。」

俞秀凡道：「如是在下和幾位兄弟之死，能使五毒門瓦解冰消，死而何憾！」

五毒夫人呆住了，想不到這表面瞧去文秀、飄逸、俊美動人的小伙子，竟然是一個十分難纏的人物。

沉吟了一陣，五毒夫人才緩緩說道：「你決心一拚了？」

俞秀凡道：「在下很明白，我見到夫人的機會不多，錯開今天以後，在下只怕很難再見到夫人了。」

五毒夫人臉上泛起一個奇異的笑容，道：「如若你不是這樣難纏，我倒希望你常來五毒門作客。」

俞秀凡道：「如是夫人能上體天心也下顧人道，不再製造毒物、毒器出售，咱們又何嘗不可常常相見呢？」

五毒夫人道：「你不怕我騙了你？」

俞秀凡道：「夫人的意思是……」

五毒夫人接道：「我現在答應你不售毒藥，但如你離去之後，我仍然照做生意呢？」

俞秀凡道：「夫人能當一門之主，似這等失信天下的事，只怕還不會做吧？」

五毒夫人道：「如是做了呢？」

俞秀凡道：「那就是一件很不幸的事。在下將重入湘西，搏殺夫人。自然，那時間，在下的手段，也不會堂堂正正了。」

五毒夫人道：「俞秀凡，你不會再有機會進入五毒門了。」

俞秀凡道：「到時間再試試看吧！生死之事，威脅不住我俞某人。」

這等軟硬不吃的態度，使得統率五毒門濟濟群豪的五毒夫人，頓時有著無法應付的感覺。一時間，廳中默然，靜得落針可聞。

桃花童子輕輕咳了一聲，道：「公子，這件事，夫人也不能馬上答應，得給夫人一些時間思索一下才成。」

俞秀凡嘆口氣，道：「你知道，咱們再度捨命而來，也無法見到五毒夫人。」

桃花童子道：「我知道。公子，就算咱們能殺了五毒夫人，也不能制止五毒門出賣毒物。」

俞秀凡道：「不錯。所以咱們要把握住唯一的機會。」

五毒夫人突然冷笑一聲，道：「俞秀凡，我答應你了。」

俞秀凡微微一怔，道：「真的答應了？」

五毒夫人道：「我不想死，你卻又有著非拚不可的決心，兩害相權取其輕，所以，我只好答應了。」

俞秀凡一抱拳，道：「多謝夫人！」

五毒夫人冷冷道：「現在，你們是否可以走了？」

俞秀凡道：「可以。」

五毒夫人道：「關飛接你們來，我要關飛再送你們走。」

俞秀凡突然抬頭望了五毒夫人一眼，道：「大人，請運氣試試，看看經脈是否暢通？」

五毒夫人怔了一怔，道：「爲什麼？」

口中問話，人卻暗中運氣相試，只覺真氣暢通，並無阻滯。笑了一笑，道：「多謝關心，粗軀還算頑健，傷勢已然全好，真氣暢通無阻。」言來滿臉歉疚，對俞秀凡的關顧甚感歡愉。

俞秀凡長長吁一口氣，道：「這就好了。大概可以支撐過一年了。」

五毒夫人臉色一寒，道：「你說什麼？」

俞秀凡道：「害人之心不可有，防人之心不可無。夫人真氣暢通，那證明了傷穴已癒，至少在一年內不會發作了。」

五毒夫人道：「那一年後呢？」

俞秀凡道：「一年後傷勢復發。」

五毒夫人道：「發了之後，又怎麼樣？」

俞秀凡道：「和剛才一樣，全身的肌肉收縮，七日內萎枯而死。」

五毒夫人眨動了一下眼睛，道：「不可能吧！我精研藥性，對一個人的身體結構，甚爲了解。身受內傷，要過了一年才會發作？」

俞秀凡微微一笑，道：「夫人最好相信，說到震脈傷穴的手法，不是區區小看你夫人，大約你不會強過區區。」

五毒夫人冷哼一聲，道：「我還認爲你是正人君子，想不到竟也是如此奸險之人。」

俞秀凡冷冷說道：「只要你不再出賣毒物、毒器，俞某人明年此日，定然重來此地，療治好夫人的傷勢。」

五毒夫人道：「要是你活不過一年呢？」

桃花童子接口道：「夫人，這就打到點上了，如是咱們公子活不過一年，夫人也只好陪我們公子殉葬了。」

五毒夫人冷笑一聲，道：「如是俞秀凡活不了，你也要陪他殞命。」

桃花童子道：「說得是啊！夫人，如是我們公子不來，只怕我們主僕，也走不出這段山路。如今夫人爲自己，也不會取我們主僕的性命了。」

五毒夫人冷冷道：「你不是要走了麼，那就快些走吧！我不願再看到你。」

俞秀凡點點頭，轉身向外行去。

走出廳門，才發現桃花童子沒有出來。不禁心中一動，但俞秀凡並未停下腳步，仍是向前大步行去。行出三十步，才見桃花童子急急追了出來。

俞秀凡心中暗作盤算，在這一段時間之內，一個人能講多少話，做多少事？

五毒夫人未見出廳，連那兩個女婢，也未再度出現。

桃花童子追上俞秀凡，低聲道：「公子，我看那五毒夫人神色不善，只怕會對咱們用毒。」

俞秀凡道：「她自己難道也不要命了？」

桃花童子道：「就算公子說得千真萬確，她還有一年的時間，可以訪遍名醫高手，治療內傷，但咱們再中毒，只怕立刻就會送命。」

俞秀凡淡淡一笑，道：「小桃童，你久年在江湖上走動，見識廣、主意多，你看咱們該如何防備？」

桃花童子輕輕嘆一口氣，道：「公子，壞在那一句正人君子的稱讚上了。」

俞秀凡道：「怎麼說？」

桃花童子道：「如若當時公子能夠問問小桃童的意思，我定會奉勸公子，擒住那五毒夫人的脈穴，讓他們送咱們離開這一片湘西地區，只要過了辰州，咱們就不怕他們用毒了。」

俞秀凡道：「爲什麼？」

桃花童子道：「因爲，在湘西這片地面上，他們可能布置有很多毒區，這地方的事事物物，都可能使咱們中毒。但如離開辰州，他們想下毒，那就得派人動手，只要咱們小心一些，就可以防止了。」

俞秀凡道：「現在呢，還來得及麼？」

桃花童子搖搖頭，道：「晚了，來不及啦！」

俞秀凡神情突然間變得十分嚴肅，道：「小桃童，想法子告訴他們，任何一種毒藥，大約都要沾上了人身之後，才能致命。我想，湘西五毒門大約還沒有殺人於一丈外的毒藥，只要他們敢用毒對付咱們，我就回馬重入五毒門，殺他一個血流成渠，屍骨如山，我會盡我最大的力量，踏平五毒門，直到我毒發而死爲止。」

桃花童子呆了一呆，道：「要小的告訴他們？」

俞秀凡道：「不錯。你閱歷豐富，總會有辦法把消息傳入五毒夫人的耳中。」

桃花童子道：「這個，小的試試吧！」

俞秀凡回顧了王翔、王尙一眼，道：「你們記著，對五毒門人，咱們用不著再手下留情。從現在開始，我准許你們放手施爲，而且要盡力防範，不要中毒。」

王翔、王尙，齊齊一欠身，道：「敬領公子之命。」

桃花童子神色很奇異，不是悲苦，也不是歡樂，似是他盡力抑制著什麼。笑了一笑，說道：「希望五毒門不要自作孽，鬧成不堪收拾之局。」

談話之間，幾人已出大門。只見廣闊山坡草坪上，並肩站了五個人。

那是五個形貌很特異的怪人，穿著黑色的衣服，黑人、黑衣、黑靴，手各執著不見一點光亮的兵刃，但看上去，卻是刀的形狀。

但最爲恐怖的是，五個人臉上都泛著濃重的黑氣。似乎是，這些人都住在煙筒中，常年被煙氣薰成了一種發亮的黑色。

王尙冷笑一聲，道：「公子，請留步，我先去試試他們。」

俞秀凡冷冷說道：「不許妄動！」

目光轉注到桃花童子的身上，接道：「你認得出這五個人麼？」

桃花童子凝目在五個黑衣人身上瞧了一陣，道：「五毒門人訓練了一種毒人，用以對付強敵，大約，這是那些傳說中的毒人了。」

俞秀凡點點頭，道：「你既然知道他們是毒人，自然也知道毒人的特性了。」

桃花童子道：「小的也只是聽到過傳說，談不上對他們了解。」

俞秀凡道：「那你就根據傳說，說出來吧！」

桃花童子道：「聽說這些毒人，全都是食用毒物生活，他們全身上下，無一處不毒，衣物、兵刃，都是毒物淬練而成。」

只聽王翔急急接道：「公子，看！他們站的地方。」

俞秀凡凝目望去，只見五人足下的青草，都已變成了枯黃之色。

不禁心頭一震，暗道：把一個人訓練成全身能散發出奇毒，當真是可怕得很。

只聽桃花童子接道：「他們服用的毒藥，有一種能夠激發出一個人生命潛能的藥物，據說，一個人如只有五分武功，服下那毒物之後，可以發揮出十成威力；另外，還有一種藥物，能使他們忘去肉體痛苦。所以，他們不畏傷亡，一旦和人動上了手，就會勇往直前，不作反顧，直到他們死去為止。」

俞秀凡道：「還有些什麼特異之處？」

桃花童子道：「公子，我聽得的傳說，不知道是否正確？」

俞秀凡道：「不對也無妨，你只管說出來。」

桃花童子道：「他們全身散發著劇毒，和他們動手搏殺，不論勝敗，都難免身受毒傷。」

俞秀凡皺皺眉頭，道：「是不是他們一定要把毒物、毒粉中人之身，才能使人中毒？」

桃花童子道：「這些毒人，不但滿身的奇毒，而且武功很高。他們攻出的一掌一足，都可能帶著強烈劇毒，掌力、拳風，只怕也有毒性。」

王尚肅容說道：「不要緊。小弟先出手試試，我如能一舉殺死了他們五人，就算中毒也算值得。三位替我掠陣。」唰的一聲，抽出長刀，大步向前行去。

他豪氣干雲，橫刀行進，充滿著自信。

俞秀凡沒有再阻止王尚，他明白，今日非有一場凶猛的惡戰不可。只好沉聲說道：「王尚，小心一些。閉住呼吸，能夠防毒的方法，都使用出來。」

王尚豪壯一笑，道：「公子放心，這區區五個毒人，還不放在我的眼中。」他身挾刀法絕技，氣壯山河，大有志吞五嶽氣勢。

桃花童子突然高聲叫道：「王兄，不可躁進。」

俞秀凡也冷肅地說道：「王尚，對方以毒技制人，不可輕敵，要選在最適當的時機，揮刀一擊成功。」

五個形狀怪異、跡近痲木的毒人，大約也被王尚那豪壯的氣勢所動，突然向兩側分散，布成了合擊之勢。

在桃花童子和俞秀凡連番警告之下，王尚也變得小心起來，停下腳步，長刀斜舉，運集了全身的功力，虎目神光閃閃，凝注著五個毒人，等待著出手的時機。

俞秀凡突然回過頭來，望了桃花童子一眼，神情很冷肅，但口氣卻很平靜，緩緩說道：「小桃童，如果很不幸，我們決心和五毒門全力一拚時，你準備做何打算？」

桃花童子微微一怔，道：「這個，小的自然是跟著公子共生死了。」

俞秀凡道：「不管王尙能不能對付得了這五個毒人，我決定不再多問五個毒人的事，咱們回頭殺盡五毒門去。」

桃花童子輕輕嘆息一聲，道：「公子，你認爲那五毒夫人，還會在廳中等我們麼？」

俞秀凡四顧了一眼，道：「我看這座巨大的宅院，似乎只有這一條出路。」

桃花童子道：「以五毒夫人那身武功，似乎是用不著出路了。」

俞秀凡道：「就算五毒大人逃走了，但這宅院還有很多人，五毒門如若害死咱們一個人，我就要他們十條、百條的人命抵償。」

長長吁一口氣，接道：「小桃童，我不喜歡殺人，但並不是不敢殺人，激怒了我，那只有以殺止殺。」

桃花童子突然一側身，道：「公子，我去助王兄一臂之力。」身子一側，直向王尙衝了過去。

這時五個毒人也已提聚了全身的功力。定神看去，只見五個毒人全身都籠罩在一層黑氣之中，看上去極是恐怖。

王尙也把全身功力提聚到了十二成，身上的衣服，大部都鼓了起來。雙方似乎都已運足全力，把生死付之一拚。

桃花童子輕巧異常地走到了王尙的身側，低聲道：「王兄，不要搶先發動，給他們以可乘之機。」

王尙道：「不行！我這一刀已經到了非發不可的形勢。」

桃花童子道：「對方也是如此，所以，最好由他們先發。」

王尙道：「制敵機先……」

桃花童子接道：「那是對敵原則，不是一成不變。你仔細想想，你刀勢發出，只能攻向一人，但身受四面的攻擊。」

王尙高聲叫道：「我不怕。」

桃花童子冷冷說道：「王兄，這不是逞匹夫之勇的時候，就算你殺了五個毒人，五毒門可以再製造出十個、二十個毒人出來，但你王尙的命只有一條。」

他說話之間，雙手不停地揮動，似是以補語氣之不足。但奇怪的是，五個作勢欲撲的毒人，突然收勢而退，片刻間走得蹤影不見。

王尙長長吁一口氣，緩緩收下了提足的功力，還刀入鞘。

望著桃花童子，道：「小桃童，這是怎麼回事？」

桃花童子淡淡一笑，道：「大約是你王兄那一股逼人的刀氣，嚇走了五個毒人。」

王尙有些茫然地說道：「不可能吧！」

桃花童子道：「他們人都走了，難道還會是假的不成。」

俞秀凡緩步行了過來，道：「這就是能者無所不能。小桃童，咱們此後，還有毒的可能沒有？」

桃花童子微微一笑，道：「公子，咱們只要未離開五毒門所轄之區，隨時都可能中毒。」

語聲微微一頓，接道：「以公子的精明，只要咱們過了辰州，他們再想對咱們下毒，就不容易了。」

十　深藏不露

俞秀凡等一行四人，離開了湘西，回到辰州，果然是一路順利，未遇任何暗襲、攔擊。回到了五福客棧，店東主率伙計立刻迎了上來。這一次，變得很客氣，拱手帶笑，道：「四位回來得好快啊！生意成交了吧！」

俞秀凡笑了一笑，道：「多謝你店東主的引薦。」牽了馬匹，立刻上馬馳出辰州城，桃花童子突然輕輕咳了一聲，道：「現在，公子準備到哪裏走走？」

俞秀凡道：「你說呢？」

桃花童子道：「小的不敢亂出主意了，我提出五毒門，公子就要來湘西一遊，雖然，咱們都好好的活著出來，但個中的驚險，想來，仍然是心有餘悸。」

笑了一笑，俞秀凡道：「小桃童，我倒是對你越來越有信心了。」

桃花童子怔了一怔，道：「怎麼說？」

俞秀凡道：「你機智過人，而且運氣又好，每每能逢凶化吉，遇難成祥。」

桃花童子道：「運氣不可恃，機智也非萬應丹，再遇什麼凶險，只怕是我也無能為力了。」

語氣微微一頓，接道：「公子，你們三位，這一番出道江湖，難道真沒有一點目的麼？」
俞秀凡道：「沒有。只是想見識一番，歷練、歷練。」
桃花童子道：「說起來，我也很好玩，江湖上有很多望而難及的地方，仗公子和兩位王兄的翼護，小的倒也可以開開眼界。不過……」
俞秀凡道：「不過什麼？」
桃花童子道：「不過，事情只怕有成見，萬一公子對小的有了誤會，實叫人百口莫辯。」
王尚道：「小桃童，咱們聯手涉險，生死同命，公子仁厚，怎會對你有成見？」
桃花童子淡淡一笑，道：「王兄，那是因爲小弟我太能幹了。」
俞秀凡淡淡一笑，道：「小桃童，我相信，很多事情變化，都有脈絡可尋。在下麼，還不致無的放矢，這一點，希望你小桃童可以放心。」
桃花童子道：「論江湖經驗，察言觀色之能，我也覺著比諸位稍高明些。但我決不是江湖上第一等才智人物，也不是第一等豪勇的英雄。」
笑了一笑，俞秀凡接道：「你就是差這一點氣勢，否則……」
否則怎麼樣沒有再接下去，卻突然改變了話題，道：「小桃童，聽你說話的口氣，似乎是江湖之中，還有一些去處，只是你不願再帶我們去了。」
桃花童子道：「不是不願，而是不敢。我怕惹火上身、悔之不及。」
俞秀凡道：「只要你不逾越，恪守分寸，不論你心裏想的什麼，咱們都是好朋友。」
話說得很明白，但卻聽得桃花童子心裏直嘀咕，暗道：他好像已經知道了我很多事。
但他人小膽大，立亥神色自若地笑了一笑，道：「不論遇上了什麼事，我都會盡力，但公子也要明察，需知你出劍太快，一劍奪命。事後，你縱然有些悔恨懊惱，只怕也難使死人復生。」

俞秀凡道：「我明白，你是要我什麼事，都能事先說清楚。」

桃花童子道：「不錯。還有一點，是咱們相處，要以憑證為主，不能以心忖度，自作決定，以免成見誤人。」

俞秀凡微微一笑，道：「小桃童，什麼事都要退一步想，嚴於責人，寬於責己，不是做人的道理。」

桃花童子道：「所以，我要憑據。」

放低了聲音，接道：「如是你們真的找到了小桃童有什麼不利諸位的證據，在下是死而無憾。」

俞秀凡心中暗道：他已明白我們已對他有了懷疑，不知為什麼還要跟我們走在一起。

心中念轉，口裏卻淡淡一笑，道：「小桃童，你是不是有很多秘密？」

桃花童子道：「我如是不承認心中有秘密，只怕你也不肯相信。」

語聲微微一頓，接道：「不過，我不想說出來，但不知公子能否見諒。」

俞秀凡道：「自然可以。你既然不願說，我們也不便多問了。」

桃花童子仰望天際，自言自語地說道：「也許有一天，我會把心中的秘密，告訴你們，不過，那不是現在。」

俞秀凡道：「不要緊，你什麼時候想說，再告訴我們不遲。至少我是一個很有耐心的人。」

桃花童子臉上的愁苦之容，一掃而光，歡愉地說道：「好！公子能答應在下的請求，咱們還可以相處一些時日。」

俞秀凡道：「那是說，如若我不答應你的條件，你就準備離去了。」

桃花童子道：「是的。如是公子不能答允，我小桃童實在不願死於你的快劍之下，尤其是死得糊糊塗塗，那只好告別了。」

俞秀凡道：「小桃童，人不虧心，夜不怕鬼，只要心胸坦蕩，怎會有此一慮。」

桃花童子淡淡一笑，道：「久年坐船反畏水，看過了你的快劍，那就越想越怕。」

王尚哈哈一笑，道：「小桃童，看來你很怕死。」

桃花童子道：「九死一生，那還有一分生機可求，全無生機的冒險，難道你王尙不怕？」

王尙道：「也許我也害怕，不過，我從來沒有想過這件事。」

桃花童子道：「王兄，你應該多想想的，須知人無遠慮，必有近憂，天天在一塊兒，誰能保證不起誤會。」

王尚道：「小桃童，你擔心咱們大哥的快劍，不知道是否也怕我的快刀？」

桃花童子道：「捲雲十八刀，是天下至猛的刀法，不過，它也有缺點。」

王尚怔了一怔，接道：「什麼缺點？」

桃花童子道：「猛則猛矣！但它還不夠快。」

王尚淡淡一笑，道：「小桃童，你是說，我的捲雲刀法傷不了你？」

桃花童子微微一笑，道：「王兄，我一直不擔心你能殺我，自然是不大怕它了。」

王尚抓抓頭皮，道：「你知道我不會，是麼？」

桃花童子搖搖頭，道：「不是。主要的是它不能殺我。」

王尚道：「唉！小桃童，我很想試試，但這是玩命的事，我怕收刀不及，傷了你。」

桃花童子道：「假如你不試試，只怕是心有不甘，是麼？」

王尚躍下馬背，緩緩抽出了長刀，目注桃花童子，道：「小桃童，你真的要試試？」

桃花童子輕鬆地笑道：「你儘管出手，我相信捲雲刀法殺不了我，如是真的能殺了我，那也是我看法錯誤，死而無憾。」

王尚緩緩舉起了長刀，道：「小桃童，捲雲刀法共有十八招，你要小心了！」

桃花童子道：「我知道，請儘管出手。」

王尚回顧了俞秀凡一眼，只見俞秀凡微微頷首。

桃花童子輕輕咳了一聲，道：「王兄，不用顧慮，我接你三刀。」

王尚刀已出鞘，算被逼著騎上虎背，再想還刀入鞘，已無轉回之餘地，只好高聲喝道：「你小心了。」呼的一聲劈了過去。

刀勢如排空巨浪，帶著一片強大的刀氣。但見桃花童子身子一轉，竟從閃起的刀光中滑了出去。

王尚自學會捲雲刀法之後，這是第一次出刀落空。

桃花童子人已飄到左面一丈開外，淡淡一笑，道：「王兄，請再攻兩刀試試。」

王尚點點頭，又一刀迎面劈出。這一次，他用九成功力，刀如閃電，劃起了一陣呼嘯刀風。

但見桃花童子一飄，疾快地穿過了凌厲的刀光，流星般飄出去一丈多遠。

搖搖手，桃花童子叫道：「王兄，夠了。再打下去，非要傷在你的刀下不可了。」

王尙還刀入鞘，道：「小桃童，你是真人不露相啊！」

桃花童子正容說道：「王兄，捲雲十八刀，比我想得還要高明一些，而且，王兄已得捲雲刀法的精髓。」

王尙微微一笑，道：「小桃童，你不用給我面子。我心中明白，就算我再攻三刀，一樣傷不了你。」

俞秀凡道：「王尙的刀法，確具有很大的威勢，但小桃童身法的快速，也是武林極少見的，刀出如風雷並發，人動如電閃流星，兩位各有所能，事情已過，不用再提了。」目光轉到桃花童子的身上，道：「小桃童，江湖上還有什麼神秘的去處？」

桃花童子道：「公子對機關消息之學，是否有興趣？」

俞秀凡道：「昔年諸葛武侯製造木牛流馬，供應大軍糧草，每念至此，神馳古人，難道當今之世，也有這樣的才人麼？」

桃花童子道：「華山有一座璇璣宮，方圓五百里內列爲禁地，擅入者必死於他布置的機關之下。三十年來江湖上的紛爭，武林大門派，都難免捲入漩渦之中，但璇璣宮卻變成了一片世外桃源，一直沒有捲入紛爭之中。」

俞秀凡道：「璇璣宮主，遺世獨居，他雖然不能挺身爲武林正義效力，但他也沒有危害武林，他既不願和人來往，咱們倒也不便去打擾他。」

桃花童子微微一笑，道：「那璇璣宮主所建的機關消息，比起諸葛武侯的木牛流馬，那又不知高明多少倍了。」

俞秀凡道：「小桃童，璇璣宮主，不許人侵犯禁地，但咱們如若光明正大的投柬求見，是否可以見到他呢？」

桃花童子道：「這要碰運氣了。不過，就小的所知，十人求見，九人被拒，就算答應了，也要遵守他們嚴厲的規戒。」

俞秀凡道：「什麼規戒？」

桃花童子道：「聽說是不准攜帶寸鐵入宮，而且，還得被點了雙臂穴道。」

俞秀凡道：「果然是很嚴厲的規戒。」

桃花童子道：「聽說璇璣宮有一處專門接待客人的地方，客人雖然身受重重限制，但仍然不能隨便在宮內走動。」

俞秀凡心中一動，暗道：三十年未牽入武林的紛爭是非。對江湖上的人事論評，那該是最公正的了。應該去聽聽璇璣宮主對武林的看法、評論。

心念一轉，微微一笑，說道：「既是如此，咱們應該去瞧瞧了。」

這日進了華山。

桃花童子不但能處置事情，而且，對地理也似是極爲熟悉，進入了華山之後，很快找到了璇璣宮。那是淺山環繞的一片小盆地，環繞在四周的淺山，就像是一座天然城牆一般。

望著那一片蒼翠覆蓋的盆地，桃花童子道：「那一片山谷，就是璇璣宮的地盤了。」

俞秀凡凝目望去，只見那片盆地，花樹交錯，青翠籠罩，樹梢花叢中，升起了縷縷炊煙，點點頭，道：「好一片世外桃源，似是住有不少人。」

桃花童子微微一笑，道：「公子，璇璣宮轄區豈容外人染指，住的都是宮中的弟子家屬。」

俞秀凡望望天色，大約是在正午時分，低聲說道：「咱們如何才能和璇璣宮的人見面？」

桃花童子道：「下了這座淺山，就是璇璣宮的禁區，到處有提示的警牌，到了他們規定的地區時，自然會有人出面和咱們洽談。」

俞秀凡道：「規定之區？」

桃花童子道：「是的，璇璣宮禁區四周，都沒有消息機關。」

俞秀凡接道：「那些機關，是不是都有人控制？」

桃花童子道：「是不是有人控制這小的不知，不過，那機關埋伏很惡毒，擅闖入禁區的人，還未聽到有人生還。」

俞秀凡道：「不教而殺謂之虐。」

桃花童子道：「那禁區四周，都有著很多的告示，說得十分明白，擅入者死，倒也不能算不教而殺了。」

俞秀凡微微一笑，未再多言，舉步向下行去。

果然，下得淺山，立時看到豎立的石牌，上面寫著：「擅入者死」。另外一面石牌上，註明了行入宮門的路徑。

沿著一條小徑，四人行到入宮的大門口處，那是一座紅磚、綠瓦的大門樓，門樓下，有兩間瓦舍。

一個穿著青綢長衫的中年人迎了上來，道：「四位是……」

俞秀凡抱拳接道：「在下俞秀凡，久聞璇璣宮的大名，千里趕來，希望能得見宮主一面。」

青衫人道：「閣下有什麼事情？」

俞秀凡道：「事情倒是沒有什麼。」

青衫人道：「本宮主已經數年不見外客了，閣下如無什麼要事，只怕要失望了。」

王尙哼了一聲，道：「咱們如是能輕易回去，又何苦千里跑來！」

青衫人道：「這就很難了。」

王尙道：「有什麼爲難之處？」

青衫人淡淡一笑，道：「數十年來，本宮一直未和江湖來往。」

俞秀凡道：「那是說數十年來，一直沒有人到過貴宮了？」

青衫人道：「那倒不是。凡是到本宮之人，首先須得本宮同意，才可入內。」

俞秀凡笑了一笑，抱拳說道：「希望朋友你能同意咱們造訪貴宮。」

青衫人搖頭說道：「這個，我作不了主，而且，諸位也來得不巧得很。」

俞秀凡道：「可是貴宮有事？」

青衫人道：「不借。敝宮有點小事，不便接迎貴客，四位明年再來吧！」

俞秀凡嘆口氣，道：「咱們不遠千里而來，如是不能進入貴宮，那真是一樁很大的憾事。」

青衫人道：「看來，也只有使諸位抱憾了，在下是愛莫能助。」

王尙心頭火起，冷冷說道：「如是咱們非進去不可，那又如何？」

青衫人道：「璇璣宮沒有高牆深壘，也沒有森嚴的守衛，但數十年來，從沒有一個人能在未得本宮允准下，進入過禁地。」

王尙道：「數十年都過去了，不能說永遠沒有人能夠進去。」

青衫人道：「這位朋友的火氣很大，如是你能進去，那就不妨試試，諸位請便吧，在下失陪了。」

俞秀凡道：「慢著，在下還有一事請教。」

青衫人頗有不耐之情，冷冷說道：「快些請說吧！」

俞秀凡道：「你閣下既然作不了主，爲何不替我們通報一聲？」

青衫人道：「因爲從我這裏開始，我就不同意入宮，怎能替你們通報？」

俞秀凡心中暗道：看來，善言難以入宮了，但既然趕了來，怎能就此折回。心中念轉，口氣一變，道：「朋友你既不能通報，看來，咱們也只好換個人了。」

青衫人一時間未會過意，奇道：「換什麼人？」

俞秀凡道：「換了閣下，找一個代表我通報的人。」

青衫人怒道：「小小年紀，很大的口氣。」

俞秀凡道：「沒有法子，咱們對貴宮嚮往已久，非得去瞧瞧不可！」

青衫人道：「你朋友準備硬闖？」

俞秀凡道：「咱們把朋友你囚下，帶點米糧，守在貴宮外面；我們不能進去，貴宮人總可以出來吧？出來一個人，咱們捉一個。」

青衫人哈哈一笑，道：「你不怕山風閃了舌頭麼？」

俞秀凡道：「你小心，我要捉你了。」右手一伸，抓了過去。動作快如閃電，勢道奇幻莫測，青衫人明明看到五指抓來，就是讓避不開，右腕一麻，被人扣住脈穴。

青衫人怔了一怔，道：「你……」

俞秀凡放開手，接道：「你沒有準備麼？咱們再來一次。」

青衫人冷哼一聲，右手一揮，劈了過去。

俞秀凡右手疾出，迎著對方的掌勢抓去。手法太快，青衫人掌勢距離俞秀凡還有半尺，腕脈又被俞秀凡五指扣住。內勁一收，青衫人掌勢感覺到半身麻木，勁道全失。

俞秀凡隨手一指，點了青衫人兩處穴道，笑道：「朋友，信不信我說的話？」

青衫人嘆口氣道：「璇璣宮和江湖素無恩怨，你這做法用心何在？」

俞秀凡道：「咱們只是想進去瞧瞧，並無別意。但你執意不予通報，在下也只好出此下策了。」

青衫人道：「你認爲很得計麼？我不過是璇璣宮一個守門人。武功算不得什麼，但你將與璇璣宮結下仇恨。」

桃花童子突然接口說道：「據我所聞，守護貴宮大門的人，都是宮中武功高強之士，咱們瞧到了閣下的擒拿手法，不是庸俗身手。」

青衫人心中大大的震動，暗道：這四個人都是名不見經傳的年輕人，不但武功高強，而且見多識廣，又似都是久年在江湖上走動的人物，但璇璣宮的英雄榜，卻不見這四個人物。

其實，俞秀凡對桃花童子的博聞廣見，也有著很大的懷疑。以桃花童子這點年齡，竟有一身精博奇幻的武功，練武功應該花去很多的時間，就算他在風塵打滾，廣聽博聞，也不能對武林事物知道得如此眾多。

這件事一直困擾著俞秀凡，橫想豎想，就是想不明白原因何在。但他滿腹學問，洞澈事物，雖然想不出原因，但卻明白定有原因，桃花童子這個人，也不能與生俱來就了解天下的事物，只是自己還未找出那原因何在罷了。所以，他一直在小心地觀察。

其實，打從桃花童子跟俞秀凡等那一天起。兩人都在不停地鬥智。

只聽那青衫人冷冷說道：「你們可以殺了我，但如想進入璇璣宮，只怕不太可能。」

桃花童子道：「朋友你很有骨氣。不過，咱們不會殺你，我們公子很仁慈，一向就不願殘害人命。不過，為了想進入貴宮開開眼界，咱們也只好用一點特殊手段了。」

俞秀凡未再接口，一直冷眼旁觀著兩人口上鬥智，他要看桃花童子如何恫嚇，使這人屈服在威迫之下。

青衫人道：「千古艱難唯一死，我既然連死都不怕，我不信你們還有什麼能力逼我就範？」

桃花童子道：「人要臉、樹要皮。你可以不要性命，但不能不要面子吧！」

青衫人呆了一呆，道：「你們準備如何對付我？」

桃花童子道：「咱們千方百計尋求你老兄的合作。但如你執意不肯，咱們就只好把你吊起來，讓你面對著璇璣宮。」

青衫人聽了一愣，道：「好惡毒的手段啊！」

桃花童子道：「所以你老兄不能太固執，我們不能也不會進入璇璣宮的禁地，但我們可以在禁地外面對付你們璇璣宮的人，把你老兄吊上個兩、三天，定然會激使另外的人出來相救。咱們就再生擒一個，如法炮製，再把他吊起來。能吊好多人，那就要看你們璇璣宮的耐心了。不過，我們有的是時間，三個月不夠，咱們就泡上半年。」

青衫人怒道：「你們……」

桃花童子接道：「我說得很真實，你知道，憑我們公子剛才擒你的手法，你心中早該明白我們不是吹牛。璇璣宮如是真的到了目睹弟子、故舊被人吊死在宮門口仍不出來，那我們只好認輸了。」

青衫人接道：「數十年來，江湖上黑白兩道，從無人敢對璇璣宮如此無禮。」

桃花童子道：「事情總會有第一次的，不幸的是第一次就被你遇上了。」

青衫人冷笑一聲，道：「好吧！你們可以試試，璇璣宮如是只憑仗一點機關、消息，怎能維護數十年的平靜。」

桃花童子道：「那是說，你們還有江湖上無人知曉的秘密了？」

青衫人道：「我不會說，就算你們把我吊起來，甚至殺了我，都沒有什麼用。」

桃花童子說幹就幹，解下腰間一條白色的絲帶，真把那青衫人捆了起來。

俞秀凡看得直皺眉頭，但他並沒有出言喝止。

望望宮門外一株高大的古松，桃花童子冷淡一笑，道：「你老兄要不要選個好風水？」

青衫人道：「你們會後悔。」

俞秀凡道：「閣下再想想，如是我真把你吊了上去，也許我們會真的很後悔，但你閣下這一生，也無法再洗去這個羞辱了。」

江湖人愛面子，俞秀凡這幾句話，正擊中他的要害。

長長吁一口氣，青衫人緩緩說道：「你們不用吊我了，我著他們通報，要他們傳話進去。」

俞秀凡接道：「這就成了麼？」

青衫人道：「那要看你們運氣了，如是你們運氣好，也許可以立刻進宮；如果你們運氣不好，就算殺了我，也是無法。」

俞秀凡道：「希望你老兄的運氣也不錯，在下派個人去試試。」

舉手一揮，桃花童子急步行了過去。這一次，他有恃無恐，竟然直起身子到那大門口處。

片刻之後，桃花童子又行了回來。

俞秀凡低聲道：「他們答應沒有？」

桃花童子道：「已向裏面傳報進去，等一會兒再說吧！」

大約過了有一頓飯工夫之後，一個六旬左右的老者，急步行了過來。

人在六步外停了下來，一抱拳，道：「老夫郭華堂，哪一位是俞少俠？」

俞秀凡道：「區區便是，老丈有何吩咐？」

郭華堂道：「四位想進入敝宮看看是麼？」

俞秀凡道：「正是如此。」

郭華堂道：「好。諸位可以隨老夫進宮了，不過本宮有很多規矩，四位還得遵守。」

俞秀凡道：「那是自然，勞請老丈帶路。」

青衫人早已被解去了身上繩子，但雙臂的穴道未解。

郭華堂冷冷地望了那青衫人一眼，道：「你還能走路麼？」

青衫人道：「可以。小姪沒有洩漏宮中秘密。」

郭華堂未再多言，轉身向前行去。

俞秀凡等四人，魚貫相隨，行到宮門口處，俞秀凡揮手拍活了那青衫人的穴道。

青衫人似是很慚愧，一直低著頭，俞秀凡解開他穴道，他立時溜入宮門左面的一排磚舍去。

郭華堂輕輕咳了一聲，道：「俞少俠，從此行走，諸位應該小心一些，別存好奇之心，因爲，敝宮的機關布置很凶險，一不小心，就可能送了性命。」

俞秀凡道：「多謝老丈指點。」

郭華堂嗯了一聲，道：「諸位請看明白我走的路徑，不可錯行一步。」舉步向前行去。

俞秀凡低頭看去，只見六條小徑，並排而列。每一條大約有兩尺左右，上面都鋪著白色的碎石。驟然間看去，那六條小徑，一般模樣，很難分辨。但如仔細看去，可看出每條小徑上，都有人工砌成的不同圖案。

郭華堂抬頭看看天色，由右面第二條小徑上行去。這是一片群山環抱的淺谷平地，天然的景色，再加上巨大的人工，把整個山谷變成了一座花園。數十條流水，蛛網般盤於花畦草叢之中，花種也似是經過了一番設計培植，紅、白、黃、紫混合，組成一幅美麗的圖案，遠觀近看，無不悅目動人。

俞秀凡忍不住讚道：「流水成圖，繁花如畫，好一片秀致景物，真是世外桃源。」

郭華堂聽他一番稱讚，陰森的臉色突然泛起一片笑意，道：「可惜的是，只能遠看，不能近賞。」

突然間，小徑彎轉，景物一變，只見一座紅漆亭台，擋住了去路。

俞秀凡指著那紅漆亭台，道：「那地方是做什麼用的？」

郭華堂道：「本宮中人遊息之處。」

俞秀凡道：「我們能不能去？」

郭華堂淡淡一笑，道：「那要看我們讓不讓你去了。」

俞秀凡道：「郭兄，我們能不能見見貴宮的宮主？」

郭華堂道：「很難說，這要看四位的運氣了。」又舉步向前行去。

轉過一個彎子，眼前是一座藍色的木台，橫掛在木台上三個大字，寫著「解劍台」三個大字。

郭華堂道：「四位，通過這解劍台時，諸位要留下所有的兵刃暗器。」

桃花童子微微一笑，道：「郭兄，如是咱們不把暗器留下，貴宮是否還有人搜查？」

郭華堂道：「沒有人搜查諸位，不過，咱們璇璣宮決不會容人欺騙。」

桃花童子笑道：「在下想試試，你們搜身之外，還有什麼別的辦法，能夠把藏在身上的兵刃找出來？」

郭華堂道：「璇璣宮，從沒有人能帶入寸鐵暗器，閣下如不信，立時可以證明。」

桃花童子笑了一笑，未再答話，探手取出一把鋒利的匕首，放在木台的鐵架上。

原來這解劍台，並無看守之人，台內鐵架上，有著不少積塵，顯然是近日很少有人來過。

俞秀凡明知桃花童子身上有兩把匕首，見他只取一把出來，還有一把留在身上，當時也未點破。

王翔、王尙，卻是很守規矩，把身上的兵刃、暗器，全都取了出來。

郭華堂似是很放心，瞧也不瞧四人一眼，站在對面等候。

待四人行出解劍台，俞秀凡忽然發覺那郭華堂又換上另一條小徑，不禁心中一動，暗道：如是這條並行小徑，按時辰、按段落交替而行，這就很難計算了，單是這一項設計之精，已是高人一著了。

又行數十丈，到了一石室之前，六條小徑，在門外合於一處。

這是很奇怪的房子，實際點說，只能算一座走廊。六、七尺寬，二丈多長，中間是空洞無物。

郭華堂目注桃花童子微微一笑，舉步向前行去。

桃花童子心中一動，暗中運氣戒備，但行約五尺，突然肋間有物一跳，一把匕首飛了出來。

長長吁一口氣，桃花童子說道：「好強的吸鐵磁力。」

原來，這一段行人走廊的空室，裝著強大吸力的磁石，只要身上帶有鐵器，在通過這一片走廊時，都會被強力的磁石吸出來。

桃花童子望望被那磁石吸貼在壁間的匕首，笑了一笑，道：「郭兄，如是在下飛越過兩丈多些的距離，不行過這一段磁石走廊呢？」

郭華堂冷冷說道：「閣下別忘了這是什麼地方，走錯了一步路，就可能被機關所傷，難道還能容人隨便的飛躍麼？」

桃花童子微微一笑，未再答話。

郭華堂冷笑一聲，道：「朋友，看來你心中有些不信，在下倒希望你能夠試試。」語聲微微一頓，接道：「如是飛躍提縱的工夫，能在璇璣宮生出什麼作用，這璇璣宮也沒有今日這一份安靜，江湖上不少人輕功造詣特佳，但他們均無法在璇璣宮行動。」

桃花童子微微頷首，道：「多謝郭兄的指教。」

郭華堂道：「其實，這算不得什麼隱密，只要一個人稍微用點心去想想，就不難了然。」

桃花童子未再答活，一行人穿過了磁石走廊。

俞秀凡低頭一看，只見郭華堂已改在最左側一條小道上面。暗暗嘆一口氣，忖道：咱們未瞧清楚行進如何交換這條小徑，出來時亦必要由他們派人相送才行。

郭華堂未再和四人交談，加快了腳步趕路。

這是一段不太近的行途，心中暗作算計，從進入宮門開始，足足走有六、七里路之遠。

桃花童子輕輕咳了一聲，道：「郭兄，咱們還得走多少路才到貴宮？」

郭華堂道：「璇璣宮總長就在此谷的長度，不下三十里吧！」

桃花童子道：「總不致要咱們跑完這三十里吧！」

郭華堂冷笑一聲，道：「這就到了。」

突見一排濃密的花樹攔路，那條小徑，也到花樹林前而止。

停下了腳步，郭華堂回頭說道：「可以奉告四位，這片花樹林是按照五行生剋布成，不過其間又多了一些機關布置，接待諸位的賓館，就在這花樹林中。」話已說得很明顯，就是要把四人困在這花樹林內的賓館。

俞秀凡微微一笑，道：「郭兄，咱們既然來了，就是刀山油鍋，也要經歷一番，郭兄請帶路入林吧！」

郭華堂點點頭，道：「年輕人的可愛，就是氣概豪壯一些。」

俞秀凡笑了一笑，道：「郭兄誇獎了。」

郭華堂雙目盯注在俞秀凡的臉上，瞧了一陣，道：「閣下可否見告師門？」

俞秀凡道，「如若在下說沒有師承，郭兄怕不會相信，在下的師承很複雜，很難說得清楚。」

郭華堂不再多言，微微一笑，舉步向前行去。

俞秀凡等魚貫追隨在郭華堂的身後，行入了花樹林中。

一座紅磚砌成的小樓，就矗立在花樹林中。

郭華堂帶幾人行到門口，叩動門上銅環。木門呀然而開，一個穿著青衣的小童，當門而立。

郭華堂輕輕咳了一聲，道：「這四位都是咱們璇璣宮的貴賓，你好好的照顧他們。」

青衣童子微微一欠身，道：「總管放心。」

郭華堂一抱拳，道：「這座小樓，是咱們接待本宮第一等貴賓的地方，四位要什麼，只管吩咐一聲就是。」

俞秀凡道：「花林雅樓，精緻無比，又有人照顧吃喝，是一處很好玩的地方。」

郭華堂道：「四位如果想出來走走，最好先打個招呼，這地方，雖然是鳥語花香，但卻處處充滿著凶險。」

俞秀凡道：「貴宮戒律森嚴，咱們自當入境隨俗，有求於郭兄者，只有一事。」

郭華堂道：「什麼事？」

俞秀凡道：「但望閣下能夠早日稟告宮主，撥暇接見咱們一次。」

郭華堂道：「四位的事，在下一定轉達。但敝宮主什麼時候能夠接見四位，在下就很難說了。」

俞秀凡道：「咱們會很耐心的等候。」

郭華堂道：「四位遠來只怕很累了，恕在下不奉陪了，四位也可休息一下。」

俞秀凡道：「郭兄請便。」

郭華堂微微一笑，轉身而去。

青衣童一欠身，道：「四位，請入內室坐吧！」

青衣童子把四人讓入廳中，獻上香茗，欠身向俞秀凡一禮，道：「小的叫福兒，是這座迎賓小築的領班，諸位要什麼，但請吩咐一聲就是。」

俞秀凡道：「福兒！在下心中有些好奇，希望請教幾件事，不知是否可以？」

青衣童子道：「公子盡請詢問，不過，我不一定都能回答。」

俞秀凡笑了一笑，道：「咱們會不會很快地見到貴宮主？」

青衣童子道：「郭總管已經奉告過了，那要看諸位的運氣了。」

俞秀凡道：「如是貴宮主不肯接見咱們，那將是一個如何的局面？」

青衣童子沉吟了一陣，道：「多則半月，少則七日，會派人送幾位離開此地。」

俞秀凡道：「就這樣簡單麼？」

青衣童子道：「不錯，璇璣宮從來沒加害過迎入宮中的客人，這一點，四位可以放心。」

桃花童子道：「我們不想在貴宮住得太久，希望能早些見見貴宮主。」

福兒道：「我可以幫你提醒郭總管，但宮主會不會見你們，什麼時間見你們，我就無法決定了。」

桃花童子道：「我們只想等七天，七天內見不到宮主……」

福兒淡淡一笑，道：「我想勸你幾句話，你知道璇璣宮從來未受什麼人的威脅。而且，你們現在正身處窘境，除了這座房間之外，想在外面走動一番，也得我們同意才成。想想看，那是什麼樣的處境，人貴自知，滿招損，謙受益，這一點，諸位要仔細的想想才好。」

桃花童子道：「說得是啊！兄弟，不過善者不來，來者不善，不是猛龍不過江，咱們既然敢來，自然早都想過這些事。」

福兒微微一笑，道：「諸位豪氣干雲，很叫我佩服。」語聲一頓，道：「諸位想吃點什麼，還是想休息一下？」

俞秀凡道：「咱們腹中還不饑餓。」

福兒一欠身，道：「小的告退了，諸位有什麼需要，招呼一聲就是。」轉身行了出去。

桃花童子送福兒到房門口處，才回頭掩上房門，道：「公子，這形勢是迎賓，實則有如被人囚禁一般。」

俞秀凡道：「你經驗、閱歷，強過我們甚多，覺著應該如何？」

桃花童子道：「小的之意，咱們已經輸了形勢，不能再輸了氣勢。」
王尙道：「要是他們就這樣地把咱們丟在這裏不再理會，那將如何？」
桃花童子道：「所以要想法讓他們感覺到咱們留在此地，對他們有害無益。」
王尙道：「小桃童，你乾脆說明一個辦法，咱們就照著辦法行事。」
桃花童子道：「辦法倒是沒有，不過，小的倒是軋出來一點別的苗頭。」
俞秀凡道：「你瞧出了什麼事？」
桃花童子道：「我看璇璣宮發生了事故。」
俞秀凡道：「什麼事故？」
桃花童子道：「照情形看，似乎和外來的情形無關，他們門戶本身之內發生了事故。」
俞秀凡道：「不錯，璇璣宮在江湖上已有數十年的聲譽，他們對來訪之人，有一套應對的辦法，但現在看起來，他們對咱們似乎有一點手忙腳亂。」
桃花童子苦笑一下，道：「要是咱們猜對了，問題就有些麻煩了。」
俞秀凡道：「有什麼麻煩？」
桃花童子道：「他們宮內有事，無暇處理外務，很可能就把咱們困在這裏了。」
俞秀凡道：「小桃童，這裏面的機關，當真是能致人於死麼？」
桃花童子道：「公子，不能試。璇璣宮的機關太厲害了，小的曾聽過一個傳說，那就是，有四位少林高僧，自恃管理羅漢堂的機關，對此道有些了解，強入璇璣宮，結果四人不過破了一道機關，全都身受重傷。」
俞秀凡笑了一笑，道：「小桃童，他們除了機關，把咱們困住之外，還有什麼別的辦法對付咱們麼？」

桃花童子道：「沒有。如若他們想以武功制服咱們，不用你公子出手，憑我們三個人，就可以對付了。」

俞秀凡神情肅然地緩緩說道：「希望他們不要存下了把咱們困在此地的用心。」

桃花童子道：「公子好像已經想出了對付之法。」

俞秀凡道：「咱們如是在外面，自然是無法對付，但咱們現在璇璣宮的腹地，如若放起一把火，也夠他們麻煩了。」

王尙道：「如若咱們不能出去，就算能放一把火，燒他們一陣手忙腳亂，但他們仍然把咱們困於此地。」

俞秀凡道：「別想得太壞，也許人家並無此用心，咱們好好休息一陣，養足精神，明日再作計較。」

桃花童子道：「最重要的一件事，明天起，咱們得想法存一點吃喝的東西，一旦鬧翻了，咱們多一些食物，就可以多活上幾日。他們不敢來迎賓小築拿人，最狠的一招，就是不給咱們送東西吃。」

迎賓小築，布置得很精雅，有八間客室，四人各居一室，這迎賓小築，除了福兒之外，另外有兩個童子，還有一位十五、六歲的女婢，想是爲接待女賓之需。

福兒是這迎賓小築的領班，任何事物，都由福兒和四人接談。除了福兒之外，另外兩個童子和女婢，一直是閉口不言，不論四個人問什麼，三人都推到福兒的身上，福兒呢，倒是口若懸河。問他一句話，他最少回答你十句話，但卻全是一點也沒有作用的閒話。

俞秀凡等很細心，每一次進食時，都仔細地檢查過食用之物。

也很有耐心，一直等到了第三天，俞秀凡才把福兒找到面前，神情嚴肅地說道：「福兒，這幾天來，你說了很多話，但一直沒有答覆過我們的問題，希望你今天能有一個很真實的答覆。」

俞秀凡舉止瀟灑，氣質飄逸，但一旦板起面孔，卻別有一種威重的氣度。

本來是帶著三分頑氣笑臉的福兒，突然有著一種笑不出來的感覺。

呆了一呆，福兒欠身一禮，道：「公子明鑒。我不過是一個伺候貴賓的下人，能夠知道好多事？又能夠決定些什麼？」

俞秀凡道：「不錯，你是沒有能力做什麼事，但我們只要你把我說的話，轉告上去，據實的轉告。」

福兒道：「公子，要我轉告什麼？」

俞秀凡道：「告訴貴宮主，我們不願和貴宮結仇，但也不願做貴宮的囚犯。」

福兒接道：「公子，你們都是本宮的貴賓，怎麼會是囚犯呢？」

十一　璇璣宮主

俞秀凡道：「行動拘限於這一座迎賓小築之中，除了供應吃喝之外，我們不能離開這裏，這和囚禁有什麼不同？」

福兒道：「公子的意思呢？」

俞秀凡道：「我們一直遵守貴宮戒律，交出了兵刃、暗器，而且我們也確無和貴宮作對之意，貴宮硬要把我們當做囚犯看待，那是我們的不幸，也是貴宮的麻煩。」

福兒沉吟了一陣，道：「公子，可否再說得明白一些？」

俞秀凡道：「福兒，有一句俗語說，相打無好手，一旦鬧成了不歡之局，那就很難說我們能做出些什麼事了。」

福兒點點頭，道：「小的明白了。」

俞秀凡道：「福兒，你幾時能給我回信。」

福兒道：「這個，小的就不敢自作主見了，但我一定把公子的話，稟告郭總管。」

俞秀凡臉上泛起一抹笑容，道：「好！你只要告訴我，幾時能把話傳到？」

福兒道：「郭總管近日很忙，小的今天能否見到他，還難預料，明天，小的定把話傳到。」

俞秀凡道：「我們再等三天，如是貴宮在三日之內，還沒有消息，咱們就不再等待了。」

福兒一欠身退了出去。

三天時光，匆匆而過。

第三天，太陽下山時分，迎賓小築，已燃起了燈火，俞秀凡輕輕咳了一聲，道：「福兒，咱們的事情，你辦了沒有？」

福兒笑了一笑，道：「公子交代的事，小的怎敢不辦。」

俞秀凡道：「你沒有回覆給我。」

望望室外的天色，福兒笑道：「算足三十六個時辰，應該到子夜爲止，現在還早，公子沒有問，小的也沒有講。」

俞秀凡道：「郭總管可是子夜才有空麼？」

福兒道：「公子是要見宮主呢，還是要見郭總管？」

俞秀凡道：「自然是要見貴宮的宮主。」

福兒道：「這就是了，郭總管有事他去，恐還得幾天才能回來。」

桃花童子嘆口氣，道：「福兒兄弟，你好緊的口風啊！」

福兒微微一笑，道：「做下人嘛！什麼事既無法作主，那就最好少說。」

桃花童子道：「咱們到貴宮之後，你兄弟說話不能算少吧？」

福兒接道：「那都是沒有用的話，多說些也不要緊。」

桃花童子心中一動，卻未再多言。

俞秀凡道：「福兒，在下幾時可以見到貴宮的宮主？」
福兒道：「今夜子時之前。」
俞秀凡道：「在什麼地方？」
福兒道：「本宮會英殿。不過，在和敝宮主見面前，公子要先過五道關卡。」
俞秀凡道：「貴宮布下的機關埋伏？」
福兒微微一笑，道：「不是，咱們璇璣宮雖然以機關消息之學，聞名天下，但從未以此術欺人。諸位既然不通此機巧，那五道關卡都和消息、埋伏無關，完全是憑仗武功、機變應付。」
俞秀凡道：「貴宮能如此的公平對待武林同道，確然不負貴宮在江湖上的盛名。」
福兒笑了一笑，道：「公子，名無倖至。本宮能為江湖上朋友們看得起，自然也有著嚴格、公正的戒規約束。」
俞秀凡一揮手，道：「請上覆貴宮主，在下等準時應約。」
桃花童子突然插口說道：「福兒兄弟，在下希望知道一件事。」
福兒道：「什麼事？」
桃花童子道：「在下有一點想不明白，為什麼貴宮主一定要在晚上才接見客人？」
福兒沉吟了一陣，道：「大概是敝宮主太忙了，所以，無暇在白天接見客人。」
俞秀凡道：「入境隨俗，既然貴宮主決定在晚上接見咱們，咱們也只好應命了。」
福兒一欠身，道：「屆時，在下再來奉請，小的先行告退。」
目視福兒離去之後，桃花童子皺皺眉頭，道：「公子，害人之心不可有，防人之心不可無。咱們也該準備一下。」

俞秀凡道：「你看咱們應該如何準備？」

桃花童子苦笑一下，道：「此情此景，唯一的辦法，就是保持著適當的距離、戒心，萬一對方有什麼陰謀、鬼計，也好盡量的減少咱們的傷亡，且留點反擊中力。」

俞秀凡道：「也似乎只有這個辦法了。」

二更時分，福兒果然如約而來，而且，手裏還拿著一盞紗燈。俞秀凡早已在廳中等候，福兒一叩門，立刻魚貫而出。

福兒一舉紗燈，道：「夜暗燈明，小的給諸位帶路，不過本宮的機關布置，不但極為靈敏，而且還有很多由人操縱，再高明的輕功，也不能避免傷害。」

桃花童子接道：「福兒兄弟，這是警告呢，還是威脅？」

福兒道：「是勸告。」

俞秀凡道，「咱們對貴宮機關布置的厲害，早有警惕，否則，也不會在這迎賓小築，一住數日了。」

福兒道：「公子說得是。小的不過是再提醒諸位一聲罷了。」

在燈光照明之下，俞秀凡等一行人，很小心地隨在福兒的身後，昏暗的夜色，重重花影，使人的目力無法看清一丈之外的景物。

俞秀凡忽然想通，璇璣宮主，為什麼要在深夜之中接見他們。這樣子的夜色，籠罩花叢樹影，不論什麼人，也無法記下這一路的景象。

璇璣宮在江湖超然屹立數十年，未受武林紛爭困擾，不但全是因爲有著精巧的機關埋伏，主事人謹慎精密，也是璇璣宮超然於江湖紛爭的原因之一。

小徑曲折、交錯於花樹叢中，轉了有頓飯工夫之久，才繞出花叢樹景。抬頭看去，景物一變，只見一座高大的樓舍，正立在眼前。

四支巨大的松油火燭，在夜風中，放射出強烈光亮，照出樓舍前「會英殿」三個金字匾額，也照亮了樓舍前一片十丈見方的青石地板。十二級白玉石階，通到會英殿的大門前面。

福兒停下了腳步，道：「公子由現在起，諸位可隨便走動了，會英殿前的青石地下，沒有機關。不過，諸位登上石階，進入會英殿，有五道攔阻，通過了，本宮宮主自會接見。如是通不過，也不要緊，只要四位不太逞強，及時認輸，小的會來送幾位回迎賓小築。明天，送各位離開璇璣宮。」

俞秀凡微微一笑，道：「很寬厚的待人之道。」

福兒一欠身，道：「小的告退了。」

就這談兩句話的工夫，會英殿前十二級白石階前，突然出來了四位全身黑衣的人。十二石階上，會英殿大門前面，也站著四個穿著黑衣的人。

俞秀凡低聲道：「看到的有兩個關卡。」

桃花童子道：「希望璇璣宮的人，和他外表一樣公平，我們四個人，這兩個關卡上，也是四人，他們似乎是安排了幾場很公平的比鬥。」

俞秀凡微微一笑，道：「希望咱們不要四個同時出手。」

桃花童子道：「公子，我打頭陣。」

俞秀凡略一沉吟，道：「不許傷人！」

桃花童子臉上閃掠過一抹奇異的神色，但只一瞬間，又恢復了正常。

桃花童子一長身子，衝向四人，道：「這是第一關麼？」

四個黑衣人也不答話，突然一齊出手，四掌並出，分四個方位，合擊向桃花童子。這是十分凌厲、嚴密的一擊。封鎖受擊人四面的退路。

桃花童子，雙掌拍出，分擊兩人，人卻滑得像泥鰍一樣，身子一閃，由另兩人掌勢的封鎖中滑了過去。

王尚霍然警覺，低聲說道：「公子，那日在辰州和人動手，他被人一招逼了回來，好像是故意裝作的一般。」

俞秀凡笑道：「他一直深藏不露。這一次，大概要露一點真本領了。」

就這說上兩句話的工夫，那桃花童子掌拒人閃，已然衝過了四個人，登上了第三層石級。

四個黑衣人已然環圍著兜了上去。

桃花童子急急揮手，道：「慢著，慢著！在下有幾句話說。」

四個人停了下來，但卻沒有一個人開口說話。

桃花童子輕輕咳了一聲，道：「四位，咱們公子有令，不許在下傷人。在下覺著，衝過四位的防守，就算我們過了一關。」

四位中一個年齡較長的，終於接口說道：「必須勝過我們才行。」

桃花童子道：「怎麼才算勝了呢？」

黑衣人道：「制服了我們，或者使我們沒有追擊之能。」

桃花童子道：「朋友，動手相搏，哪裏能拿捏到那麼巧妙的境界，萬一在下失手傷了諸位，那將如何呢？」他明的是對四個黑衣人說，其實，無疑是在問俞秀凡。

黑衣人冷冷說道：「你只管施下毒手，咱們死傷無怨。」

桃花童子目光轉注俞秀凡的身上，說道：「俞公子，咱們該當如何？」

俞秀凡道：「不許傷及性命！」

桃花童子雙手一攤，道：「諸位，請出手吧！」

四個黑衣人被他一舉衝了過去，心中大有警惕，再次出手，攻勢更加凌厲。

桃花童子似是誠心要露上一手，不再遊鬥，雙手揮動，連連硬接四人的掌勢。

他年紀輕，個子小，但卻和四位比他高出一個頭的人，硬拚掌勢，看上去，氣勢萬丈，豪情凌雲，但聞掌聲砰然，不絕於耳，片刻間，桃花童子已和四人各對八掌，硬拚四八三十二掌了。

但聞桃花童子大喝一聲：「得罪了。」掌法忽然不變，掌影中套著點點指影。

忽然間，一個黑衣大漢中指倒地。四人的合擊之勢，也更見破綻百出，片刻後，三人連續中指而倒。

桃花童子拍拍雙手，道：「四位朋友，對不起啦，題目是你們出的，在下麼，也只好照作文章了。」

俞秀凡道：「小桃童，你傷人命沒有？」

桃花童子微微一笑，道：「沒有，我只是點了他們的穴道。」

俞秀凡舉步踏上石級，氣度悠閒地說道：「那很好，他們知道咱們身無寸鐵，但他們也未帶兵刃，至少，他們的用心很光明正大。」

桃花童子古怪一笑，道：「是的，公子。但小的看法，這只是一個開始，還有四道關口，愈往後，關口愈難闖過。」

俞秀凡輕輕嘆口氣，道：「這是當然，但咱們沒有遭逢到性命的威脅時，最好能恪守不傷人命的信念。」

桃花童子未再答話，但也未再搶先帶路。

四人很快地登上了第十層石級。四個守在門外的黑衣大漢，一排橫列地擋住了俞秀凡的去路。

淡淡一笑，俞秀凡緩緩說道：「四位，在下俞秀凡等，借光讓讓去路。」

四個黑衣人，同時彈琴般，跳出來三個字，道：「闖過去！」

王翔、王尚低聲道：「公子，讓我們出手。」

俞秀凡搖搖頭，道：「我來。」

突然提高了聲音，道：「恭敬不如從命。」

雙手並出，抓住了中間兩個黑衣人的腕穴。輕輕一帶，兩個黑衣人身不由己地向前衝出了一尺，正好擋住了另兩個黑衣人的攻勢。腕脈要穴受制，兩個黑衣人，完全失去了抗拒的能力。

俞秀凡內力微加，向前一帶，自己卻由兩人之間，呼的一聲衝了過去。

分守在兩側的黑衣人，第一次攻勢，受同伴身軀阻攔，硬把掌勢收回。眼看俞秀凡人已衝向殿門，心中大急，呼的旋過身軀，左右合擊，雙掌並至。

俞秀凡微微一笑，抬腕舒掌，放開握在手中的兩人脈穴，輕輕易易地扣住了兩人攻來的右掌腕脈。是那麼奇妙、恰當，就像是兩個黑衣人覷準了俞秀凡的五指方位，硬把右腕準確地送入俞秀凡的手中一般。內力微送，五指忽放，兩個人身不自主地退下了三層石階。

俞秀凡一拱手，道：「朋友，如若不用拚命，我們已過了這一關。」

四個黑衣人臉上是一片迷惘，望著俞秀凡，張口結舌，說不出一句話來。

俞秀凡抖抖藍衫，瀟灑地轉過身子，舉步向殿中行去，一面高聲說道：「不才俞秀凡，拜見璇璣宮主。」

原來一片黑暗的大殿，突然間亮起了一支兒臂粗細的巨燭。

這會英殿十分寬敞，一支火炬，在整個大殿的面積，只照亮一個角落。

是一個全身黑衣的大漢，高舉著火燭，燭光下，站著一個身著灰色長衫的老者。

稀疏的頭髮，留著花白的山羊鬍，淡眉小眼，矮個兒，但卻生著兩隻特長得手臂，直垂到膝下四、五寸，差一點，就垂到腳背上面。

桃花童子突然止步，低聲說道：「公子，識得這個人麼？」

俞秀凡搖搖頭，道：「不認識。」

桃花童子道：「神猿丁橫，黑道上一代巨擘。十年前，突然失蹤，想不到竟然投效到璇璣宮來。」

俞秀凡心中暗道：十年前你還是個六、七歲的兒童，怎的知曉失蹤十年的人物。

心中雖然又增一些疑慮，但表面上卻是頷首微笑，道：「那是前輩高人了。」

桃花童子道：「丁前輩三十六招『追魂掌』，不知毀了多少成名江湖的高人，公子要小心一些。」

眨動了兩下小眼睛，乾笑兩聲，丁橫緩緩說道：「兩位這點年紀竟知老夫之名，實是難爲你們了。」

俞秀凡一抱拳，道：「區區俞秀凡，請丁老前輩賜教！」

丁橫輕輕一捋花白的山羊鬍，淡淡一笑，道：「你要和老夫動手麼？」

俞秀凡道：「咱們求見貴宮主，貴宮擺下了五道關卡，不和老前輩動手一搏，只怕是無法通過了。」

丁橫道：「說得是啊！年輕人，通不過關卡，那也不過是見不到敝宮主而已；如是放手一搏，那就可能有很多的不幸了。」

俞秀凡道：「什麼不幸？」

丁橫道：「動手的事，控制不易，老夫怕失了手，那可能使一個人死亡，或是終身殘廢。」

俞秀凡輕輕嘆息一聲，道：

「老前輩金玉良言，晚輩本當遵從，只是，我們已千辛萬苦的進了璇璣官，如若不能一見璇璣宮主，豈不是有負此行了麼！」

丁橫微微一笑，道：「年輕人血氣方剛，看來，老夫是白說了！」

俞秀凡道：「不論成敗，晚輩們總得一試，還望老前輩手下留情。」

丁橫嘖嘖兩聲，道：「唉，好言勸不醒夢中人，既然你堅持動手，那就四個人一齊上吧！」

俞秀凡道，「不用了，老前輩！晚輩一個人先試試，不成，再請他們動手。」

丁橫冷哼一聲，道：「不知好歹，你出手吧！」

俞秀凡道：「長幼有序，敬老尊賢，還是老前輩先出手。」

丁橫右手一抬，奇長的手臂，閃電一擊，到了俞秀凡的身前，五指箕張，罩著俞秀凡前胸五處大穴。任何人都可看得出來，在丁橫的指力籠罩中，簡直是無法避開。

俞秀凡也不禁心頭一震，簡直不知該如何應付對方的攻勢。

但他本能地照著自己習練的掌法，拍出一掌。

但聞丁橫冷哼一聲，向後退開了五步。

俞秀凡心頭茫然，不知這一掌怎會把丁橫迫退了五步。

丁橫怒道：「想不到你娃兒深藏不露啊！」

俞秀凡道：「承讓，承讓。」

丁橫冷冷接道：「娃兒，老夫沒有落敗，你小心了。」突然欺身而上，雙手並揚，十指箕張，抓了過來。指鋒未到，十道凌厲的指風，已然罩上了穴道。

俞秀凡一掌見功，膽氣大壯，忽然閃身一避，拍出一掌。那巧妙的一避，閃電的一掌，配合的是那麼巧妙，從一個九十度直線的翻轉中，掠著丁橫手臂滑進了丁橫身前，一掌落實，拍中丁橫的左肩。

丁橫一個身子，橫裏飛出去八尺左右，才拿樁站穩。

眨動著小眼睛，丁橫似是有些不相信剛才發生的事，愣了良久，才緩緩說道：「你用的什麼掌法？」

俞秀凡確是無法說出那掌法的名字，因為，他也不知道那是什麼掌法，只好隨口說道：「萬花掌。」

丁橫口中喃喃自語，連說了兩聲「萬花掌」後，接道：「老夫沒有聽到過這樣的掌法。」

俞秀凡一抱拳，道：「老前輩，多多承讓了！」

丁橫道：「娃兒，有機會，老夫還要領教你精妙絕倫的萬花掌法。」

俞秀凡道：「如有機會，晚輩奉陪。不過，不是現在。」

丁橫道：「老夫不會強人所難，你已過了第三關。」一揮手，那高燃火燭，突然熄去。

兩丈外，火光一閃，又亮起了一支人燭。

俞秀凡心中明白，那火光是另一個關口，第四道關卡。略一沉忖，舉步對那火光行了過去。

王翔、王尙、桃花童子，魚貫相隨俞秀凡身後而行。

桃花童子一直在想著剛才俞秀凡那兩掌，他自然不相信那是「萬花掌」，如若江湖真有這樣一種掌法，能一招挫敗丁橫，這掌法早已經傳揚江湖之上了……

每一次，俞秀凡和人動手，桃花童子都貫注了全神，但他沒有看清楚俞秀凡的擒拿和掌勢的路子。

須知這乃艾九靈畢生的精力所鑄，也是天下武學精要的組合，沒有門戶，沒有派別，運掌出手，全因對方的攻勢而變，有如羚羊掛角，無跡可尋……

明亮的燈光下，站著一個鬚髮皆白的老者，這老人不但鬚髮如霜，而且一張面孔也白如霜雪，但卻穿了一件黑袍，黑白分明，燈光下更見耀眼。

俞秀凡行近那老人五尺左右處，停了下來。

桃花童子一上步，道：「璇璣宮的人才，當真是不少，大名鼎鼎的白龍商鏢，也在這裏。」

商鏢冷然一笑，道：「你年紀不大，但見識倒是廣博得很，老夫已經進入璇璣宮十五年了，你竟然還能認識老夫。」

桃花童子道：「白龍異相，天下盛傳，在下雖未見過，卻是早有聽聞。」

商鏢道：「想不到，江湖上還記著老夫這麼一號人物。」

俞秀凡淡淡一笑，抱拳說道：「晚輩俞秀凡。老前輩守的是第四關了？」

商鏢點點頭，道：「不錯，你闖吧！年輕人。」

俞秀凡道：「那麼，晚輩得罪了。」身子一側，攻了上去。

商鏢右手一揮，拍出一掌。這雖是一掌拍出，但卻有如數十個手掌一同拍出一般，幻起了一片掌影。

俞秀凡右手一探，五指抓去，在滿天掌影一抄，竟然扣住了商鏢的右手脈穴。

商鏢愣住了，比他目睹「橫敗在對方一掌之下時還要震驚。

他想不通，這落英繽紛一般的掌勢，怎會被人手指衝了進來，而且扣住了自己的脈穴。

俞秀凡迅快地放開商鏢的右腕，一欠身，道：「晚輩僥倖。」

那一掌名叫「萬花吐蕊」，是白龍商鏢生平的絕技，這一掌未能傷敵，再打下去，那是自我出醜了。

俞秀凡道：「老前輩成全。」
商鏢一揮手，火燭熄去。另一支火燭卻燃了起來。
俞秀凡抬頭看去，只見那火燭光亮之後，已到了殿牆後壁。
暗暗嘆一口氣，俞秀凡舉步向前行去。只見燭光下，站著一個身著羅衣的中年婦人。
桃花童子一皺眉頭，欲言又止。
俞秀凡不聞桃花童子叫出對方的名號，忍不住回顧了桃花童子一眼，道：「這位姑娘是——」
桃花童子道：「四大金釵之一的飛釵荊鳳。」
俞秀凡一抱拳，道：「荊姑娘，這可是第五關卡麼？」
荊鳳道：「不錯，你若能過了我這一關，就可以順利地見到敝宮宮主了。」
俞秀凡道：「咱們已幸過四關，這一關還希望你姑娘成全。」
荊鳳道：「好說，好說。我已見識你的武功了，我自知機會很小。」
俞秀凡道：「姑娘手下留情。」
荊鳳右手一探，一指點出。指風凌厲，一股暗勁直逼過來。
俞秀凡一閃身，不但避開了荊鳳的指風，人也欺到了荊鳳的身惻，五指疾快扣出，搭上了荊鳳的右腕。
荊鳳未再讓避，輕輕嘆息一聲，道：「你過了最後一關。」
俞秀凡一抱拳，道：「多謝姑娘。」
荊鳳微微一笑，道：「諸位請隨我來。」推開後壁處一扇木門，當先行了進去。

這是一座雅致的小廳，四盞流蘇宮燈照得一片通明。全室中一片白，白綾幔壁，白色的地氈，白木椅白坐墊，看不到一點雜色。

荊鳳欠欠身，道：「四位請坐。」

俞秀凡道：「貴宮主……」

荊鳳道：「立刻就到，四位請稍坐一會兒。」說完話，悄然退了出去。

兩個身著白衣的秀美女婢，奉上了四杯香茗。

桃花童子和王翔、王尚，互望了一眼，突然站起了身子，並排站在了俞秀凡的身後。

俞秀凡微微一皺眉頭，正想讓三人坐下，軟簾啓動，緩步進來一個白裙、白衫，白紗蒙面的嬌小女子。

她緩緩走在主位之上坐下，輕啓櫻唇，婉轉發出一縷清音，道：「四位身手高明，片刻間越過了五道關卡，小妹未能先行迎客，四位見諒。」

俞秀凡道：「不敢當，咱們驚動了宮主，心中甚是不安。」

白衣女道：「四位到敝宮有何見教？」

俞秀凡聽她聲音嬌嫩，年紀似是不大，忍不住道：「姑娘可是璇璣宮主？」

白衣女道：「俞少俠，可是覺得小妹不像麼？」

桃花童子突然接道：「姑娘，恕在下多口，江湖上盛傳璇璣宮主金成山……」

白衣女接道：「那是先父。可嘆諸位來晚了一步，先父已不幸於月前過世。」

俞秀凡站起身子，一抱拳，道：「恕在下出言無禮。」

白衣女接道：「不知者不罪。」

語聲微微一頓，道：「俞少俠率眾人到敝宮來，不知有何見教？」

俞秀凡道：「咱們久聞貴宮大名，特來見識一番。」

白衣女道：「俞少俠已經見識過了，先父尚未入土，小妹不能留客，還請四位原諒。」

桃花童子道：「這是逐客令麼？」

白衣女道：「如若諸位覺著我這是下逐客令，那也是沒有法子的事了。」

桃花童子淡淡一笑，道：「宮主，小的斗膽請教一事。」

白衣女道：「你是什麼身分？」

桃花童子怔了一怔，臉上泛起了一片羞紅，道：「小的只是一個從人的身分。」

白衣女道：「俞少俠，你的從人，是不是一向喜歡多口？」

俞秀凡回顧了桃花童子一眼，淡淡一笑，道：「宮主，他們雖然名義上是我的從人，其實，我們相處得一向是情同手足。」

白衣女接道：「俞少俠，但在咱們談話的時候，最好不要有別人插口。」

俞秀凡道：「姑娘，在下的事，一向都是由他代我商談。」

白衣女冷冷接道：「如是由他出面，你最好不要多口。」

俞秀凡略一沉吟，道：「好吧！由現在開始，一切事都由他和姑娘洽談。」

白衣女冷然一笑，道：「我該叫一位總管來接見你們的。」

桃花童子一抱拳，道：「宮主，敝上一向不大問其他事務，都由小的當言。不過，每次敝上都在旁側，如是小的說錯了，敝上會立刻糾正。」

白衣女道：「夠了。你有什麼話，快些說吧！不過，有很多事，我不一定要答覆吧！」

桃花童子微微一笑，道：「宮主，小的想說明一件事，咱們自進這璇璣宮後，一直都遵照著貴宮的規矩辦事。」

白衣女道：「是又怎麼？」

桃花童子道：「咱們得見宮主，衝過了五道關卡，如是敝上不幸在任何一道關卡失手，那就無法見到宮主了。」

白衣女怔了一怔，語聲突然緩和，道：「你想問什麼？」

桃花童子道：「貴宮有一本英雄榜，廣記天下各路英雄，不知咱們是否得瞻仰一番？」

白衣女道：「可以，不過……」

桃花童子道：「不過什麼？」

白衣女道：「那英雄榜存放在敝宮一處密室之中，諸位得自己去看。」

桃花童子道：「想來行述之中，定然有很多機關了？」

白衣女道：「機關倒有。不過，諸位在去時，絕不會發動。諸位只要考慮看過了英雄榜後，如何離開就是。」

俞秀凡口齒啟動，似是想問那白衣女，但立刻又忍了下來。

回頭對桃花童子道：「英雄榜上，都記述的什麼事情？」

桃花童子道：「近百年來黑白兩道特殊的人物，不是武功有特殊的成就，就是對武林有很大的貢獻。」

俞秀凡淡淡一笑，道：「照你這麼說來，咱們倒是應該去瞧瞧了。」

桃花童子道：「武林同道，都知道有一本英雄榜存在璇璣宮，但見過的人，卻是不多。」
白衣女道：「那是因爲見過英雄榜的人，很少能夠再回到他們來的地方。」
俞秀凡星目一瞪，道：「他們可是都死了？」
白衣女道：「我只和一個人交談。俞少俠的問話，恕不作答。」
俞秀凡道：「小桃童，問問看，那些人怎麼了？」
桃花童子一欠身，望著那白衣女問道：「那些看過英雄榜的人呢？」
白衣女道：「人貴自知，如是一個人超越的太多，會是什麼樣的結果，似乎是用不著多說……」
桃花童子道：「死亡！」
白衣女道：「本宮並非嗜殺的組合，所以他們還有活命的機會。」
桃花童子點點頭，道：「我明白了。」
王尚低聲道：「小桃童，怎麼回事，爲什麼不說出來？」
桃花童子道：「投入璇璣宮，因此，璇璣宮有著很多的高手，像丁橫、商鏢和飛釵荆鳳等。」
白衣女道：「他們沒有選擇，除非他願意永遠在世間消失。」
俞秀凡道：「問問看，咱們如何可以看到英雄榜，還要遵守些什麼規定？」
白衣女聽得明明白白，就是不肯回答，非得桃花童子又問了一遍，才緩緩說道：「沒有什麼規矩。因爲本宮有很多的規矩，你們外來人也不用遵守，如是要想看，立刻可以帶你們去看看。我已經說過了，去是全無阻礙，問題在回來。」

思。

桃花童子道：「公子，咱們要不要去？」

俞秀凡心中暗道：這桃花童子不知是個什麼出身，知道的事情太多了，倒要看看他的意思。

心中念轉，口卻說道：「你覺得是否應該去瞧瞧呢？」

桃花童子似是未料到，這樣重大的事，俞秀凡竟也要自己作主。不覺一怔，道：「屬下的意思是，用不著冒這個險。」

白衣女道：「很聰明的選擇。」

俞秀凡臉色微微一變，道：「小桃童，這璇璣宮，除了那英雄榜外，還有什麼好看的東西麼？」

桃花童子道：「璇璣宮處處埋伏，遍地機關，未得主人允許，寸步難行，就算有什麼好看的地方，也是不為人所知了。」

俞秀凡道：「你告訴宮主，咱們想看看英雄榜，但不知幾時方便？」

桃花童子略一沉吟，道：「公子，對陣搏殺，拳來足往，我相信憑公子這副身手，天下都可以去得。但璇璣宮是憑仗巧妙的機關困住咱們，那不是一個人的能力所能抗拒。」

俞秀凡微微一笑，道：「小桃童，你可是害怕了，」桃花童子道：「我這等小人物，生死何足惜，有什麼可怕的呢！但公子似乎是用不著這樣冒險。」

俞秀凡道：「咱們千里迢迢，趕來璇璣宮，如不見識一點什麼，就這樣離去，那豈不是一件十分遺憾的事麼？」

桃花童子微微一笑，道：「公子說得是。」

目光轉到那白衣女的身上，接道：「請問宮主，咱們幾時可以見識一下那英雄榜？」

白衣女道：「立刻可以動身。」

桃花童子不敢作主，低聲道：「公子的意思……」

俞秀凡接道：「再問問，那英雄榜，是否限定人數？」

桃花童子照問了一遍。

白衣女道：「不限人數。」

俞秀凡道：「小桃童，你跟我去。」

王翔、王尚接道：「咱們追隨公子，生死相從。」

俞秀凡道：「你們回迎賓小築去，如是三天內，還不見我們出來，那就離開璇璣宮。」

王翔道：「公子……」

俞秀凡搖搖頭，道：「我已經決定了，不用再說。」

無可奈何，王翔嘆了口氣，默默不語。

王尚幾次啓動口齒，但卻勉強忍了下去，未多接口。

桃花童子道：「宮主，到那存放英雄榜的密室，如何一個走法？」

白衣女道：「我要人帶你們去。」

提高了聲音，道：「內府總管，荊鳳何在？」

片刻之後，荊鳳推門而入，一欠身，道：「宮主找我？」

白衣女道：「不錯。這位俞少俠，要看英雄榜，你帶他去吧！」

荊鳳一欠身，回目一掠俞秀凡，道：「敝宮主已經告訴你內情了？」

俞秀凡點點頭，道：「我知道，但我決定了，就算是煉獄、魔窟，我也要去見識一下，不過……」

荊鳳接道：「少俠有遺言，還是有什麼吩咐？」

俞秀凡道：「把我這兩位姓王的兄弟，給送回迎賓小築。」

荊鳳望了王翔、王尚一眼，道：「兩位不去？」

俞秀凡接口道：「他們不去了，咱們四個人來，總要有兩個活著離開。」

突然撕下藍衫一角，交給了王翔，接道：「你們平安回到迎賓小築，就把這片藍衫交人帶回，如是途中有變，先毀去這片衣服。」

王翔一欠身，道：「公子……」

俞秀凡冷冷接道：「我在這裏等著，見到這片衣角之後，我再和桃花童子同去見識那英雄榜。」

王翔道：「我們在迎賓小築等你？」

桃花童子道：「公子，要他們離開璇璣宮，只要沒有機關、埋伏困住他們，憑仗他們兩人的刀法，足可破堅甲利兵，拒擋任何高手圍襲。」

俞秀凡道：「好吧！你們離開璇璣宮，記著，回頭時，別忘了帶走我的寶劍。那雖然是一柄凡鐵打成的兵刃，但對我卻重要無比。」

王翔道：「我們在宮外等候公子。」

俞秀凡道：「是的，等我三天，如若過了三天，我還未出去，你們就不用再等。」

王尚黯然道：「三天後不見公子，我們就殺進璇璣宮來了。」

桃花童子笑道：「不行，璇璣宮到處是機關埋伏，你們殺進來，那是羊入虎口。」
王翔道：「我們應該如何？」
桃花童子道：「老法子，在宮門外等著，見一個璇璣宮人，就殺一個，見兩個殺一雙。」
王尙道：「對！我們在璇璣宮外結廬而居，殺到他們放出公子和小桃童爲止。」
白衣女冷冷說道：「你們計劃得很好，但要先問問我是否答應？」
俞秀凡道：「你非答應不可！」
白衣女道：「爲什麼？」
俞秀凡道：「在他們未平安離開這璇璣宮前，要委屈你宮主暫時留在這裏，如他們有了什麼凶險，對你宮主而言，那也是一樁很大的不幸。」
白衣女道：「你放肆得很！」
俞秀凡道：「湘西五毒門的凶險，不輸璇璣宮，俞某人去了，仍然好好的回來。姑娘，我說的話，自信能夠辦到，希望你宮主不要以身相試，一旦激起了在下的火氣，說不定還要你宮主陪咱們去看英雄榜了。」
桃花童子道：「公子，那就完美多了。」
冷冷哼了一聲，俞秀凡道：「小桃童，夠了。我會作主，不用再多口。」
桃花童子臉一紅，垂首不言，白衣女嬌軀微微顫抖，顯然是大傷尊嚴之後，氣忿已到極點。
飛釵荆鳳很明白，俞秀凡並非是口出狂言，他確然能夠辦到。最不利的一點是，這座小廳沒有埋伏，完全沒有制服敵人的機會。

緩步行到了白衣女的身側，荊鳳低聲說道：「宮主，別人是客，咱們應該忍讓一些。何況，數年來求見宮主的人，從沒有一人如願衝過五道關卡，這位俞少俠是第一個過了五關的人。」

白衣女暗自吁一口氣，她明白荊鳳的勸告，隱隱間含有警告的意味，婉轉地說出了俞秀凡是一位身負絕技的人物。

忍下了胸中的怒火，使聲音盡量變得平和，緩緩說道：「俞少俠，可是擔心本宮傷害他們兩位麼？」

俞秀凡道：「防人之心不可無，璇璣宮充滿著凶險，咱們不能不早做預防。」

白衣女道：「好吧！荊總管，派人送他們離開璇璣宮，並記著帶那一片藍衫回來。」

荊鳳一欠身，道：「屬下遵命。」

回顧了王翔、王尙一眼，接道：「兩位請吧！」

荊鳳帶了王氏兄弟離去，俞秀凡背手而立，望著雅致的小廳外，黑暗空敞的殿室，未回望那白衣女一眼，似是她根本就不在這座小廳中。

但桃花童子卻是雙目神凝，一直全神貫注在那白衣女的身上。

燭光輝煌的雅廳一片靜，靜得聽不到一點聲息。

白衣女突然長長嘆一口氣，道：「俞少俠，可否聽小妹奉勸一言。」

俞秀凡道：「宮主請說。」

白衣女道：「璇璣宮立下之規矩，我不能改變。而且，先父過世不久，我雖被擁立為宮主，但威望還難服眾。」

俞秀凡道：「在下爲姑娘的不幸致哀，但我不太懂姑娘的意思。」

白衣女道：「先父停棺未葬，璇璣宮還有很多的事情待理，因此，我不願多樹敵人，也不願鬧出搏殺流血的事。」

俞秀凡道：「姑娘有此一念，那就是在下之幸了。」

白衣女道：「所以，我希望你也約束一些，最好別去看那英雄榜。」

俞秀凡道：「貴宮編輯英雄榜，記述了天下武林近百年的大事，卻又珍藏密室，不要武林同道閱讀，不知用心何在？」

白衣女道：

「可以供人閱讀，不過，不是現在。因爲，先父輯榜花費了無數心血，非有顯明的證據，絕不輕易下筆。敘述的人與事，大部分人還活在世上，如若一旦公諸天下，必將引起無窮紛爭，那就有失先父輯榜的用心了。」

俞秀凡道：「姑娘可見過那英雄榜麼？」

白衣女搖搖頭，道：「小妹沒有看過，不過敝宮中人，大都知曉榜中的人物、敘名，但他們不知詳情。武林很多人關心英雄榜，表面上，是只希望知道他們在榜上的排名，但敝宮輯榜的用心，卻非如此，我們珍藏英雄榜，並非怕排名外洩。」

俞秀凡和那白衣女談了不少的話，但他一直沒有轉過頭來，到此才緩緩轉過臉來，道：

「那又是爲了什麼？」

白衣女道：

「英雄榜並非是先父一人所輯，參與此榜工作的人，不下數十人之多，不過由先父總其成。為了求真，編輯此榜的人，不限於仁俠英雄，也有很多黑道人物。他們輯榜之初，立下誓言，不許洩漏出榜中記述。十年前，輯榜完成，收藏密室，先父特地設計了很多嚴密保護的機關，三年之後，才造成那座密室。老實說，就算你進了密室，也只能見到敘名的幾頁，真正的榜中精萃，你也無法看到的。」

俞秀凡道：「可是因為精萃未藏在那密室？」

白衣女道：「藏在那裏。」

俞秀凡道：「你們會發動機關、消息，把我傷於密室？」

白衣女道：「也不是。」

俞秀凡道：「這個，在下要請教姑娘了。」

白衣女道：

「想起來，卻是很費猜疑，不過，如是說穿了，事情也很簡單。先父建造那座密室時，顧慮到了很多的事，因此，他在那密室設計了很多的機關，那些機關，都是極度靈敏的自動機關，任何一點輕微的力量，都可能觸動機關。據先父說，璇璣宮那密室的機關，是整個璇璣宮最厲害的機關，只要發動之後，任何人都無法逃過性命。」

俞秀凡道：「姑娘不是危言聳聽吧？」

白衣女冷冷說道：「我沒有進去過那間密室，但我相信先父不會騙我。」

俞秀凡點點頭，道：「在下失言，姑娘請說下去。」

白衣女道：「所以，你們進入密室之後，發生些什麼事情，我們無法預料。」

俞秀凡微微一皺眉頭，道：「姑娘的意思是……」

白衣女道：「璇璣宮的實力很龐大，龐大的出乎武林任何人的預料之外。」

輕輕嘆息一聲，接道：「你未列入英雄榜，但你武功之高，使我們有些失措。因爲，這五道關卡，第一、第二兩道關卡不用說它，三年來，進入璇璣宮中人，有三十五人之多，但卻沒有人衝過第三關卡。而你卻能在極短的時間衝過五關，使我來不及到此等候。」

俞秀凡心中暗道：慚愧！我只會這幾招掌法和幾招擒拿手法，如是出手不靈，那就無法和人久戰下去。

一念及此，心中大感凜惕，想起了懷中的劍譜，此後實得多下一些工夫，精習一些拳掌劍法。

不聞俞秀凡回答之言，白衣女接著說道：「我們不願和武林任何門派結仇，也不願任何人侵入璇璣宮，更不願和你們結仇，但你如強行進入密室，那只有一個結果。」

俞秀凡道：「什麼樣的結果？」

白衣女道：「身中埋伏而死。」

語聲頓了一頓，接道：「我得到報告，闖過丁橫等據守的三關，全是你一人出手，你活著，也許璇璣宮沒有人能對付你，但如你不幸死了，你的屬下，未必就能勝過璇璣宮人。」

俞秀凡沉吟了一陣，道：「姑娘是勸在下不要進入璇璣宮的密室了？」

白衣女道：

「我是這樣的用心，但我說出口的話，也無法更改了。你如一定要去，我們仍照前議，由本宮中人帶你到密室門外，那密室共分內、外兩間，外間的機關我們可以控制，但內室的機關，全屬自行發動的設計，除非你的機關消息之學，超過先父，那是必死無疑的結果。連百分之一、二的機會也沒有，我已言盡於此，應該如何，由你決定了。」
俞秀凡沉吟了一陣，道：「小桃童，我們應該如何？」
桃花童子道：「如若這位姑娘說的都是實話，自然我們得再仔細的想想。」
白衣女端然而坐，不再說話。
俞秀凡道：「我們已經提出了進入密室的要求，如是就此罷手，豈不要讓人恥笑麼？」
桃花童子道：「那只有想法帶著這位姑娘一齊進去。」
搖搖頭，俞秀凡道：「這種事，咱們如何做得出來？」
桃花童子道：「那咱們就別去了。」
俞秀凡凝目思索了好一陣子，道：「姑娘，還有沒有別的辦法進入密室？」
白衣女道：「沒有。」
俞秀凡閉目而坐，也不再多問。
桃花童子道：「那咱們就進去看看吧，萬一不行，我陪公子葬身那密室就是。」
俞秀凡沒有接口，白衣女也未再多言，雅廳一片靜寂。
等了好一陣工夫，飛釵荆鳳快步行了進來。
她手捧著一片衣角，欠身對俞秀凡道：「貴屬已離開了璇璣宮，這片衣角，請公子過目。」
俞秀凡伸手取過，查對了一下，毫厘不差，微一頷首，道：「多謝姑娘。」
荆鳳微微一笑，退了下去。
俞秀凡緩緩站起身子，道：「宮主，哪一位帶我們去？」

白衣女道：「你決定去了？」

俞秀凡道：「是啊！生死有命，也許在下注定要死在貴宮之中。」

桃花童子忽然間有一點畏怯之狀，緩緩說道：「公子，宮主說的是實話。」

俞秀凡道：「我知道，她說的是實話。」

桃花童子道：「那咱們還要去麼？」

俞秀凡道：「怎麼，你不想去了？」

桃花童子道：「如是咱們連九死一生的機會也沒有，那就不算是冒險了。」

俞秀凡道：「是什麼？」

淒苦一笑，桃花童子道：「送死。公子，冒險和送死，是兩種完全不同的事。」

俞秀凡點點頭，道：「誠然是生存的機會大小，但咱們不能不去。」

回目望著白衣女，接道：「宮主請派個人！」

白衣女站了起來，道：「我替你們帶路。」

俞秀凡有些意外地道：「宮主自己去嗎？」

白衣女道：「是的。我為兩位帶路，俞少俠應該放心一些。」

俞秀凡站起身子，道：「那麼，有勞宮主了。」

白衣女果然站起了身子，舉步行出雅廳，緩緩向前行去。

俞秀凡突然一側身，道：「小桃童，你走在前面。」

桃花童子苦笑一下，未再多言，緊隨在白衣女身後而行。俞秀凡卻走在桃花童子的身後。

一個女婢，高舉著一盞紗燈，行了進來。

白衣女伸手取過紗燈，道：「你們退下去吧！我要親自送俞少俠進入密室。」
那女婢沉吟了一陣，欲言又止。
白衣女道：「離開了這座大殿之後，步步都可能觸動機關，兩位請看準我的落足之處。」
桃花童子道：「你們這機關，從來不關閉麼？」
白衣女道：「璇璣宮中，十之八、九的機關，都已關閉，但通往密室的機關，卻是永遠不關。」
桃花童子笑了一笑，道：「聽姑娘口氣，貴宮之中是步步凶險了？」
白衣女道：「數十年來，江湖上有無數的高手，希望進入璇璣宮，但又有幾個得償心願？」
桃花童子冷笑一下，未再接口。
白衣女帶兩人離開會英殿，行在白石小徑上。雖然，她手中高舉著燈火，但俞秀凡和桃花童子，都把精神集中在看那白衣女落足之處，無暇顧及四方形勢。
走了大約頓飯工夫之後，白衣女才突然停了下來。
俞秀凡道：「到了麼？」
白衣女點點頭，道：「是的。兩位先看看外面的形勢。」高高舉起了手中的紗燈。
那是一座青石砌成的高大房子，四周不見窗，兩扇黑門緊緊地關著。
白衣女輕輕在黑門上叩動了兩下，道：「這是兩扇鐵門，厚過一尺，重過萬斤，除了開動機關之外，任何人都無法推開。」

俞秀凡點點頭，道：「姑娘可是替我們開動機關？」

白衣女道：「我說過，這密室的外面一間，我可以控制，但進入內間，我也是束手無策。」一面說話，一面伸手在鐵門上點了幾下。

她動作快速，桃花童子就站在她的身後，竟然沒有看到她手指點在鐵門的位置。只聽一陣軋軋之聲，緩緩向兩側收縮進去。

白衣女微一側身，道：「兩位……」

突然間，一雙手掌，悄然無息地按在了白衣女的命門穴上，接道：「宮主，抱歉得很，跟著咱們一起進去！」

白衣女目光透過白色的面紗，發覺出手的人是桃花童子，臉上流現出很濃重的殺機，使人一眼之間，就可以瞧出他說得十分認真。

來不及有所反應，耳際間已響起了俞秀凡冷冷的聲音，道：「小桃童，放開手！」

桃花童子臉上泛現出一種很奇怪的表情，道：「公子，咱們連一線生機也沒有，帶著宮主同往，咱們也許會有一線生機。」

俞秀凡道：「我要你放開手。」

桃花童子呆了一呆，放開按住白衣女背後命門穴上的右掌，垂首說道：「公子，咱們……」

俞秀凡正容說道：「我知道，咱們的處境很凶險，隨時可能死傷於機關埋伏之下。」

桃花童子道：「公子，我……」

俞秀凡接道：「你如是心中害怕，不妨離開此地，現在還來得及。」

桃花童子黯然一笑，不再多言。
俞秀凡道：「宮主，如若在下一人進宮，是否可以？」
白衣女道：「可以。」
俞秀凡道：「好！這位小桃童，勞煩宮主把他送出宮去。」
白衣女點點頭，道：「可以辦到。」
桃花童子急道：「公子，我不能出去。」
俞秀凡道：「為什麼？」
桃花童子道：
「如若公子失陷密室，身中埋伏而死，在下千言萬語，也無法對兩位王兄弟解說清楚，勢必死於他們的刀下。若公子能無恙離開，在下也不會有什麼事情。」
俞秀凡沉吟了一陣，目注白衣女道：「在下進入密室，必死無疑，在下希望宮主，答應在下一樁請求。」
白衣女道：「你說吧！只要我能夠辦到，決不推辭。」
俞秀凡道：「善待在下這位朋友——如果在下不幸死於密室，想法子把他平安送出宮去，別讓他和我另外兩位朋友碰面。」
白衣女道：「俞少俠，恕我多口，這些人究竟是你的朋友，還是你的屬下？」
桃花童子道：「咱們公子，體念下人，待我們一向如兄如弟。」
白衣女啊了一聲，未再多問，俞秀凡也未再多解釋。
桃花童子突然嘆了一口氣，道：「公子，在下求你一件事。」

俞秀凡道：「小桃童，我知道你要說什麼。不過，你不用說了，我想過了這中間的道理，如是我們知道必死無疑，又何必一定要兩個人都死在那裏？」

桃花童子道：「不！我一定要去，就算是粉身碎骨，我也是非去不可。」

俞秀凡淡淡一笑，道：「小桃童，你用不著冒這個險，何況，我未必一定會死。」

白衣女突然接口說道：「兩位如肯聽我相勸，那就別進密室，我可以發動一下外面的機關布設，你們見識一下，再做決定如何？」

俞秀凡道：「姑娘，在下要看的是英雄榜，並非要了解貴宮之秘。」

白衣女嘆口氣，道：「瞧過了外面的機關布設之後，俞少俠再做決定如何？」

十二　紅粉情潮

俞秀凡道：「謝謝宮主的好意，但你還沒有答應我請求的事情。」

白衣女道：「我答應，善待小桃童。」

桃花童子黯然說道：「公子，宮主，兩位的為人，使我想到了一件事情。」

俞秀凡道：「什麼事？」

桃花童子道：「邪不勝正。不勝的地方，並非是全在武功上。」

俞秀凡笑了一笑，道：「小桃童，希望你是徹底的悟透個中的道理。」

桃花童子口齒啟動，欲言又止。

俞秀凡目光卻轉到那白衣女的身上，道：「宮主，如若不違犯貴宮的禁例，見識一下貴宮的機關布置也好。」

白衣女道：「室中黑暗，兩位小心些，我為俞少俠帶路。」舉步行入室中。

她並非直線而行，而是左三右四的曲折而進。

桃花童子和俞秀凡也照著那白衣女的步法轉動。

深入一丈多，三人足足走了七、八十步。

白衣女突然停了下來，道：「請靠近我一些。」

兩人依言行了過去，緊傍那白衣女身旁而立。陣陣的幽香，從那白衣女的身上散發出來。

但聞白衣女高聲道：「兩位不可亂動。」

喝聲中一揮右手，空中響起了一陣輕微的破空之聲。

顯然，那白衣女打出了一種暗器。

但聞兩聲金鐵交接鳴響，密室四周都起了一種奇怪的聲音。似乎是室中有很多件笨重的物體，都在緩緩移動，是一種新奇的感覺，似乎是整個屋子都在移動。

桃花童子低聲道：「宮主，這室中太黑了，我們什麼也瞧不到。」

語聲甫落，忽見四周火星閃動，緊接著亮起了四點火光，由小到大，片刻間照得滿室通明。

四周忽然間亮起了四支火炬，那是一種特製的鐵筒，中蓄桐油，燃起後，火焰甚是強烈。

這是一間很廣大的書室，四周都是鐵製的書架，擺滿了很多的書。但中間卻是全無陳設，只有靠東面壁間，放了一張書桌，後面放著一張高背的太師椅。

桃花童子道：「宮主，室中無人，那四支火炬，怎麼燃起來的？」

白衣女道：「這室中裝的有自動機關，只要擊中控制燈火的地方，鐵簾下落擊中火石，那燈上裝有燃燒的藥引，自動起火，點起燈芯。」

桃花童子道：「剛才姑娘出手，可是打出的暗器麼？」

白衣女道：「不錯，我打出四顆銀彈。」

桃花童子心中暗暗吃驚，忖道：夜暗之中目難見物，這丫頭打出四顆銀彈，竟然擊中四處機關，雖然是平常訓練有素，但這等只憑記憶擊中暗紐的手法，實在難得。

俞秀凡淡淡一笑，道：「果然是很精妙的設計，但不知姑娘還要我們見識些什麼？」

白衣女突然一揮手，一粒銀彈擊中身前不遠處的石地上。

忽然間銀芒閃動，四周的鐵架上，暴射出無數的銀針。除了三人停身處三尺方圓的地方之處，廳中每一處角落，都在那銀針的籠罩之下。

白衣女道：「這一輪銀針，共有七千二百支，針上淬有奇毒，中人之後，立刻全身麻木，難有反抗之能。」俞秀凡道：「精妙是夠精妙了，只是太過毒辣一些。」

白衣女道：「這是敝宮機關最惡毒的地方。」

俞秀凡道：「還有什麼佈置？」

白衣女道：「你只看到一種，這機關全無淬毒的暗器，共有一十二種之多，其他淬毒傷人的，還有三十六種之多。」

俞秀凡道：「果然步步死亡，處處追魂。」

白衣女道：「俞少俠，發動整個書室的機關，十分麻煩，剛才兩位已經瞧到了一種，舉一反三，兩位應該心中明白了。」

俞秀凡道：「英雄榜就在這書房麼？」

白衣女道：「不是。這地方只放著人名冊，真的英雄榜，還在這書房後的一座客室之中。」

桃花童子道：「公子，咱們瞧瞧名冊就算了，用不著……」

忽然發現了俞秀凡面有不悅之色，連忙住口不言。

俞秀凡輕輕咳了一聲，道：「姑娘，如是要到另一間密室，還得經過一些機關布置了。」

白衣女道：「應該是如此，不過，對你們可以優待，我幫你們關上這外書室的機關。」

俞秀凡回顧了一眼，道：「那號稱密室的地方，又在何處？」

原來這間廣大的書房，除了四周的書架，就是牆壁，俞秀凡窮盡了目力，瞧不出還有什麼通往別處的門戶。

白衣女道：「那是一道秘門，單是要找出門戶所在，就要費一番工夫。」

俞秀凡呆住了，不管白衣女的用心，是否有譏諷之意，但口氣已暗示不再幫他找出門戶。不要說那密室的機關如何的厲害，單是找出那座秘門，似乎就是很不容易的事。

三個人靜靜地站著，很久，很久，都未再說話。

對俞秀凡來講，這完全是一件陌生的事，確有著無所措施的感覺。

但不能永遠這樣沉默下去，俞秀凡只好試探著說道：「大約姑娘不會再幫我找出那座秘門了。」

白衣女點點頭，道：「是的，俞少俠，我不想幫你找出來。因爲，我已經看出來，你對機關消息方面的知識十分貧弱，這裏面不可能有太多的幸運。」

俞秀凡有些羞愧地笑了一笑，道：「謝謝宮主。不過，在下還想試試看。」

白衣女道：「哦！你準備如何一個試法？」

俞秀凡道：「給我一些時間，讓我自己試試看，能不能找出那座秘門？」

白衣女道：「俞少俠，能不能有一個限期？」

俞秀凡道：「宮主的意思是……」

白衣女道：「我是說，你準備花多少時間去找那座秘門？」

俞秀凡道：「宮主能給我多少時間？」

白衣女道：「最長十二個時辰。」

俞秀凡道：「好！咱們就以十二個時辰爲約期。」

白衣女道：「十二個時辰之後，我會派人來，公子如若無法找出秘門，希望你能打消進入密室的念頭。」

俞秀凡點點頭，道：「然後……」

白衣女道：「本宮不願和諸位結仇，因爲本宮設下求見宮主五道關卡之後，你是唯一通過的人，但隔行如隔山，武功劍術和機關消息築建方面的知識，完全不同。只要你俞少俠不再堅持進入密室，本宮會以上賓之禮，相待三天。除了那密室和另外兩處禁地之外，你可以暢遊全宮，三日後送你離去。」

想一想，這實是破格的優待，俞秀凡急急抱拳一禮，道：「宮主的優待，俞某人十分感激。」

白衣女微微一欠身子，道：「少俠乃方正之士，先父在世之日，最敬重少俠這等人，小妹先行告退了。」轉身舉步，裊裊行去。

她出了室門，順手提起了放在門外的紗燈，移放室中道：「完全關閉了室中的機關之後，書室四周火炬，因爲無法繼續供油，會慢慢熄去，也許這盞燈，對兩位有點用處。」

俞秀凡遙遙抱拳一禮，道：「宮主，在下剛剛想到了一件事，請教宮主。」

白衣女道：「哦！俞公子請說。」

俞秀凡道：「如是這室中的機關完全關閉，在下找到了那座秘門，也是一樣的無法開啓了。」

約略沉吟了一下，白衣女才緩緩說道：「那密門機關，和外面全不關連，也不受本宮總樞紐的控制，完完全全是另一套獨立的機關。先父只告訴小妹，他創造那密室中另一套機關埋伏，是他生平最精密、最得意的一次設計，先父是一位素不輕言的人，自然可信。」

俞秀凡道：「多謝宮主指點。」

低聲接道：「小桃童，快些決定，留這裏或是出去，已是面臨著最後的決定了。」

桃花童子毫不猶豫地說道：「我留這裏陪你。」

但聞白衣女清脆的聲音，傳入耳際，道：「俞少俠，小妹祝福，希望你好幸運。」餘音中微微帶著悽愴的感覺。

鐵門迅速地關閉了起來，使得俞秀凡來不及回謝一聲。

桃花童子望著一丈左右處的紗燈，很想去把它取過來，但又擔心白衣女言而無信，沒有關上這書室的機關，一時間遲疑難決。

回目望去，只見俞秀凡已然閉著雙目，禪息入定。

這時，四角處的火炬，仍然光亮得很，室中景物，清晰異常。

俞秀凡確然正在調息，對一個具有深厚內功基礎的武林高手而言，這是最脆弱的時候，最易受到傷害的時間。如是桃花童子仍帶著身上利刃，會毫不猶豫地拔刀刺去，但他那鋒利的短刀，卻被留在解劍台上。

自和俞秀凡結識以來，從沒有過比這更好的殺他機會，雙目閃過一道奇光，眉宇間湧出了濃重的殺機，暗中運聚了功力，緩緩舉起了右手，對準了俞秀凡的前胸，乘勢擊去，俞秀凡就算不死，也必然身受重傷。

但揚起了拳勢的桃花童子，卻在拳勢發出之前，突然又停了下來。他想到，滿室毒針激射而出的厲害，如若這室中機關未閉，殺了俞秀凡，自己也無法逃走，豈不是活生生的陪葬？俞秀凡出入五毒宮也許已有些名氣，但還不夠響亮，殺了他，也未必就算一件不世奇功，殺死俞秀凡的目的，是希望能得到一份顯赫的榮耀。

俞秀凡確已有了這樣的條件，是一條潛伏在汪洋大海的神龍，挾無與倫比的奇技，出現於江湖。但他是剛剛起飛，還未震動江湖，還未威脅到武林，如若此刻殺了他，自己固可自豪地成了一位屠龍人物，但那只能使自己滿足，無法使世人共認。因爲，這只是一條潛力強大、剛剛出水的龍，沒有人會知曉他將飛上九重天，掀起狂風巨浪。

桃花童子的心中，像風車一般轉動著，想了各種事端，然後，又緩緩放下了舉起的右拳。對他而言，這是一次絕佳的機會，絕大的冒險，但他只是殺死一個俞秀凡，一個還未爲江湖重視的潛龍。換不到應該得到的榮耀，得不到應該得到的掌聲。自然也無法得到獎賞。

冒險和收獲是那麼不成比例。

桃花童子是聰明人，自懂事那日起，就受著各種各樣的嚴格訓練，不但有很多高手，傳授給他武功，而且很多飽經世故的高人，傳授給他江湖經驗，有很多胸羅廣博的高人，告訴了他武林各大門派的傑出人物，黑白兩道上的梟雄、俊傑，和他們的武功特長。這些嚴格訓練，不但精密，而且輔以圖形。所以，桃花童子能夠一眼看出那人的身分，能夠知曉他們的武功，也能夠知道他們的來歷。

但這些，跡近完美、嚴厲的訓練，把一顆年輕人應具的赤之心，練成了深沉、多變，處處想利害、樣樣要計算的人物。他年輕，但卻沒有了年輕的熱情，偶爾流現出一些天性中應具有的純稚之情，但立時被潛在心中、由訓練而得的豐富計謀壓制下去。

桃花童子就是這樣一個人，十六、七歲的年紀，兼得各家之長得武功，四十歲以上人物才具有的心機，五十歲以上人才具有的廣博見聞。

他善於偽裝，精於計算，會製造機會，又能選擇機會。他具有了很多人無法及得的權威，又能幾乎是隨心所欲地到處玩樂，好多好多的人，在某一種形勢下，都得遵從他任何的吩咐、令諭。

無數次的心念運轉，桃花童子做了最後的決定，現在不能殺死俞秀凡，殺他之後，自己可能要付出生命的代價。但最重要的是，自己殺一個舉世無匹，第一流的超等人物，但得到的，可能是第三流的獎賞，還可能更低一些。

桃花童子心想：只要我常隨在他的身側，以後，還有殺他的機會。

雖然，俞秀凡等早已對他有了懷疑，但在桃花童子的眼中，應付俞秀凡、王翔、王倘等三人，並非難事，俞秀凡也許具有著超絕的智慧，但他太正直，也太純良，缺乏江湖上的歷練，更缺少可屈可伸的彈性。

不知道過去了多少時間，俞秀凡緩緩睜開了雙目，微微一笑，道：「小桃童，你沒有坐息一會兒麼？」

這時，四角的火炬，因機關的關閉，油盡而熄，桃花童子在火炬熄去後，證實白衣女未說謊言，才把紗燈提放到俞秀凡的身側。

放下了手中的紗燈，長長吁一口氣，對俞秀凡緩緩說道：「我不敢離開，也不敢坐息，我們不能太相信他們。」

他沒有證明，但卻無疑告訴了俞秀凡，在替他護法。

俞秀凡笑了一笑，道：「謝謝你了。小桃童，你坐在原地別動，我要找找進入那密室中的門戶。」

桃花童子伸手提起了紗燈，道：「四周的火炬，油盡而熄，看樣子，她不會騙咱們了。我走在公子身後，你看得清楚一些。」

俞秀凡很仔細地搜查了整個的書室，桃花童子極盡小心的舉燈隨在身後，又不時把燈光照射在俞秀凡搜索的地方。

兩人花去了三個時辰的時間，找遍了整個的書房，每一角落，都搜查得十分詳盡，但卻無法找出那進入另一間秘室的門戶。

望望紗燈的存油，桃花童子嘆口氣，道：「公子，這盞燈也就要油盡而熄，那時，滿室黑暗，只怕更無法找出門戶了。」

俞秀凡道：「小桃童，如是真的找不出那座秘門，咱們應該如何？」

桃花童子微微一笑，道：「她說過的，十二個時辰之後，她來接咱們離開這裏。」

俞秀凡道：「如是無法看到那英雄榜，咱們豈不是白來了一趟麼？」

輕輕嘆一口氣，俞秀凡道：「小桃童，你手中的紗燈，還能燃多少時間？」

桃花童子道：「至少還可以燃燒一頓飯左右。」

俞秀凡道：「咱們既無法找出秘門，也不用多費時間了，咱們利用這時間談談好麼？」

桃花童子道：「談什麼？」

俞秀凡道：「談談你。」

桃花童子道：「小的是一個流浪的孤兒，沒有什麼好談的。」

俞秀凡道：「你這一身武功，總該有人傳授吧？」

桃花童子道：「自然有人傳授。」

俞秀凡道：「可不可以告訴我，什麼人傳你的武功。」

桃花童子沉吟了一陣，道：「說出來，只怕公子也不知道。」

俞秀凡道：「我可能不知道，但你何妨告訴我呢？」

桃花童子道：「百花浪子，公子聽人說過沒有？」

俞秀凡搖搖頭，道：「沒有聽人說過。」

桃花童子道：「做徒弟的，本來不應該談論師父的事，不過，我如不解釋一下，只怕公子要對我懷疑了。」

俞秀凡道：「你盡量的解釋吧！」

桃花童子道：「我師父號稱百花浪子，那是因爲他玩世不恭。」

俞秀凡接道：「你一肚子無所不知的能耐，也是令師傳授的了？」

桃花童子道：「有些地方，我師父和公子的爲人有些類似，他沒有做師父的嚴肅，常和我們聊天，有時候像朋友一樣。」

俞秀凡道：「令師現在何處呢？」

桃花童子道：「他訪道崑崙山，一去無音訊，我也有三、四年沒有見過他老人家了。」

俞秀凡笑了一笑，道：「果然是無法對證的事。」

桃花童子道：「怎麼，公子不信我的話？」
俞秀凡道：「小桃童，你有什麼話，只管請說，信不信是我的事了。」
桃花童子嘆口氣，道：「公子，看來你對我心中早有懷疑了。」
俞秀凡道：「你自己覺著呢？」
桃花童子道：「公子，你看我小桃童是一個什麼樣的身分呢？」
俞秀凡道：「小桃童，不錯，我是有些懷疑你，不過，我沒有意思追根尋底，也不想問你的出身，但我只希望一件事情。」
桃花童子道：「什麼事？」
俞秀凡道：「我希望在咱們相處的這一段時間之中，你不要耍出什麼花招。」
桃花童子怔了一怔，道：「公子，你這話是什麼意思？」
俞秀凡道：「我只是防患未然。咱們相處了一段時間，彼此間應該是有點情意，我不希望咱們之間，鬧出什麼不愉快的事情出來。」
桃花童子呆住了，愣了半天，道：「公子，好像是小的出了什麼事情？」
俞秀凡道：「沒有，如是一旦出了什麼事情，只怕咱們之間不會這樣很愉快地相處了。」
桃花童子突然神色一怔，道：「公子，在你的眼裏，小的也許有些來歷不明，但小的自信沒有對不起你公子的事。」
俞秀凡道：「小桃童，你不用生氣，我說的是真話，如若我們離開璇璣宮，都還沒有死，咱們應該分開了。」
桃花童子吃了一驚，道：「爲什麼？公子！」

俞秀凡淡淡一笑，道：「小桃童，你對我們的事，已經了解的很多了，咱們再相處下去，只怕萬一有了什麼紛爭，豈不是鬧出一個不歡而散。」

桃花童子道：「公子，小的如若有什麼不對之處，公子儘管責罵就是，這樣把小的趕開，豈不是太過寡情了麼？」

俞秀凡笑了一笑，道：「小桃童，你自己好好的想想吧！如若，你覺得我們可交朋友，那就請把你的用心、目的，老老實實地說出來。如若你覺著我們不是可交的朋友，咱們就一拍兩散。對你，對我，大家都有好處。」

桃花童子嘆口氣，道：「好吧！如是公子覺著我是別有用心，離開這琁璣宮後，小的就離開公子。」

俞秀凡笑了一笑，道：「小桃童，我覺著這是咱們之間最好的結果了。」

桃花童子道：「公子，離開此地，我會離開，但現在希望公子別存芥蒂，我還要留在這裏陪你。」

俞秀凡淡淡一笑，道：「小桃童，話已經說得很明自了，你可以放心的坐息一陣，我替你護法。」

桃花童子笑了一笑，盤膝坐下。

燈油已燃盡，火光一閃而熄。室中又恢復了伸手不見五指的黑暗。

俞秀凡又仔細地推想了可能暗藏秘門的所在，仍然是全無頭緒。這是一門特殊、深奧的學問，不是細心和智慧就可以解決的事。

不知道過去了多少時間，鐵門呀然而開，一個面蒙白紗、身著白衣的少女，緩步行了進來。

她舉起手中的紗燈，道：「俞少俠，已經十二個時辰了。」

俞秀凡緩緩站起身子，道：「姑娘，勇氣和細心，對尋找秘門一事，並無幫助。」

白衣女道：「這是一門特殊的知識，不通此道的人，完全無跡可尋，也沒有幸運可言。」

俞秀凡嘆了口氣，道：「看來在下不得不認輸了。」

白衣女沉吟了一陣，道：「公子，這是我感覺到最好的結果。」

俞秀凡站起身子，道：「勞煩宮主帶我們離開此室。」

他已從白衣女的聲音，聽出她是宮主無疑。

離開了書室，白衣女帶兩人行到了一座花樹環繞的竹樓。

裏面高燃著四支火炬照得一片通明。一張八仙桌上，擺滿豐盛的酒菜。

飛釵荆鳳微笑著迎了上來，微微含著笑道：「小桃童，你很餓了吧？」

桃花童子道：「是啊！咱們公子腹中也很饑餓了。」他對飛釵荆鳳只對自己招呼一事，心中大感訝異。

荆鳳道：「貴主、僕，都是敝宮的貴賓，我們宮主招待貴主人，賤妾奉命接待小桃童。」

桃花童子微微一怔，笑道：「這太勞動荆總管了。」

荆鳳微微一笑，把桃花童子讓入了首座。

白衣女卻帶著俞秀凡登上二樓。二樓上和樓下形態類似，也早已擺下一桌酒席。

白衣女欠身把俞秀凡讓入首位，突然關閉上了木門，緩緩取下了蒙面白紗。那是一張秀麗絕倫的臉孔，雙頰上紅暈淡淡，嬌艷若花。

白衣女淡淡笑了一笑，緩緩說道：「俞少俠別見怪，小妹雖是一宮之主，但我閱歷太少，見識不多，不知道迎接武林同道禮數，先父只有我們姐弟兩人，幼弟年紀太小，我這女兒之身，只有拋頭露面，繼承宮主之位了。」

俞秀凡目光轉動，發覺白衣女只不過十七、八歲的年紀，但卻能適當地保持著身分，當下抱拳一禮，道：「璇璣宮跳出江湖是非恩怨之外，編輯英雄榜，珍藏了百年武林之人人事事，更是前所未有的大手筆，在下等冒昧闖來，實是有些唐突了。」

白衣女道：「你不用爲我們這等接待有所不安，須知我們早已有一種法規，凡是闖過五關的人，都是敝宮高等貴賓，由宮主接待。」

俞秀凡啊了一聲，道：「原來如此。」

白衣女道：「俞少俠，我從沒有接待過客人，實有著不知從何說起的感覺。」

俞秀凡道：「在下也是初出茅廬，有些地方，逾越禮數。」

白衣女遂又替俞秀凡斟了一杯酒，笑道：「俞少俠可否把師承見告小妹？」

俞秀凡爲難地嘆口氣，道：「這有些礙難。事實上，我也不能算有一脈相傳的師承。」

白衣女道：「小妹失言。」

俞秀凡道：「那倒言重了。在下這身粗淺武功，並非由一處一人所得，所以雜亂得很。」

白衣女很知趣，話題不再回到俞秀凡師承上去，笑了一笑，接道：「俞少俠，這番來敝宮不知有何目的？」

俞秀凡道：「沒有目的。英雄榜的事，在下到此之後才聽到。」

白衣女道：「沒有目的，那完全是爲了一份好奇心？」

俞秀凡道：「是的，聽說貴宮一直不和武林同道來往，因此，在下動了一份好奇之心。」

白衣女微微一笑，道：「好在雙方都保持了一定的忍耐，沒有造成傷亡。」

俞秀凡道：「璇璣宮今後歲月，是不是還保持一定的門風，不和武林同道往來？」

白衣女道：「是的。我們還準備這樣超然於武林恩怨紛爭之外，不過，有一件事，還要少俠幫忙一、二。」

俞秀凡道：「幫什麼忙？」

白衣女道：「關於英雄榜的事，希望俞少俠能替我們保守機密。先父告誡過小女，英雄榜如若一旦洩露出去，璇璣宮必將招惹來無窮的殺孽。雖然，機關布置奇妙，但傷亡流血，總是難免。因此，此事必須保持著極度的機密。」

俞秀凡道：「姑娘是否相信，這英雄榜能夠常保隱密呢？」

白衣女道：「英雄榜也許已洩漏出去，不過，那只是排名的順序，但，真正的內容一旦洩漏，璇璣宮立刻問難免血雨腥風了。」

略一沉吟，接道：「俞少俠，我沒有想到咱們之間，會有這樣一個結局。因爲，當時我有些激動。」

俞秀凡笑了一笑，接道：「準備把我坑在機關之中？」

白衣女道：「小妹確實這樣想，那是因爲小妹少不更事，這一點，希望俞少俠多賜鑒諒。」

俞秀凡接道：「區區也是一樣，年輕氣盛，但看過了貴宮的機關布置，使區區認識了天外有天，機關埋伏是一門很深奧的學問，不是武功、智略所能克服的，也無法憑一股豪勇之氣，拿血肉之軀，硬和那些機關抗拒的。」

白衣女道：「俞少俠明達得很。」

俞秀凡道：「很慚愧。」

白衣女道：「你還沒有答應我，願不願保守英雄榜真正隱密，那是關係著千百位武林高手的生命，不單是敝宮的事。」

俞秀凡道：「在下盡力使此密不洩。」

白衣女道：「有你俞公子這句話，小妹就放心了。」舉起面前酒杯，接道：「敬君子一杯酒，聊表謝意。」

俞秀凡道：「不敢當，姑娘。」舉起酒杯，一飲而盡。

白衣女也喝了一個乾杯，一展笑靨道：「俞兄，願不願在璇璣宮留住幾日？」

俞秀凡道：「不便多打擾。」

白衣女沉吟了一陣，道：「好吧！本當多留俞兄幾日，但家父去世不久，宮中事務，經緯萬端，小妹既任了宮主之位，就得全力以赴，希望明年，你們再來。」

俞秀凡道：「在下對此次之行，已然有著冒昧的感覺，不過，對俞某人而言，此行長了不少的見識，也使俞某人感覺到江湖之大，奇人萬千，武功一道，並非萬能。」

白衣女道，「是的。有些人窮一生之能，練成了萬人敵的武功；有些把一生歲月，用在醫道丹藥之上；但家父卻把絕世的才慧，用於製造機關消息之學，他在這方面，費了十年光陰。」

俞秀凡道：「原來如此。」

白衣女道：「俞少俠，璇璣宮之事，小妹已經奉告甚多，我想請教一些關於俞兄的事，不知願否見告？」

俞秀凡道：「姑娘，在下從來不願說謊，姑娘最好別問使在下為難的事。」

白衣女道：「小妹只是請問一件事，那桃花童子，跟隨俞兄很久了吧？」

沉吟了一陣，俞秀凡緩緩說道：「我們結識不太久。」

白衣女點點頭，道：「夠了。俞兄，以後，你也該小心一些。」

俞秀凡微微一笑，道：「多謝姑娘指點，離開璇璣宮之後，在下就處置此事。」

白衣女略一沉吟，道：「只怕俞兄對那位桃花童子的事，知道的也不會太多吧？」

俞秀凡怔了一怔，心中大力驚凜，忖道：這丫頭年輕輕的能當一宮之主，果有非凡才慧。他挾滿腹文章，混入江湖，才略智能，都非一般江湖人所能及，但對這白衣女的觀察入微，大生敬佩。

鎮定了一下心神，俞秀凡緩緩說道：「姑娘又對桃花童子知道好多呢？」

白衣女道：「目下我們還不能說對他知道好多，但我相信，我們可以找出他一點來路。」

俞秀凡道：「聽姑娘的口氣，對那桃花童子，有著很大的懷疑？」

白衣女道：「俞兄，別忘了家父是英雄榜輯榜人，江湖上的事，我們璇璣宮知曉的最多。」長長嘆一口氣，接道：「先父去世之前，曾告訴小妹一事，他說江湖上正在醞釀著一次大變。小妹和本門幾位長老、護法集會，討論如何應付俞兄等進入敝宮的事，小妹力保俞兄為人君子，經會商決定，把內情奉告俞兄。」

俞秀凡接道：「姑娘真的這樣相信我俞某人麼？」

白衣女道：「是的，經過小桃童那件事後，小妹對俞兄的看法，已有了很大的改變，何況，小妹又聽了俞兄和那小桃童的談話。」

俞秀凡臉色微微一變，欲言又止。

白衣女道：「俞兄不要誤會，先父設計那書房機關時，已裝置竊聽的傳音筒，爲的是怕誤傷了好人。」

俞秀凡啊了一聲，道：「原來如此。」

白衣女道：「因此小妹才敢力保俞兄是君子人物。也因此，小妹還準備把宮中一件機要大事，奉告俞兄。」

俞秀凡道：「什麼事？」

白衣女道：「先父是死於別人的暗算，但本宮中人，對此事也沒有幾人知曉。先父表面上不問江湖是非，其實，他滿腹仁義，編輯英雄榜，也就爲找出江湖上潛隱的凶機，可惜，他老人家大願未償，含恨而歿。」

俞秀凡道：「令尊原來是這樣一個可敬的人物。但不知令尊是死於何人之手？」

白衣女道：「這也是本宮要查的內情，但必須等小妹基業鞏固之後，才能著手。快則半年，遲要一年之後了。」

俞秀凡道：「姑娘對那桃花童子的懷疑，是否有特別之處呢？」

白衣女道：「我們不願污人清白，更不願輕言誤人。飛釵荆鳳是一位久歷江湖的高人，她有著豐富的閱歷，希望她能從桃花童子的口中，探出一些什麼。」

俞秀凡道：「桃花童子知道的太多了，他能一一叫出江湖數十年人物的姓名。」

白衣女道：「是的，俞兄，在他的心胸之中，似是也有一套英雄榜似的。」

俞秀凡心中一動，接道：「姑娘，令尊輯的英雄榜，是否早已洩露了出去？」

白衣女道：「不可能。但據小妹所知，除了本宮中這一套英雄榜外，還有人收集了一套，記述和本宮不同，名字也不叫英雄榜。」

俞秀凡道：「叫什麼名字？」

白衣女道：「俞兄，很抱歉，小妹不知道，只怕天下也沒有幾人知曉。」

俞秀凡點點頭，道：「桃花童子能知道這麼多事，很可能見識過了另外的英雄榜了。」

白衣女道：「俞兄準備如何對付他？」

俞秀凡道：「最有效、直接的手段，自然是逼問他說出內情，不過，俞某人做不出那樣的事。」

白衣女道：「就算俞兄能做出來，也不是有效的辦法。」

俞秀凡道：「姑娘有何高見？」

白衣女道：「再和他相處下去，暗中留心，或可找出一些蛛絲馬跡。不過，對俞兄而言，太過危險了。」

俞秀凡搖搖頭，接道：「我已經說出來，離開璇璣宮後，要他離開，如何能出爾反爾？」

白衣女道：「其實，也不用你說什麼，只要你不攆他，他也許就會留下來。」

俞秀凡道：「這個，這個……」

白衣女接道：「俞兄，有些事，不能夠太認真。在江湖上，也不能太君子，尤其對桃花童子這等人，必需要用點手段才成。」

俞秀凡長長吁一口氣，沉吟不語。

白衣女笑了一笑，道：「俞兄，可是覺得小妹的話，有什麼不對麼？」

俞秀凡道：「姑娘的話，也許說得不錯。不過，小桃童和我們相處的時間不算太長，但彼此之間並沒有冰炭不容，我發覺他別有用心，所以，攆他離去，但要我對他……」

白衣女接道：「俞兄，你不是爲個人，而是爲整個江湖，如若小桃童對你有什麼目的，也不會是他個人的用心。」

俞秀凡霍然站起身子，接道：「姑娘是說他是奉命而來？」

白衣女道：「俞兄，這是很高的一場鬥智之戰，小桃童不簡單，千萬不能輕敵。」

俞秀凡恢復了鎮靜，緩緩坐了下去，道：「多謝姑娘指教。」

白衣女道：「其實，俞兄身具大才慧，只是太方正了些，但江湖上的事，實不能太君子。」

俞秀凡道：「在下慚愧得很，姑娘常住在璇璣宮，很少涉足江湖，但姑娘的見解，卻比在下高明多了。」

白衣女笑道：「俞兄，別這麼誇獎，小妹雖然很少離開璇璣宮，但本宮中有很多江湖閱歷豐富的人物，他們告訴了小妹很多事。其實，小妹和俞兄談這一番話，也是他們告訴我的，因爲，小桃童知道的太多了。」

俞秀凡點點頭，道：「是的，姑娘這麼一指點，在下也明白了。」

白衣女道：「俞兄，準備怎麼做呢？」

俞秀凡點點頭，道：「得姑娘指點，使在下茅塞頓開，江湖上事，詭詐萬端，倒也不能全以君子手段處置。」

白衣女道：「俞兄果然是具有大智慧的人物，一點就透。」

俞秀凡正容答道：「小不忍則亂大謀，在下幾乎誤了大局，如非姑娘提醒，恐怕在下要鑄成大錯。」

白衣女道：「小妹話已說完，現在俞兄有什麼指教，小妹洗耳恭聽。」

俞秀凡道：「唉！慚愧，慚愧。在下實無善言奉告姑娘。」

白衣女道：「那麼，俞兄還想知道璇璣宮些什麼事情呢？」

俞秀凡心中一動，道：「姑娘，在下請問姑娘，那英雄榜上第一名是何許人物？」

白衣女沉吟了一陣，道：「俞兄，我可以告訴你，但希望你不要說出去。」

俞秀凡道：「好！在下答允姑娘。」

白衣女道：「近百年來英雄人物，首推金筆大俠艾九靈。」

俞秀凡微微一笑，道：「在下也可以奉告姑娘一件機密大事，希望姑娘能夠記於心中，也別告訴別人。」

白衣女淡淡一笑，道：「我也答應你。」

俞秀凡道：「在下的武功，就是金筆大俠所教授。」

白衣女霍然站起身子，道：「原來你是艾九靈大俠的高足。」

俞秀凡微微一笑，道：「艾大俠是在下的義兄。」

白衣女道：「什麼，你是艾大俠的兄弟？」

俞秀凡道：「是的，艾大俠和我兄弟相稱。」
白衣女黯然說道：「可惜艾大俠死得早了一些。」
俞秀凡道：「誰說艾九靈死了？」
白衣女道：「先父說的。」
俞秀凡道：「如若艾大俠死了，他怎的還能傳授在下武功。」
白衣女呆了一呆，道：「你幾時和艾大俠在一起？」
俞秀凡道：「分手不過半年。」
白衣女跳了起來，道：「真的？」
俞秀凡道：「是的，姑娘，在下和大哥分手不足半年。」
白衣女道：「這真要謝天謝地了，艾大俠原來還活在世上。」
俞秀凡臉上泛現出歡愉之色，心中暗暗忖道：艾大哥不但聲譽滿江湖，而且活在武林人的心中；這位白衣姑娘，不過十幾歲，自然不識大哥了，但心中對艾大哥的崇敬，竟是如此的深摯，必是聽其父之言了。想那前任璇璣宮主，生前對大哥的敬重，當真是敬若神明了。
但聞白衣女說道：「俞兄，你的武功得自艾大俠的傳授，我們敗的是心服口服了。」
忽然間，俞秀凡心中一動，急急說道：「姑娘，我那艾大哥仍然活在人間一事，可是很少人知曉麼？」
白衣女道：「是的。五年之前，江湖上已傳出艾大俠的死訊了，先父爲此痛哭三日，只哭得淚盡血流，三日夜滴水未進，下令璇璣宮中人全體戴孝，想不到艾大俠竟然還活在世上。」
俞秀凡嘆息一聲，道：「姑娘，艾大哥不肯在江湖上露面，必然有他的用心。這一點，希望姑娘能夠保守隱密。」

白衣女點點頭，道：「我知道，我會爲你守密。」

俞秀凡站起身，道：「多謝姑娘了，目下已酒足飯飽，在下也要告辭了。」

白衣女點頭，突然暈生雙頰，垂下臻首，低聲說道：「俞兄，小妹想和俞兄能再相見。」

俞秀凡道：「什麼時間？」

白衣女道：「明年此時。」

俞秀凡道：「如若我能抽出空，定當赴約來此，萬一在下不來，那就是被要事纏繞，無法分身了。」

白衣女思索了片刻，道：「你如不來，我會去找你。」

只是淡淡的一句話，但卻含蘊著無比的情意。

俞秀凡突然感覺著心中一甜，雙目凝在白衣女的臉上瞧著。

白衣女也正偷眼望來，四目相觸，白衣女突然雙頰飛紅。頭垂得更低了，聲音也變得很低微，但卻有著春水一般的溫柔，道：「瞧什麼呢？難道不許我去找你？」

俞秀凡也許是太高興，衝口說道：「固所願也，只是太勞累你了。」

白衣女道：「還有一年時間啊！也許你會如約而來。」

莫名其妙的，俞秀凡也覺著臉上一熱，道：「姑娘！可否告訴我你叫什麼？」

白衣女道：「告訴你可以，但千萬不能叫出來。」

俞秀凡道：「我知道你是一宮之主。」

白衣女道：「那只是原因之一，但最重要的是，我不希望他們知道的太多。」
語聲頓了一頓，道：「我叫金玉蓉。」
俞秀凡道：「區區記下了。」
金玉蓉道：「記下了就別忘記。」

王翔、王尙兄弟，焦急地站在璇璣宮外，目睹俞秀凡和桃花童子無恙出宮，頓然憂苦盡消，快步迎了上去。
桃花童子似乎是變了一個人般，一直恭順地跟在俞秀凡的身後，大改往日那種談興橫飛的豪情。
自然俞秀凡心中明白，就是王翔、王尙也瞧出有些不對。
忍了又忍，王尙仍是忍耐不住地問道：「小桃童，你可是在璇璣宮吃了什麼苦頭？」
桃花童子道：「沒有啊！我很好。」
王尙冷冷地說道：「兩日小別，好像分開了八十年似的，你好像完全變了個樣子。」
桃花童子道：「咱們公子春風化雨，改變了我小桃童的氣質。」
王尙道：「這麼快呀！你可是麵粉做的，一捏就變了形啦。」
桃花童子微嘆，道：「一個人的改變，當是在一瞬之間，訪道三十年，悟道一瞬間。」
王尙道：「這麼說來，你還是具有靈根的人了。」
俞秀凡突然接口說道：「小桃童本是具有大智大慧的人。」
目光轉注到桃花童子的臉上，親切一笑，道：「小桃童，璇璣宮到處是機關埋伏，咱們不習此道，自然要被他們玩耍於掌股之間了。」

桃花童子並未立刻回答，沉吟了一陣，才緩緩說道：「公子的意思……」

俞秀凡道：「我想問問你，咱們現在應該再到哪裏去開開眼界？」

桃花童子道：「難道還不夠麼？」

俞秀凡道：「不入湘西，不知毒物之毒，它不但能毒死人，且能把一個人變成毒人，不入璇璣宮，不知建築之學的浩大，能在花紅柳綠中，布置下天羅地網般的殺人利器。以天地的浩大，定然還有著不少新奇、古怪的所在了。」

桃花童子嘆口氣，道：「公子，只怕我難以效命了。」

俞秀凡道：「爲什麼？」

桃花童子道：「江湖多凶險，一步錯，只怕造成終身大憾，我實在不敢再亂出主意了。」

俞秀凡微笑，道：「小桃童，你也許說得有理，咱們就找一些安逸的所在去走走吧！」

桃花童子呆了一呆，道：「公子，世間沒有真正的安樂所在，溫柔鄉是英雄冢，名利枷鎖陷人坑，像公子這樣子的人，光芒奪目，哪裏又能夠讓你安下去呢？」

王尙道：「啊！小桃童，瞧不出啊，你還真是有一些學問！」

桃花童子苦笑一下，接道：「這談不上學問，咱們公子才是滿腹經綸的才人。我，小桃童，只是一個……」突然住口不言。

俞秀凡微微一笑，接道：「小桃童，你是什麼，爲什麼不說下去？」

桃花童子道：「我……我只是人家塑造出的一個工具罷了。」

俞秀凡微微一笑，道：「小桃童，你既然知道，爲什麼還要甘願爲人所用呢？」

桃花童子苦笑一下，道：「公子，人人都有難言的苦衷。」

這時，四人正走在一片荒野之中，俞秀凡四顧了一眼，緩緩說道：「小桃童，這裏四野無人，你有什麼痛苦，可以告訴我們，咱們相處時間雖然不長，但彼此相處得不錯，只要你能相信我俞某人，我將盡全力替你解除痛苦。」

桃花童子苦笑，道：「公子，謝謝你一番好意，可惜我這份痛苦，公子也無法幫忙。」

俞秀凡道：「你說說看，也許我能夠給你幫忙，縱然是幫不了忙，在下也保證，決不把此事洩露出去。」

桃花童子道：「公子，我很抱歉，我無法奉告什麼。因爲，我知道的，都已經表現出來，其實真正的內情，我知道的有限得很。」

俞秀凡皺皺眉頭，道：「小桃童，你能告訴我們好多，就說好多，我相信我能幫助你。」

桃花童子眨眨眼睛，道：「公子，你想知道什麼？」

俞秀凡道：「在你背後，是不是有一個很大的組合支持著你？」

桃花童子怔了一怔，道：「公子，你怎麼知道？」

俞秀凡道：「想當然爾，你表現得太尖銳了，沒有一個像你這樣年齡的人，會知道這樣多的事情。」

桃花童子點點頭，道：「公子說得是。在下最大的缺點，就是鋒芒太露了一些。」

俞秀凡道：「小桃童，你覺著我的爲人如何？」

桃花童子道：「公子的爲人，深藏不露，小的和公子相比，那真是霄壤之別了。」

俞秀凡道：「小桃童，別妄自菲薄，你的才慧、知識，如能用之於正途，對江湖必有很大的幫助，也會留給很多武林同道的懷念。」

桃花童子道：「公子金玉良言，小桃童感謝不盡。不過，公子對在下期望得太高，只怕要失望了。」

俞秀凡道：「小桃童，你錯了，我對你並沒有存什麼大期望。只是覺著，你是個很難得的人才，不願你淪入罪惡，爲害江湖。因爲，你一旦爲害江湖，必爲大害。咱們相識一場，我希望以我之力，能使你改變過來，在這個艱苦的過程中，我們願和你同進共退，禍福與共。」

桃花童子突然間流下淚來，道：「公子待小的太好了。」

俞秀凡道：「小桃童，人生在世，短短數十年，富可敵國，名滿天下，都無法永生不死，人的價值，就是要活得心安理得，留給後世人無限的懷念、追思。不爭一時名利，而爭千秋是非。小桃童，我們願把你當朋友看待，希望你能把我們當做朋友。」

桃花童子苦笑道：「和公子相處，在下已領悟到不少人生的道理，但我有苦衷。」

王尚冷冷說道：「小桃童，一個人要知好歹，咱們大哥對你這番心意，還作了保證，已算是仁至義盡了，你如若還是執迷不悟，那就未免有些太過固執了。」

俞秀凡嘆息一聲，道：「小桃童，你也許真有苦衷，但希望你能告訴我們。」

桃花童子道：「公子，我小桃童有很多壞處，可是我也許有一宗好處。」

請續看《金筆點龍記》第二冊

臥龍生武俠經典珍藏版 29

金筆點龍記（一）

作者：臥龍生
發行人：陳曉林
出版所：風雲時代出版股份有限公司
地址：10576台北市民生東路五段178號7樓之3
電話：(02) 2756-0949　　傳真：(02) 2765-3799
執行主編：劉宇青
美術設計：許惠芳
行銷企劃：林安莉
業務總監：張瑋鳳
出版日期：臥龍生60週年珍藏版 2023年3月
版權授權：春秋出版社呂秦書
ISBN ：978-986-5589-82-0
風雲書網：http://www.eastbooks.com.tw
官方部落格：http://eastbooks.pixnet.net/blog
Facebook：http://www.facebook.com/h7560949
E-mail：h7560949@ms15.hinet.net
劃撥帳號：12043291
戶名：風雲時代出版股份有限公司

風雲發行所：33373桃園市龜山區公西村2鄰復興街304巷96號
電話：(03) 318-1378　　傳真：(03) 318-1378
法律顧問：永然法律事務所 李永然律師
　　　　　北辰著作權事務所 蕭雄淋律師

行政院新聞局局版台業字第3595號 營利事業統一編號22759935

定價：320元　

國家圖書館出版品預行編目資料

金筆點龍記／臥龍生 著. -- 臺北市：風雲時代出版股份有限公司，2021.06- 冊；公分（臥龍生武俠經典珍藏版）

ISBN：978-986-5589-82-0（第1冊：平裝）
ISBN：978-986-5589-83-7（第2冊：平裝）
ISBN：978-986-5589-84-4（第3冊：平裝）
ISBN：978-986-5589-85-1（第4冊：平裝）

863.57　　110007333